T5-AGT-652

VON ALLMEN · LA FAMILLE DE DIEU

Notice biographique:

Daniel von Allmen a étudié la théologie à Neuchâtel et Heidelberg. Après six ans de ministère pastoral, il devient titulaire de la chaire de Nouveau Testament de la Faculté de théologie protestante de Yaoundé (Cameroun), qu'il occupe de 1966 à 1972. A cette date, il publie une introduction à la théologie du Nouveau Testament: *L'ÉVANGILE DE JÉSUS-CHRIST – Naissance de la théologie dans le Nouveau Testament* (Editions CLÉ, Yaoundé 1972). Après six ans passés au service de la Fédération des Eglises protestantes de la Suisse comme secrétaire théologique du Conseil, il est appelé à la présidence de la Mission de Bâle (1979). Avec Raymond Bréchet, s.j., coauteur d'un volume consacré à l'œcuménisme au SYNODE 72 des catholiques de Suisse: *Notre vocation œcuménique* (Editions Saint-Paul, Fribourg 1975).

ORBIS BIBLICUS ET ORIENTALIS 41

DANIEL VON ALLMEN

LA FAMILLE DE DIEU

LA SYMBOLIQUE FAMILIALE DANS LE PAULINISME

ÉDITIONS UNIVERSITAIRES FRIBOURG SUISSE
VANDENHOECK & RUPRECHT GÖTTINGEN
1981

CIP-Kurztitelaufnahme der Deutschen Bibliothek

Allmen, Daniel von:

La famille de Dieu: la symbolique familiale dans le paulinisme / Daniel von Allmen. –
Fribourg, Suisse: Editions Universitaires;
Göttingen: Vandenhoeck und Ruprecht, 1981.

(Orbis biblicus et orientalis; 41)
ISBN 2-8271-0200-5 (Editions Universitaires)
ISBN 3-525-53349-7 (Vandenhoeck und Ruprecht)

Imprimerie Saint-Paul Fribourg Suisse

A PIERRE BONNARD
ce travail qui doit tant
à la sollicitude
de son amitié

TABLE DES MATIERES

TABLE DES PLANCHES HORS-TEXTE

RUDOLF BULTMANN: Der Stil der paul. Predigt (1910) p. 88s. (ordre des thèmes retouché à l'intérieur des rubriques)	WERNER STRAUB: Die Bildersprache des Pls (1937) p. 114s (extraits)	AMEDEE BRUNOT: Le génie littéraire de St Paul (1955) p. 204
		1. L'homme
1. Der menschliche Körper	IV Der menschliche Körper	a) Le corps
...	...	...
2. Das menschliche Leben in der Familie und dgl.	V Das Familienleben	
		b) Les âges de la vie
γάλα, βρῶμα		Nourrisson
νήπιος, τέλειος	Kind und	Enfant
νήπιος, ἀνήρ	erwachsener Mann	Adulte
		c) La vie familiale
παρθένος	Heirat	Fiancée, épouse
	zeugen	
πατήρ - τέκνον	Vater, Elternpflichten	Père
	verwaist sein	
τροφός	Mutter	Mère, nourrice
ὠδίν, ὠδίνειν	Geburtswehen	
	Missgeburt	
	Kind	Fils
	Bruder, Schwester	Frères
διδάσκαλος, παιδευτής	Erzieher, Rute	
παιδαγωγός		
	VI Das Alltagsleben	VI Das Alltagsleben
...	VII Berufe	
	c) Verschiedenes	d) Vie sociale
κύριος		Citoyens, concitoyens
δοῦλος, ὑπηρέτης	Sklave, Diener	Liberté, esclavage
οἰκέτης		
οἰκονόμος, ἐπίτροπος	Verwalter	
	Freigelassener	
		Riche, pauvre
3. Krankheit und Tod		2. Edifice
4. Natur und das Leben des Menschen in ihr	VIII Leibesübungen	3. Culte
	IX Militärwesen	4. Jeux et armes
5. Rechtsleben u. dgl.	X Rechtspflege	5. Le droit
		...
		3. Droit civil, partie concernant la condition juridique des personnes
		personnalité civile
		Liberté, esclavage
ἀγορασθῆναι τιμῆς	Kauf, Verkauf, Loskauf	affranchissement, rachat
Eherecht	Eherecht	Mariage, paternité
		Légitimité, adoption
		Tutelle
		4. Droit civil, partie concernant les successions
	Erbrecht	vocation, instit. héréditaire
διαθήκη	Testament	Testament
κληρονόμος, προθεσμία		Héritage, incapacité successorale
		mise en possession

Trois modes de classement des thèmes imagés — PLANCHE 1

2 A	DIEU PERE (de JESUS ou us.abs.)		JESUS FILS		DIEU PERE (des CROYANTS)
	Romains		Romains		Romains
		L	1,3 ...concernant son Fils		
		L	1,4 ...établi Fils de Dieu...		
				Π/K SE	1,7 gr.+p. par D.n.P.+NSJC
			1,9 l'Evangile de son Fils		
			5,10 ... par la mort de son Fils		
(P)	6,4 ressuscité par la gloire du P.				
		(P)	8,3 a envoyé son Fils (πέμψας)		
			8,29 ...l'image de son Fils,	L	8,15 Abba - Père
			29 ... le premier-né...		
		(P)	32 ...n'a pas épargné son...Fils		
Π/K (D)	15,6 que vs r. gloire à D, le P...				
	1 Corinthiens		1 Corinthiens		1 Corinthiens
				Π/K SE	1,3 gr.+p. - n.P. et NSJC
			1,9 ...la communion de son Fils		
Π/K L	8,6 un seul Dieu, le Père				
Π/Y→	15,24 rem. la royauté à Dieu le P.	←Π/Y	15,28 le F. se soumettra à celui qui lui avait soumis ttes choses		
	2 Corinthiens		2 Corinthiens		2 Corinthiens
				Π/K SE	1,2 gr.+p. - n.P.+NSJC
Π/K D	1,3 Béni...D., Père de NSJC				
D	3 le Père des compassions				
		(K)	1,19 le Fils de Dieu, JC		
				AT	6,18 pour vous un Père(2 Sam7,14)
Π/K D	11,31 le Père de NSJC				
	Galates		Galates		Galates
(P)	1,1 Apôtre par JC et par D.le P.				
				Π/K SE	1,3 gr.+p. - n.P.+ NSJC
				P	4 qui s'est donné...
					4 selon la volonté de notre P
				D	5 à qui soit la gloire
			1,16 révéler en moi son Fils		
		P	2,20 ds la foi au F.de D. livré...		
					4,2 la date fixée par son père
		(P)	4,4 envoya son Fils (ἐξαπέστειλεν)		
		Π/Y→	6 " l'Esprit de son F. (")→	Π/Y ← L	6 ←qui s'écrie: Abba - Père
	Philippiens		Philippiens		Philippiens
				Π/K SE	1,2 gr.+p. - n.P.+ NSJC
Π/K H+D	2,11 JC Seign. à la gloire de D.le P				
				D	4,20 à D. n.P. la gloire...

CONCORDANCE SYNOPTIQUE - Légende: voir planche 2 B

PLANCHE 2 A

2 B	DIEU PERE (de JESUS ou us.abs.)		JESUS FILS		DIEU PERE (des CROYANTS)
	1 Thessaloniciens		1 Thessaloniciens		1 Thessaloniciens
Π/K SE	1,1 à l'Eglise...en D.le P.+ SJC				
				(L)	1,3 faisant mémoire de v. espérance en NSJC devant D.n.P.
		K	1,10 ...ds l'attente de son Fils...		
				Π/K (L)	3,11 D.lui-m̃. n.P. + NSJC
				Π/K "	13 devant D.n.P. à la Parousie de NSJC
	2 Thessaloniciens		2 Thessaloniciens		2 Thessaloniciens
				Π/K SE	1,1 l'Eglise...en D.le P.+ SJC
Π/K	1,2 gr.+p. - D.le P.+ SJC				
				Π/K (L)	2,16 NSJC lui-m̃. et D.n.P. ...
	Philémon		Philémon		Philémon
				Π/K SE	3 gr.+p.-D.n.P. + SJC
	Colossiens		Colossiens		Colossiens
				! SE	1,2 gr. et p. - D.n.P.(v.l.NSJC)
Π/K D	1,3 ...grâces à D.le P. de NSJC				
Π/Y→ D	12 r.gr. à D. le Père, qui...→	Π/Y← D	1,13←...ds le Roy. du Fils...		
		L	15 premier-né de ttes les créat.		
		"	18 premier-né d'entre les morts		
Π/K (D)	3,17 au nom du SJC r.gr à D.le P.				
	Ephésiens		Ephésiens		Ephésiens
				Π/K SE	1,2 gr.+ p. - D.n.P. + SJC
Π/K D	1,3 béni...D., le P.de NSJC				
(L)	17 le D.de NSJC, le P.de la gloire				
	2,18 par lui ns av. accès au Père				
(L)	3,14 je fléchis les genoux dev.le P.			L	(4,5) un seul Seigneur
πατριά	15 dont vient toute paternité			Π/K "	6 un seul D. et P. de tous
			4,13 la connaissance du F. de D.		
Π/K (D)	5,20 ...grâces à D.le P. au nom de NSJC	Π/K	Lien contextuel πατήρ - κύριος		
Π/K L	6,23 paix...- de D.le P et du SJC	Π/Y	Lien contextuel πατήρ - υἱός		
	Pastorales	←	Lien contextuel colonne de gauche		
Π/K SE	1 Tim.1,2 gr.+p. - D. le P.+NSJC	→	Lien contextuel colonne de droite		
Π/K SE	2 Tim.1,2 " " " " "	L	Formule liturgique	H	Homologie
! SE	Tit.1,4 ...-D.le P.+ JC n.Sauveur.	D	Doxologie	SE	Salutation épistolaire
		K	Formule kérygmatique	AT	Citation de l'AT
		P	Formule conf. de foi (Pistisformel)	(L)	Contexte ou inspiration liturg.
				(K)(P)(D)	Inspiré de K,D,P...

CONCORDANCE SYNOPTIQUE

PLANCHE 2 B

3 A	JESUS FILS		LES CROYANTS ENFANTS (héritiers)		DIEU PERE DES CROYANTS
	Romains		Romains		Romains
	1,3. ... concernant son Fils				
	4 établi Fils de Dieu				
					1,7 grâce et paix... D. n. Père
	9 l'Evangile de son Fils				
		κληρ	4,13s Abraham etc., héritiers		
	5,10 la mort de son Fils				
	8,3 ...envoyé son Fils		8,14 ... Esprit de D.-Fils de D		
		→ υἱοθ	15 Esprit d'adoption →	←	8,15 ←par qui nous crions Abba-P.
		τεκν	16 ... que ns sommes enfants de D		
		τεκν	17 enfants		
		κληρ	17 et donc héritiers de D.		
	8,17 sous-ent.: Christ-héritier!	σ-κληρ	17 - cohéritiers du Christ		
			19 ...révélation des F. de D.		
		τεκν	21 liberté des enfants de D.		
		υἱοθ	23 ...attendant l'adoption		
→	29 ...à l'image de son Fils afin	←	(29 ...être conformes à l'image)		
πρωτ →	29 qu'il soit le premier-né de →	← ἀδλφ	29 nombreux frères.		
	32 ...n'a pas épargné son...F.				
		υἱοθ	9,4 à eux l'adoption filiale		
		τεκν	8 pas E. de la chair mais E. de la promesse		
		AT	26 ...appelés enf de D.(Os.2,1)		
	Galates		Galates		Galates
					1,3 Gr.et paix ... D.n.P.
					4 sel. la volonté de D.n.P.
	1,16 révéler... son Fils				
	2,20 ... la foi au F. de D... livré		3,15.16.17.18:		
			διαθήκη, σπέρμα, κληρονομία		
→	3,26s (s.e. Jésus-Fils de Dieu) →	←	3,26 F. de D. par la foi en J.C.		
		κληρ	29 descend. d'Abr.→ héritiers		
		κληρ →	4,1 tant que l'héritier est mineur→	←	4,2 ← jusqu'à la date f.p. s. Père
→	4,4 D. a envoyé son Fils ...→	← υἱοθ	· 5 ←afin que nous rec. l'adoption		
→	6 D.a envoyé l'Esprit de son F.	←	6 Preuve que vs êtes fils: ←		
→	dans... →	← →	6 ←... nos coeurs ...→	←	4,6 ←et qui crie Abba - Père.
			7 tu... plus esclave mais fils		
			7 si fils,		
		κληρ	7 alors héritier de par D.		

CONCORDANCE SYNOPTIQUE - Légende: planche 3 C

PLANCHE 3 A

3 B

	JESUS FILS		LES CROYANTS ENFANTS (héritiers)		DIEU PERE DES CROYANTS
	1 Corinthiens 1,9 ...app. à la comm. de son F. 15,28 le F. se soumettra ...		1 Corinthiens		1 Corinthiens 1,3 Gr. et paix ... D.n.P.
	2 Corinthiens 1,19 J.C. le F. de D., annoncé...	→ AT θυγα	2 Corinthiens 6,18 ...et *vous* m F. et m.*filles* (2 Sam. 7,14)	← AT	2 Corinthiens 1,2 Gr. et paix... D.n.P. 6,18 Je serai pour *vous* un P...←
	Philippiens	AT τεκν	Philippiens 2,15 ...que vous deveniez enf. de D.		Philippiens 1,2. Gr. et p....D. n.P. 4,20 à D. n.P. la gloire...
	1 Thessaloniciens 1,10 ...attendre son Fils...		1 Thessaloniciens		1 Thessaloniciens 1,3 devant D. n.P. (prière) 3,11 D. lui-même, n.P. et NSJC 13 devant D.n.P.
	2 Thessaloniciens		2 Thessaloniciens		2 Thessaloniciens 1,1 L'Egl. ... en D. n.P. 2,16 NSJC lui-m̂ et D.n.P
	Philémon		Philémon		Philémon 3 gr. et paix ... D.n.P.

CONCORDANCE SYNOPTIQUE - Légende: planche 3 C

PLANCHE 3 B

3 C	JESUS FILS		LES CROYANTS ENFANTS (héritiers)		DIEU PERE DES CROYANTS
  πρωτ πρωτ	Colossiens 1,13 ds le Roy. du F. de son amour 15 premier-né de ttes les créat. 15 " " d'entre les morts		Colossiens		Colossiens 1,2 Gr. et paix ... D.n.P.
	Ephésiens 4,13 la connaissance du Fils de D.	υἱοθ τεκν	Ephésiens 1,5 nous prédest. à l'adoption... 5,1 imit. de D. comme des enf...		Ephésiens 1,2 Gr. et paix ... D.n.P.
	Pastorales	κληρ	Pastorales Tt 3,7 Héritiers de la vie étern.		Pastorales
  υἱοθ τεκν πρωτ	LEGENDE υἱος υἱοθεσία τέκνον πρωτότοκος	 κληρ σ-κληρ αδλφ θυγα	LEGENDE κληρονόμος συγκληρονόμος ἀδελφός θυγατήρ	 AT ← →	LEGENDE Dans une citation de l'AT Lien contextuel avec la colonne de gauche (même ligne) Idem avec colonne de droite.

4 A	ESCLAVE		LES CROYANTS ENFANTS		HERITAGE
	Romains		Romains		Romains
	1,1 Paul esclave du Christ Jésus				
				κλμς	4,13 Abraham et descend. héritiers
				κλμς	14 - si...héritiers par la loi...
δευω	6,6 que ns...plus asservis - péché				
	16 esclaves de qqn pour obéir,				
	16 esclaves de celui à qui vs ob.				
	17 vs étiez esclaves du péché.				
5οω	18 Libérés, - asservis à la just.				
	19 esclaves de l'impureté				
	19 esclaves de la justice				
	20 Quand esclaves du péché,				
	libres à l'ég. de la justice.				
δοω	22 Libérés... - asservis à Dieu				
	vs portez des fruits...				
δευω	7,6 Servir ds un Esprit nouveau...				
δευω	25 Je sers la loi de Dieu...				
			8,14 ...Esprit de D.-Fils de D.		
δεια →	8,15 Vs...pas reçu esprit-esclavage→	← υἱοθ	15 ←...mais esprît d'adoption,		
			dans lequel ns crions Abba		
		τεκν	16 Esprit témoigne: enfants de D.		
		τεκν →	17 Si enfants,→	← κλμς	8,17 ←héritiers;
				κλμς	17 héritiers de Dieu
			19 ...la révélation des fils de D.	σ-κλμς	17 cohéritiers du Christ...
	21 Création sera libérée de				
δεια	l'esclavage de la corruption				
→	en vue de la→	τεκν ←	21 ←liberté ... des enfants de D.		
		υἱοθ	23 en attendant l'adoption		
			29 conformes à l'im. de s. Fils,		
		ἀδλφ	premier-né de nombreux frères.		
		υἱοθ	9,4 A eux l'adoption filiale.		
		τεκν	8 Pas enf. de la chair,		
		τεκν	8 mais enf. de la promesse.		
		ATτεκν	26 Appelés enf. de Dieu (Os.2,1)		
δευω	12,11 Au service du Seigneur				
οἰκτ	14,4 Juger le serviteur d'un autre				
δευω	18 Celui qui, ainsi, sert le Chr.				
δευω	16,18 Ceux(-là) ne servent pas le X.				
	mais leur ventre.				

4 B

	ESCLAVE		LES CROYANTS ENFANTS		HERITAGE
	Galates		Galates		Galates
	1,10 je n.serais p. esclave du X.				
κ-δοω	2,4 afin de nous asservir.				
				διαθ	3,15 un simple testament humain
				σπερ	16 pr Abraham et sa descendance
				διαθ	17 donc: un testament en règle
				κλμα	18 l'héritage: Loi/promesse
				σπερ	19 en attendant la descendance
	3,21-25 En attendant, l'Ecriture a enfermé... sous la loi.				
			3,26 Vs - fils de D. p. foi en J.C.	σπερ	29 vs - descendance d'Abraham
				κλμς	29 héritiers selon la promesse
→→ →	4,1 →→ il (est comme) un esclave →	←	4,2 ← (soumis) jusqu'au délai fixé par le père.	←← κλμς	4,1 tt que l'héritier - mineur ←←
δοω	3 Ns étions asservis - éléments				
		υἱοθ	4,5 (Dieu a envoyé son Fils) pr que nous recevions adoption		
			6 Vs - fils: Dieu a envoyé l'Esprit de son Fils criant: Abba - Père.		
→	4,7 Tu n'es plus esclave →	←	7 ← mais fils.		
		→	7 - Si fils,→	← κλμς	4,7 ←...alors héritier par Dieu.
δευω	8 Autrefois, vs, asservis...				
δευω	9 à nouveau être esclaves?				
	4,21-5,1 Allégorie Sara-Hagar				
δεια	4,24 1e alliance - servitude				
δευω	25 Hagar est esclave			κλμω	4,30 ...n'héritera pas
δεια	5,1 Ne reprenez pas joug esclavage!				
πσκη	5x l'image de la servante!				
	Opposition servitude-liberté.			κλμω	5,21 ...n'hériteront pas le R.de.D.

4 C

	ESCLAVE		LES CROYANTS ENFANTS		HERITAGE
δοω δοω δ-αγ	1 Corinthiens 7,15 (ils)ne sont pas asservis 22 L'homme libre est esclave du X 23 ne devenez pas escl. des hommes 9,19 Libre, je me suis asservi à tous. 27 je tiens mon corps assujetti.		1 Corinthiens	κλμω κλμω κλμω κλμω	1 Corinthiens 6,9 ...n'hériteront pas le R.de D. 10...n'hériteront pas le R.de D. 15,50 hériter le R.de Dieu 50 hériter l'incorruptibilité
κ-δοω	2 Corinthiens 4,5 Nous: vos serviteurs par Jés. 11,20 Vs supportez qu'on vs asservis.	θυγα	2 Corinthiens 6,18 ...et vous, m.fils et 18 mes filles (2 Sam.7,14)		2 Corinthiens
	Philippiens 1,1 Paul + Tim. esclaves du X.,J. 2,7 il a pris condition d'esclave 2,22 (Tim.) a servi l'Evangile avec moi, comme un fils avec son père.	τεκν	Philippiens 2,15 ...que vs deveniez enfants de D.		Philippiens
δευω	1 Thessaloniciens 1,9 Vs avez abandonné les idoles pour servir le Dieu vivant, 10 et attendre son Fils...		1 Thessaloniciens		1 Thessaloniciens
	2 Thessaloniciens		2 Thessaloniciens		2 Thessaloniciens
→	Philémon cf 16 non comme un esclave 16 mais plus qu'un esclave: →	ἀδλφ ←	Philémon cf 16 ← comme un frère.		Philémon

4 D	ESCLAVE		LES CROYANTS ENFANTS		HERITAGE
	Colossiens		Colossiens		Colossiens
σ-δλς	1,7 mon compagnon d'esclavage				
				κλ	1,12 part à l'héritage des saints
δευω ↠	3,24 ↠ le maître, le X, vs le servez.			↞ κλμα	3,24 ..vs recevrez l'héritage ↞
σ-δλς →	4,7 → compagnon d'esclavage ds le S	ἀδλφ ←	cf 4,7 Tychique, frère, serviteur,←		
	12 Epaphras, esclave du X.				
	Ephésiens		Ephésiens		Ephésiens
		υἱοθ	1,5 prédestinant à l'adoption		
				κλω	1,11 ns av. reçu notre part
				κλμα	14 arrhes de l'héritage
				κλμα	18 la richesse...de l'héritage
				σ-κλμς	3,6 païens, cohéritiers-promesse
		τεκν	5,1 imit. de D. comme d. enfants		
				κλμα	5,5 exclus de l'héritage ds R.du
	6,5 (esclaves) obéissez				
ὀ-δεια	6 non parce qu'on vous surveille				
	6 mais comme des esclaves du X,				
δευω	7 servez de bon gré comme (ser-vant) le Seigneur...				
	Pastorales		Pastorales		Pastorales
	2 Tim 2,24 un esclave du S n.s.bat p				
	Tt 1,1 Paul, esclave du Seign.				
δοω	2,3 esclaves du vin				
δευω	3,3 esclaves des convoitises				
				κλμς	Tt 3,7 héritiers, en espérance, de la vie éternelle.
	LEGENDE		LEGENDE		LEGENDE
-	δοῦλος		υἱός	κλμς	κληρονόμος
δευω	δουλεύω	τεκν	τέκνον	κλμα	κληρονομία
δοω	δουλόω	υἱοθ	υἱοθεσία	κλμω	κληρονομέω
δεια	δουλεία	θυγα	θυγατήρ	κλ	κλῆρος
σ-δλς	σύνδουλος	ἀδλφ	ἀδελφός	κλω	κληρόω
κ-δοω	καταδουλόω		Lien contextuel avec la colonne:	σ-κλμς	συγκληρονόμος
οἰκτ	οἰκέτης	← / →	- voisine à gauche / resp. droite	διαθ	διαθήκη
ὀ-δεια	ὀφθαλμοδουλεία	↞ / ↠	- extrême gauche / resp. extr.droite	σπερ	σπέρμα
πσκη	παιδίσκη				
δ-αγ	δουλαγωγέω				

CONCORDANCE SYNOPTIQUE

PLANCHE 4 D

FRERE - SOEUR

STATISTIQUE

Livre	Liens du sang			Fraternité dans le Christ						Noter	Totaux	
					Personnes précises						η/ος	η/ος
					voc.	autres cas						
	de Jésus	autres liens du sang	comparaison	en général	vocatif	nommées	non nommées	φιλαδελφία	ψευδάδελφος		Liens du sang	en Christ
Rom.		1/1		/1	/10	1/1	/6	1		8,29; 14,13ss	1/1	1/18
1 Cor.	/1				/20	/2	2/16			8,9-13	-/1	2/38
2 Cor.					/3	/4	/5		1		-	-/12
Gal.	/1				/9	-	/1		1		-/1	-/10
Eph.					-	/1	/1				-	-/2
Phi.					/6	/1	/2				-	-/9
Col.					-	/3	/2			4,7	-	-/5
1 Thes.					/14	/1	/4	1			-	-/19
2 Thes.					/7	-	/2				-	-/9
1 Tim.			1/1		-	-	/2				1/1	-/2
2 Tim.					-	-	/1				-	-/1
Tite					-	-	-				-	-
Phm.					/2	1/1	/1			v. 16	-	1/4
Totaux	-/2	1/1	1/1	-/1	-/71	2/14	2/43	2	2		2/4	4/129
Hébr.		/2		-/3	-/4	-/1	-	1			-/2	-/8

Légende :
1/1 etc.: Premier nombre: ἀδελφή / second nombre: ἀδελφός.

PLANCHE 5

6 A	PAUL ET SES ENFANTS PAR L'EVANGILE		LES NOCES - LES FIANÇAILLES et autres thèmes occasionnels		LIENS CONTEXTUELS
	Romains	συγ- γενής " "	Romains 16,7 Saluez Andronicus et Junias, mes parents 11 Sal. Hérodion, mon parent 21 Lucius, Jason, Sosipatros, mes parents		Romains
τέκνον πατήρ γεννάω τέκνον	1 Corinthiens 4,14 ...vs avertir, comme des enf. 15 ...vs n'av. pas plusieurs pères 15 C'est moi qui, par l'Evangile, vous ai engendrés... 17 Timothée, mon enf. chéri...		1 Corinthiens		1 Corinthiens
τέκνον	2 Corinthiens 6,13 je vs parle comme à mes enf.	ἁρμόζω ἀνήρ παρα- στῆσαι παρθένος	2 Corinthiens 11,2 Je vous ai fiancés 2 à un époux unique, pour 2 vous présenter au Christ 2 comme une vierge pure		2 Corinthiens
τεκνίον ὠδινω	Galates 4,19 mes petits enfants, que, 19 dans la douleur, j'enfante à nouveau...		Galates		Galates
τέκνον πατήρ	Philippiens 2,22 Timothée, comme un enfant auprès de son père...		Philippiens	δουλεύω	Philippiens 2,22 ...a servi l'Evangile.
τρόφος τέκνον πατήρ τέκνον	1 Thessaloniciens 2,7 comme une mère réchauffe sur 7 son sein les enfants qu'elle nourrit... 11 traitant chacun...comme un père ses enfants...		1 Thessaloniciens		1 Thessaloniciens
	2 Thessaloniciens		2 Thessaloniciens		2 Thessaloniciens
τέκνον γεννάω	Philémon v.10 je te prie pour mon enfant, 10 O., que j'ai engendré ...		Philémon		Philémon

6 B

PAUL ET SES ENFANTS PAR L'EVANGILE		LES NOCES - LES FIANÇAILLES et autres thèmes occasionnels		LIENS CONTEXTUELS	
	Colossiens		Colossiens		Colossiens
	Ephésiens	ἀνήρ γυνή γυνή ἀνήρ ἀνήρ γυνή παρα- στῆσαι ἀνήρ γυνή σῶμα σῶμα	Ephésiens 5,23 le mari est le chef de la femme, tout comme le Christ...de l'Eglise. 24 Comme l'Eglise est soumise au Christ, qu'ainsi les femmes le soient à leurs maris. 25 Maris, aimez vos femmes femmes, comme le Christ... 26 ... la purifiant avec l'eau... 27 il a voulu se la présenter... 28 C'est ainsi que le mari doit aimer sa femme, comme son propre corps... 29 comme le Christ le fait pour l'Eglise. Ne sommes-nous 30 pas les membres de son corps? 32 Ce mystère est grand...		Ephésiens
 τέκνον τέκνον	1 Timothée 1,2 Tim., mon véritable enfant 18 Tim., mon enfant		1 Timothée		1 Timothée
 τέκνον τέκνον	2 Timothée 1,2 Tim., mon enfant chéri 2,1 Toi donc, mon enfant, fortif...		2 Timothée		2 Timothée
 τέκνον	Tite 1,4 Tite, mon véritable enfant...		Tite		Tite

CONCORDANCE SYNOPTIQUE

PLANCHE 6 B

C O N C O R D A N C E S   S Y N O P T I Q U E S

TABLES RECAPITULATIVES

Légendes

PLANCHE 7

Importance relative des thèmes dans les épîtres, et liens contextuels (liens entre thèmes dans un contexte limité).

A. Importance relative des épîtres: 700 mots = 5 mm
(minimum utile 10 mm ▒)

B. Importance relative des thèmes: 1 mm = 1 attestation

C. Liens contextuels réalisés:

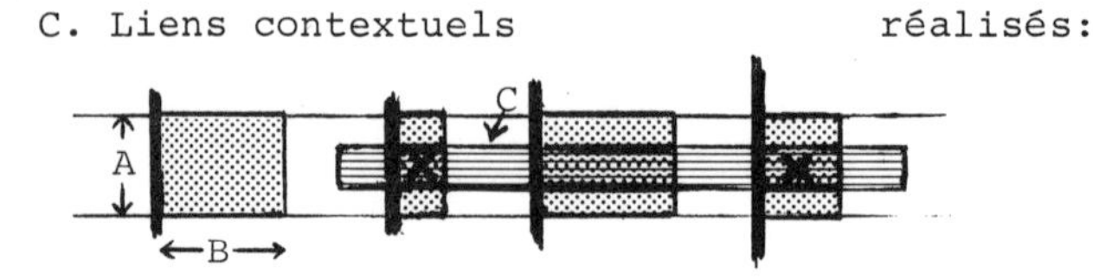

PLANCHE 8

Récapitulation des textes présentant des liens contextuels.

Description diagrammatique de la succession des thèmes en Rom. 8 et Gal. 3-4.

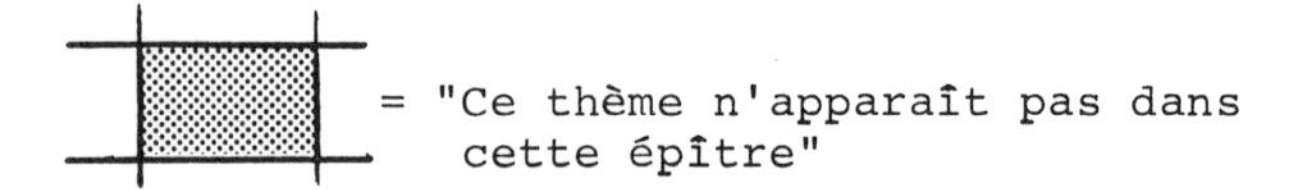

= "Ce thème n'apparaît pas dans cette épître"

Dans la colonne "Esclave/Servir":

+ Terme pris dans un sens positif
- Terme pris dans un sens négatif (ant.: libération)

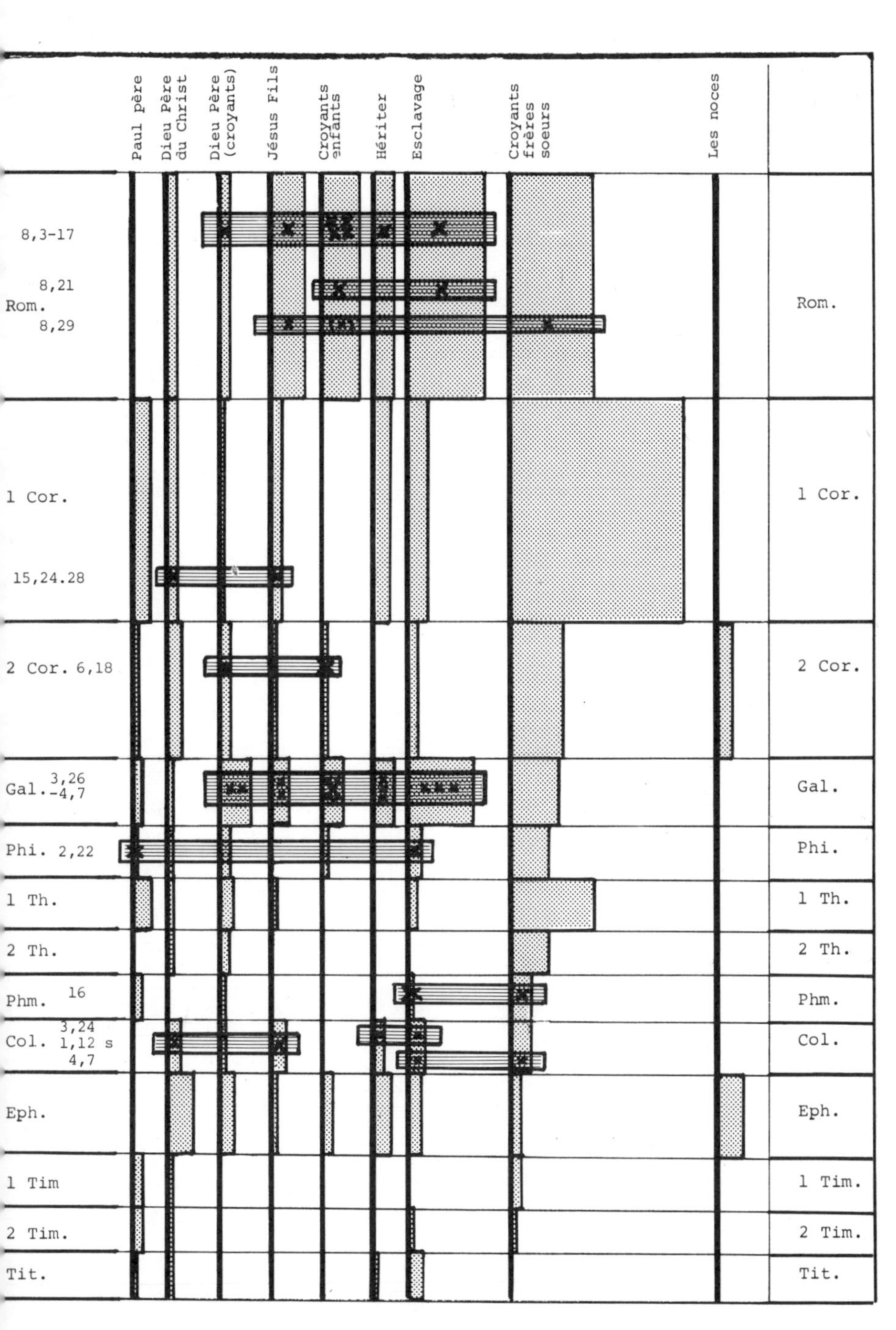

Les liens contextuels

Légende : page précédente

PLANCHE 7

CONCORDANCES SYNOPTIQUES

TABLE RECAPITULATIVE

	PAUL PERE	DIEU PERE JESUS	DIEU PERE CROYANTS	JESUS FILS	CROYANTS ENFANTS	HERITER	ESCLAVE SERVIR	FRERE SOEUR	NOCES	
Rom			8,15	8,3 ( ) 8,17 8,29	8,14 8,15 8,16 8,17 8,21 (8,29)	8,17	8,15- 8,21-	8,29		Rom
1 Cor		15,24		15,28						1 Cor
2 Cor			6,18		6,18					2 Cor
Gal			4,2 4,6	(3,26) 4,4 4,6	3,26 ( ) 4,5 4,6 4,7 4,7	3,29 4,1 4,7	4,1- 4,3- 4,7-			Gal
Phi	2,22						2,22 +			Phi
1 Th										1 Th
2 Th										2 Th
Phm							16-	16		Phm
Col		1,12		1,13		3,24	3,24+ 4,7 +	4,7		Col
Eph										Eph
1 Tim										1 Tim
2 Tim										2 Tim
Tite										Tite

Textes présentant des liens contextuels

Légende: voir page spéciale avant planche 7

PLANCHE 8

ROMAINS					GALATES				
Thèmes théologiques		Thèmes métaphoriques (famille)			Thèmes métaphoriques (famille)			Thèmes théologiques	
νόμος	ἐπαγγελία	σπέρμα Ἀβραάμ	κληρονόμος	υἱός (θεοῦ)	υἱός (θεοῦ)	κληρονόμος	σπέρμα Ἀβραάμ	ἐπαγγελία	νόμος
				X=Χριστός A=ἄνθρωπος	X=Χριστός A=ἄνθρωπος				
									3,10 3,11 3,12 3,13
								3,14 (?) vl:εὐλογία	
4,13	4,13	4,13	4,13			3,15 διαθήκη 3,17	3,16 (ter)	3,16	
4,14	4,14		4,14			3,18 κληρονομία!		3,17 3,18 (bis)	3,17 3,18
4,15 4,16	4,16	4,16					3,19b	3,19b	3,19a
4,20 4,21 8,2								3,21 3,22	3,21 3,23 3,24
					A 3,26				
						3,29 4,1	3,29	3,29	
8,3s				X 8,3	X 4,4				4,4s
					A 4,5 υἱοθεσία				
				A 8,14	A 4,6				
				A 8,15 υἱοθεσία					
					X 4,6				
			8,17 (bis) + συνκληρ.	A 8,16 * A 8,17 * * τέκνον	A 4,7 A bis	4,7			
				A 8,19 A 8,23 X 8,29 X 8,32					

Thèmes théologiques et thèmes métaphoriques - Gal. 3 et 4/Rom. 4 et 8

PLANCHE 9

.an Romains	Réf.Rom.	Réf.Gal.	G A L A T E S 3,6 - 4,7
			La famille d'Abraham / La famille de Dieu
			Eléments étrangers à la symbolique de la famille
»raham et sa descendance ıstifiés par la foi.	4,1 – 4,8	3,6 – 3,9	Thèse: C'est par la foi qu'on devient *FILS D'ABRAHAM*, bénéficiaire de la promesse.
		3,10 – 3,14	Par la loi vient la malédiction et non la bénédiction. Le Christ nous a rachetés de cette malédiction.
ır la foi seule. terminologie judaïque	4,9 / 4,9 / 4,12		
terminologie paulinienne	4,13 / 13 / 14-15 / 16 / 4,17a	3,15 / 16 / 17-19a / 19b / 3,20	La promesse faite à Abraham ("l'alliance") est comme un *TESTAMENT* dont doit bénéficier LA *POSTERITE* d'Abraham (singulier): le Christ. A lui l'*HERITAGE*. La loi n'est qu'une parenthèse, qui n'annule pas la promesse. — (sous-entendu:) (qui dit *TESTAMENT* - de Dieu -) (dit non seulement *HERITAGE* mais) (aussi *HERITIER*. Dans une famille) (l'héritier, c'est le *FILS*.)
contenu de la foi Abraham - et notre i au Ressuscité	4,17b – 4,25		
croyant libéré de la loi ntemple son ancienne ndition, sous la loi, dans le péché.	7,7 – 7,25	3,21 – 3,23	La parenthèse de la loi (I) Une captivité, dans l'attente du nouveau régime, celui de la foi.
suis libre.	8,1-2	3,24 – 3,25	La parenthèse de la loi (II) Une rude discipline, celle d'un *"PEDAGOGUE"* en attendant le Christ et la justification par la foi. Nous ne sommes plus soumis au *PEDAGOGUE*.
		3,26 – 3,29	*POSTERITE* d'Abraham → — Explicitation des sous-entendus: Vous êtes *FILS DE DIEU* par la foi / par le baptême par votre union au Christ. Plus de discrimination. Unis au Christ vous êtes ← et donc *HERITIERS*.
nparaison du veuvage	7,1 – 7,6	4,1 / 4,1 – 4,2	La parenthèse de la loi (III) a) La comparaison: Tant qu'il est *MINEUR*, *L'HERITIER* est comme un *ESCLAVE*, jusqu'au jour de sa majorité, *FIXE* par son *PERE*.
: l'envoi du Fils de Dieu ıs la condition humaine ıs sommes justifiés.	8,3	4,3 – 4,5	b) Application métaphorisante: Quand nous étions encore *"MINEURS"*, nous *ETIONS ESCLAVES* des "rudiments du monde". Quand vint le temps favorable, Dieu envoya son *FILS* pour nous *RACHETER*, et que nous recevions *L'ADOPTION*.
ır vivre selon l'Esprit.	8,4	4,5	
vre selon l'Esprit non selon la chair	8,5 – 8,13		
›rit d'adoption .iale et donc liberté,	8,14	4,6 – 4,7a	Vous êtes bien *FILS*: Dieu a envoyé l'Esprit de son *FILS*, qui nous inspire le cri: *ABBA - NOTRE PERE*. Tu n'es donc plus *ESCLAVE*, mais *FILS*.
communion avec le .s, l'héritier, munion de souffrance	8,17	4,7b	Conclusion: Si tu es *FILS*, tu es bien *HERITIER*.
ıs l'attente de gloire à venir. ›rs nous serons 'faitement semblables .ui.	8,18 – 8,30		

PLANCHE 10

L'HERITIER MINEUR (Gal. 4,1-5)

La similitude: v. 1-2	L'application: v. 3-5	
	Eléments métaphoriques	Eléments "décodés"
[1]Λέγω δὲ		[3]οὕτως καὶ ἡμεῖς,
ἐφ'ὅσον χρόνον	ὅτε	
ὁ κληρονόμος νήπιός ἐστιν,	ἦμεν νήπιοι,	
(2 A)		ὑπὸ τὰ στοιχεῖα τοῦ κόσμου
οὐδὲν διαφέρει δούλου	ἤμεθα δεδουλωμένοι·	
κύριος πάντων ὤν,		
[2]ἀλλὰ ὑπὸ ἐπιτρόπους ἐστὶν		
καὶ οἰκονόμους		
ἄχρι τῆς προθεσμίας		[4]ὅτε δὲ ἦλθεν τὸ πλήρωμα
		τοῦ χρόνου,
τοῦ πατρός.		ἐξαπέστειλεν ὁ θεὸς
	τὸν υἱὸν αὐτοῦ,	
		γενόμενον ἐκ γυναικός,
		γενόμενον ὑπὸ νόμον,
		[5]ἵνα τοὺς ὑπὸ νόμον
	ἐξαγοράσῃ,	
	ἵνα τὴν υἱοθεσίαν	
	ἀπολάβωμεν.	

ENFANCE ET MATURITE

Gal. 4,1-4 - Eph. 4,13-14

GALATES 4,1-4		EPHESIENS 4
SIMILITUDE	APPLICATION	
[1] λέγω δὲ	[3] οὕτως καὶ ἡμεῖς,	
ἐφ'ὅσον χρόνον	ὅτε	[13] μέχρι κατηντήσωμεν οἱ πάντες εἰς
ὁ κληρονόμος		τὴν ἑνότητα τῆς πίστεως καὶ τῆς ἐπι-
		γνώσεως τοῦ υἱοῦ τοῦ θεοῦ,
νήπιός ἐστιν,	ἦμεν νήπιοι,	↓[14] ἵνα μήκετι ὦμεν νήπιοι,
οὐδὲν διαφέρει δούλου	ὑπὸ τὰ στοιχεῖα τοῦ κόσμου	κλυδωνιζόμενοι καὶ περιφερόμενοι
κύριος πάντων ὤν,		παντὶ ἀνέμῳ τῆς διδασκαλίας ἐν
[2] ἀλλὰ ὑπὸ ἐπιτρόπους ἐστὶν	ἤμεθα δεδουλωμένοι·	τῇ κυβείᾳ τῶν ἀνθρώπων ἐν πανουρ-
καὶ οἰκονόμους		↓ γίᾳ πρὸς τὴν μεθοδείαν τῆς πλάνης,
		εἰς ἄνδρα τέλειον,
ἄχρι τῆς προθεσμίας	[4] ὅτε δὲ ἦλθεν τὸ πλήρωμα	εἰς τὸ μέτρον τῆς ἡλικίας τοῦ πληρώματος
τοῦ πατρός.	τοῦ χρόνου,	τοῦ Χριστοῦ, [14] ἵνα μήκετι ὦμεν νήπιοι...↑
	ἐξαπέστειλεν ὁ θεὸς	
	τὸν υἱὸν αὐτοῦ...	

L'HERITIER MINEUR (Gal. 4,1-5)		
La similitude: v. 1-2	L'application: v. 3-5	
	Eléments métaphoriques	Eléments "décodés"
[1]Λέγω δὲ		[3]οὕτως καὶ ἡμεῖς,
ἐφ'ὅσον χρόνον	ὅτε	
ὁ κληρονόμος νήπιός ἐστιν,	ἦμεν νήπιοι,	
(2 A)		ὑπὸ τὰ στοιχεῖα τοῦ κόσμου
οὐδὲν διαφέρει δούλου	ἤμεθα δεδουλωμένοι·	
κύριος πάντων ὤν,		
[2]ἀλλὰ ὑπὸ ἐπιτρόπους ἐστὶν		
καὶ οἰκονόμους		
ἄχρι τῆς προθεσμίας		[4]ὅτε δὲ ἦλθεν τὸ πλήρωμα
		τοῦ χρόνου,
τοῦ πατρός.		ἐξαπέστειλεν ὁ θεὸς
	τὸν υἱὸν αὐτοῦ,	
		γενόμενον ἐκ γυναικός,
		γενόμενον ὑπὸ νόμον,
		[5]ἵνα τοὺς ὑπὸ νόμον
	ἐξαγοράσῃ,	
	ἵνα τὴν υἱοθεσίαν	
	ἀπολάβωμεν.	

PLANCHE 11

ENFANCE ET MATURITE Gal. 4,1-4 - Eph. 4,13-14		
GALATES 4,1-4		EPHESIENS 4
SIMILITUDE	APPLICATION	
[1]Λέγω δὲ	[3]οὕτως καὶ ἡμεῖς,	
ἐφ'ὅσον χρόνον	ὅτε	[13]μέχρι καταντήσωμεν οἱ πάντες εἰς
ὁ κληρονόμος		τὴν ἑνότητα τῆς πίστεως καὶ τῆς ἐπι-
		γνώσεως τοῦ υἱοῦ τοῦ θεοῦ,
νήπιός ἐστιν,	ἦμεν νήπιοι,	↓[14]ἵνα μηκέτι ὦμεν νήπιοι,
οὐδὲν διαφέρει δούλου	ὑπὸ τὰ στοιχεῖα τοῦ κόσμου	κλυδωνιζόμενοι καὶ περιφερόμενοι
κύριος πάντων ὤν,		παντὶ ἀνέμῳ τῆς διδασκαλίας ἐν
[2]ἀλλὰ ὑπὸ ἐπιτρόπους ἐστὶν	ἤμεθα δεδουλωμένοι·	τῇ κυβείᾳ τῶν ἀνθρώπων ἐν πανουρ-
καὶ οἰκονόμους		↓ γίᾳ πρὸς τὴν μεθοδείαν τῆς πλάνης,
		εἰς ἄνδρα τέλειον,
ἄχρι τῆς προθεσμίας	[4]ὅτε δὲ ἦλθεν τὸ πλήρωμα	εἰς τὸ μέτρον τῆς ἡλικίας τοῦ πληρώματος
τοῦ πατρός.	τοῦ χρόνου,	τοῦ Χριστοῦ, [14]ἵνα μηκέτι ὦμεν νήπιοι...↑
	ἐξαπέστειλεν ὁ θεὸς	
	τὸν υἱὸν αὐτοῦ...	

PLANCHE 12

LES DEUX REGIMES

Gal. 4,1-5 - Rom. 7,1-6

GALATES 4	ROMAINS 7
[1] Λέγω δέ,	[1] Ἢ ἀγνοεῖτε, ἀδελφοί,
	γινώσκουσιν γὰρ νόμον λαλῶ, ὅτι
	ὁ νόμος κυριεύει τοῦ ἀνθρώπου
ἐφ'ὅσον χρόνον	ἐφ'ὅσον χρόνον
ὁ κληρονόμος νήπιός ἐστιν,	ζῇ;
οὐδὲν διαφέρει δούλου	
κύριος πάντων ὤν,	
[2] ἀλλὰ ὑπὸ ἐπιτρόπους ἐστὶν	[2] ἡ γὰρ ὕπανδρος γυνὴ τῷ ζῶντι
καὶ οἰκονόμους	ἀνδρὶ δέδεται νόμῳ·
ἄχρι τῆς προθεσμίας τοῦ πατρός.	ἐὰν δὲ ἀποθάνῃ ὁ ἀνήρ,
	κατήργηται ἀπὸ τοῦ νόμου τοῦ
	ἀνδρός.
	[3] ἄρα οὖν ζῶντος τοῦ ἀνδρὸς
	μοιχαλὶς χρηματίσει ἐὰν γένηται
	ἀνδρὶ ἑτέρῳ·
[3] οὕτως καὶ ἡμεῖς,	[4] ὥστε, ἀδελφοί μου, καὶ ὑμεῖς
	ἐθανατώθητε τῷ νόμῳ διὰ τοῦ
	σώματος τοῦ Χριστοῦ, εἰς τὸ
	εἶναι ὑμᾶς ἑτέρῳ,
	τῷ ἐκ νεκρῶν ἐγερθέντι,
	ἵνα καρποφορήσωμεν τῷ θεῷ.
ὅτε ἦμεν νήπιοι,	[5] ὅτε γὰρ ἦμεν ἐν τῇ σαρκί,
ὑπὸ τὰ στοιχεῖα τοῦ κόσμου	τὰ παθήματα τῶν ἁμαρτιῶν
	τὰ διὰ τοῦ νόμου
ἤμεθα δεδουλωμένοι·	ἐνηργεῖτο ἐν τοῖς μέλεσιν ἡμῶν
	εἰς τὸ καρποφορῆσαι τῷ θανάτῳ·
[4] ὅτε δὲ ἦλθεν τὸ πλήρωμα	[6] νυνὶ δὲ
τοῦ χρόνου, ἐξαπέστειλεν ὁ θεὸς	
τὸν υἱὸν αὐτοῦ, γενόμενον ἐκ	(cf. Rom. 8,3)
γυναικός, γενόμενον ὑπὸ νόμον,	
[5] ἵνα τοὺς ὑπὸ νόμον ἐξαγοράσῃ,	κατηργήθημεν ἀπὸ τοῦ νόμου,
	ἀποθανόντες ἐν ᾧ κατειχόμεθα,
ἵνα τὴν υἱοθεσίαν ἀπολάβωμεν.	ὥστε δουλεύειν ἡμᾶς ἐν καινότητι
	πνεύματος καὶ οὐ παλαιότητι
	γράμματος.

LE FILS UNIQUE ET LES FILS ADOPTIFS

Galates 4,4-7			Romains 8,3-4.14-17
4[4] ὅτε δὲ ἦλθεν τὸ πλήρωμα τοῦ χρόνου,			8[3] τὸ γὰρ ἀδύνατον τοῦ νόμου, ἐν ᾧ ἠσθένει διὰ τῆς σαρκός,
ἐξαπέστειλεν ὁ θεὸς τὸν υἱὸν αὐτοῦ,			ὁ θεὸς τὸν ἑαυτοῦ υἱὸν πέμψας
γενόμενον ἐκ γυναικός,			ἐν ὁμοιώματι σαρκὸς ἁμαρτίας
γενόμενον ὑπὸ νόμον,			καὶ περὶ ἁμαρτίας κατέκρινεν τὴν ἁμαρτίαν ἐν τῇ σαρκί,
[5] ἵνα τοὺς ὑπὸ νόμον ἐξαγοράσῃ			[4] ἵνα τὸ δικαίωμα τοῦ νόμου πληρωθῇ ἐν ἡμῖν
			τοῖς μὴ κατὰ σάρκα περιπατοῦσιν ἀλλὰ κατὰ πνεῦμα.
ἵνα υἱοθεσίαν ἀπολάβωμεν.			↓ ([15] ...ἀλλὰ ἐλάβετε πνεῦμα υἱοθεσίας)
[6] ὅτι δέ ἐστε υἱοί,	(a)	(b)	[14] ὅσοι γὰρ πνεύματι θεοῦ ἄγονται,
ἐξαπέστειλεν ὁ θεὸς τὸ πνεῦμα	(b)	(a)	οὗτοι υἱοὶ θεοῦ εἰσιν.
τοῦ υἱοῦ αὐτοῦ εἰς τὰς καρδίας ἡμῶν,			
↓ ([7] ὥστε οὐκέτι εἶ δοῦλος			[15] οὐ γὰρ ἐλάβετε πνεῦμα δουλείας
↓			πάλιν εἰς φόβον,
↓ ἀλλὰ υἱός...)			ἀλλὰ ἐλάβετε πνεῦμα υἱοθεσίας,
κρᾶζον,			ἐν ᾧ κράζομεν,
Αββα ὁ πατήρ.			Αββα ὁ πατήρ·
[7] ὥστε οὐκέτι εἶ δοῦλος			↑ ([15] οὐ γὰρ ἐλάβετε πνεῦμα δουλείας ...)
↑ ([6] ἐξαπέστειλεν ὁ θεὸς τὸ πνεῦμα τοῦ υἱοῦ αὐτοῦ			[16] αὐτὸ τὸ πνεῦμα συμμαρτυρεῖ
↑ εἰς τὰς καρδίας ἡμῶν...)			τῷ πνεύματι ἡμῶν ὅτι ἐσμὲν
ἀλλὰ υἱός·			τέκνα θεοῦ.
εἰ δὲ υἱός,			[17] εἰ δὲ τέκνα,
καὶ κληρονόμος διὰ θεοῦ.			καὶ κληρονόμοι·
			κληρονόμοι μὲν θεοῦ, συγκληρονόμοι δὲ Χριστοῦ...

CE FRERE POUR QUI LE CHRIST EST MORT - 1 Cor. 8,11 et parall.

Rom. 14	1 Cor. 8
[13] Μήκετι οὖν ἀλλήλους κρίνωμεν·	
ἀλλὰ τοῦτο κρίνατε μᾶλλον,	[9] βλέπετε δὲ μή πως ἡ ἐξουσία ὑμῶν αὕτη
τὸ μὴ τιθέναι πρόσκομμα τῷ αδελφῷ	πρόσκομμα γένηται τοῖς ἀσθενέσιν.
ἢ σκάνδαλον.	[10] ἐὰν γάρ τις ἴδῃ σε
[14] οἶδα γὰρ καὶ πέπεισμαι ἐν κυρίῳ Ἰησοῦ	τὸν ἔχοντα γνῶσιν ἐν εἰδωλείῳ κατακείμενον,
ὅτι οὐδὲν κοινὸν δι'ἑαυτοῦ· εἰ μὴ τῷ λογι-	
ζομένῳ τι κοινὸν εἶναι, ἐκείνῳ κοινόν.	οὐχὶ ἡ συνείδησις αὐτοῦ ἀσθενοῦς ὄντος
[15] εἰ γὰρ διὰ βρῶμα ὁ ἀδελφός σου λυπεῖται	οἰκοδομηθήσεται εἰς τὸ τὰ εἰδωλόθυτα ἐσθίειν;
οὐκέτι κατὰ ἀγάπην περιπατεῖς.	
μὴ τῷ βρώματί σου ἐκεῖνον (↑ἀδελφὸν) ἀπόλλυε	[11] ἀπόλλυται γὰρ ὁ ἀσθενῶν ἐν τῇ σῇ γνώσει,
ὑπὲρ οὗ Χριστὸς ἀπέθανεν.	ὁ ἀδελφὸς δι'ὃν Χριστὸς ἀπέθανεν.
(...)	[12] οὕτως δὲ ἁμαρτάνοντες εἰς τοὺς ἀδελφοὺς
	καὶ τύπτοντες αὐτῶν τὴν συνείδησιν ἀσθενοῦσαν
[20] μὴ ἕνεκεν βρώματος κατάλυε τὸ ἔργον τοῦ θεοῦ.	εἰς Χριστὸν ἁμαρτάνετε.

PLANCHE 15

JESUS, FILS DE DIEU ET SEIGNEUR : Romains 10,9 et parallèles

Gal. 1,16	Rom. 1,3-4		Romains 10,9		Phil.2,6ss	
([15]ὅτε δὲ εὐ- δόκησεν ὁ ἀφορί- σας με...)			ὅτι ἐὰν ὁμολογήσῃς ἐν τῷ στόματί σου	καὶ πιστεύσῃς ἐν τῇ καρδίᾳ σου	[6]ὃς ἐν μορφῇ θεοῦ ὑπάρχων... [7]...ἑαυτὸν ἐκένωσεν μορφὴν δούλου λαβών, ἐν ὁμοιώματι ἀνθρω- πων γενόμενος ... [8]ἐταπείνωσεν ἑαυτὸν γενόμενος ὑπήκοος μέχρι θανάτου ...	
	[3]περὶ τοῦ υἱοῦ αὐτοῦ τοῦ γενο- μένου ἐκ σπέρματος Δαυὶδ κατὰ σάρκα,					[10]ἵνα ἐν τῷ ὀνόματι Ἰησοῦ πᾶν γόνυ κάμψῃ [11]καὶ πᾶσα γλῶσσα ἐξομολογήσεται ὅτι κύριος Ις Χς
				ὅτι ὁ θεὸς	[9]διὸ καὶ ὁ θεὸς αὐτὸν ὑπερύψωσεν καὶ ἐχαρίσατο αὐτῷ τὸ ὄνομα τὸ ὑπὲρ πᾶν ὄνομα ...	
[16]ἀποκαλύψαι	[4]τοῦ ὁρισθέντος	ἐξ ἀναστάσεως νεκρῶν Ιου Χου		αὐτὸν ἤγειρεν ἐκ νεκρῶν,		
τὸν υἱὸν αὐτοῦ	υἱοῦ θεοῦ ἐν δυνάμει κατὰ πνεῦμα ἁγιωσύνης	τοῦ κυρίου ἡμῶν ...	κύριον Ἰησοῦν,	σωθήσῃ.		εἰς δόξαν θεοῦ πατρός.
ἐν ἐμοὶ ἵνα εὐαγγελίζωμαι αὐτὸν ἐν ἔθνε- σιν, (...)						

PAUL ET SES ENFANTS - PAR L'EVANGILE

LA RELATION entre Paul et ses "enfants"	NAISSANCE de la relation
1 Cor. 4,14-15a [14] Οὐκ ἐντρέπων ὑμᾶς γράφω ταῦτα, ἀλλ'ὡς τέκνα μου ἀγαπητὰ νουθετῶν· [15] ἐὰν γὰρ μυρίους παιδαγωγοὺς ἔχητε ἐν Χριστῷ, ἀλλ'οὐ πολλοὺς πατέρας, →	1 Cor. 4,15b ἐν γὰρ Χριστῷ Ἰησοῦ διὰ τοῦ εὐαγγελίου ἐγὼ ὑμᾶς ἐγέννησα.
2 Cor. 6,12-13 [12] οὐ στενοχωρεῖσθε ἐν ἡμῖν, στενοχωρεῖσθε δὲ ἐν τοῖς σπλάγχνοις ὑμῶν· [13] τὴν δὲ αὐτὴν ἀντιμισθίαν, ὡς τέκνοις λέγω, πλατύνθητε καὶ ὑμεῖς.	Gal. 4,19 τεκνία μου, οὓς πάλιν ὠδίνω μέχρις οὗ μορφωθῇ Χριστὸς ἐν ὑμῖν·
1 Thess. 2,7-8.11-12 ...[7] δυνάμενοι ἐν βάρει εἶναι ὡς Χριστοῦ ἀπόστολοι· ἀλλὰ ἐγενήθημεν ἤπιοι ἐν μέσῳ ὑμῶν, ὡς ἐὰν τροφὸς θάλπῃ τὰ ἑαυτῆς τέκνα· [8] οὕτως ὁμειρόμενοι ὑμῶν εὐδοκοῦμεν μεταδοῦναι ὑμῖν οὐ μόνον τὸ εὐαγγέλιον τοῦ θεοῦ ἀλλὰ καὶ τὰς ἑαυτῶν ψύχάς, διότι ἀγαπητοὶ ἡμῖν ἐγενήθητε. [11] καθάπερ οἴδατε ὡς ἕνα ἕκαστον ὑμῶν ὡς πατὴρ τέκνα ἑαυτοῦ [12] παρακαλοῦντες ὑμᾶς καὶ παραμυθούμενοι καὶ μαρτυρόμενοι εἰς τὸ περιπατεῖν ὑμᾶς ἀξίως τοῦ θεοῦ...	Phm 10 παρακαλῶ σε περὶ τοῦ ἐμοῦ τέκνου, ὃν ἐγέννησα ἐν τοῖς δεσμοῖς Ὀνήσιμον...

TIMOTHEE ET TITE - ENFANTS DE PAUL

Phil.2,22	1 Cor. 4,17	1 Tim.1,2	1 Tim.1,18	2 Tim.1,2	2 Tim.2,1	Tite 1,4
(Τιμόθεον...) ὅτι ὡς πατρὶ τέκνον σὺν ἐμοὶ ἐδούλευσεν.	(Τιμόθεον...) ὅς ἐστίν μου τέκνον ἀγαπητὸν καὶ πιστὸν ἐν κυρίῳ...	Τιμοθέῳ γνησίῳ τέκνῳ ἐν πίστει...	σοι τέκνον Τιμόθεε...	Τιμοθέῳ ἀγαπητῷ τέκνῳ...	Σὺ οὖν, τέκνον μου...	Τίτῳ γνησίῳ τέκνῳ κατὰ κοινὴν πίστιν...

PLANCHE 17

LE "PEDAGOGUE"	
Galates 3,23-26	1 Corinthiens 4,14-15
23 Πρὸ δὲ τοῦ ἐλθεῖν τὴν πίστιν	
ὑπὸ νόμον	
ἐφρουρούμεθα συγκλειόμενοι	14 Οὐκ ἐντρέπων ὑμᾶς γράφω ταῦτα,
εἰς τὴν μέλλουσαν πίστιν	
ἀποκαλυφθῆναι.	
↓(26 ...υἱοὶ θεοῦ ἐστε...)	ἀλλ'ὡς τέκνα μου ἀγαπητὰ νουθετῶν·
24 ὥστε ὁ νόμος παιδαγωγὸς ἡμῶν	15 ἐὰν γὰρ μυρίους παιδαγωγοὺς
γέγονεν εἰς Χριστόν	ἔχητε ἐν Χριστῷ,
ἵνα ἐκ πίστεως δικαιωθῶμεν·	
25 ἐλθούσης δὲ τῆς πίστεως	
οὐκέτι ὑπὸ παιδαγωγόν ἐσμεν.	
	ἀλλ'οὐ πολλοὺς πατέρας,
26 πάντες γὰρ υἱοὶ θεοῦ ἐστε a	c ἐν γὰρ Χριστῷ Ἰησοῦ
διὰ τῆς πίστεως b	b διὰ τοῦ εὐαγγελίου
ἐν Χριστῷ Ἰησοῦ. c	a ἐγὼ ὑμᾶς ἐγέννησα.

PLANCHE 18

Dieu le Père et Jésus le Fils en 1 Cor. 15,24.28

Tradition prépaulinienne et interprétation paulinienne

[22] ὥσπερ γὰρ ἐν τῷ Ἀδὰμ
πάντες ἀποθνῄσκουσιν,
οὕτως καὶ ἐν τῷ Χριστῷ
πάντες ζῳοποιηθήσονται.
[23] ἕκαστος δὲ ἐν τῷ ἰδίῳ τάγματι·
ἀπαρχὴ Χριστός,
ἔπειτα οἱ τοῦ Χριστοῦ
ἐν τῇ παρουσίᾳ αὐτοῦ·
[24] εἶτα τὸ τέλος

ὅταν δὲ εἴπῃ ὅτι πάντα ὑποτέτακται, δῆλον
ὅτι ἐκτὸς τοῦ ὑποτάξαντος αὐτῷ τὰ πάντα.

		Bab	[28] ὅταν δὲ ὑποταγῇ αὐτῷ τὰ πάντα,
Aa	ὅταν παραδιδῷ τὴν βασιλείαν	Aa	τότε [καὶ] αὐτὸς ὁ υἱὸς ὑποταγήσεται
b	τῷ θεῷ καὶ πατρί,	b	τῷ ὑποτάξαντι αὐτῷ τὰ πάντα
Ba	ὅταν καταργήσῃ [b] πᾶσαν ἀρχὴν		Ba (↑ [28] ὅταν δὲ ὑποταγῇ αὐτῷ)
b	καὶ πᾶσαν ἐξουσίαν καὶ δύναμιν.		b (↑ τὰ πάντα...)

[25] δεῖ γὰρ αὐτὸν βασιλεύειν
ἄχρι οὗ θῇ πάντας τοὺς ἐχθροὺς
ὑπὸ τοὺς πόδας αὐτοῦ.
[26] ἔσχατος ἐχθρὸς καταργεῖται ὁ θάνατος
[27] πάντα γὰρ ὑπέταξεν
ὑπὸ τοὺς πόδας αὐτοῦ.

ἵνα ᾖ ὁ θεὸς
[τὰ] πάντα ἐν πᾶσιν.

Caractères gras (βασιλεύειν): texte de Paul
Petits caractères (βασιλείαν): Traditions prépauliniennes
Encadré: v.24.28 - tradition et commentaires

Galates 1,4 et ses parallèles La "formule de paradosis"				
Rom. 8,31s	Gal. 1,3-5	Gal. 2,20	Epître aux Ephésiens 5,2	 5,25 (variations sur 5,2)
31 ...εἰ ὁ θεὸς ὑπὲρ ἡμῶν,	3 χάρις ὑμῖν καὶ εἰρήνη ἀπὸ θεοῦ πατρὸς ἡμῶν καὶ κυρίου Ἰησοῦ Χριστοῦ,	...ὃ δὲ νῦν ζῶ ἐν σαρκί, ἐν πίστει ζῶ	καὶ περιπατεῖτε ἐν ἀγάπῃ	οἱ ἄνδρες, ἀγαπᾶτε τὰς γυναῖκας
τίς καθ' ἡμῶν; 32 ὅς γε τοῦ ἰδίου υἱοῦ οὐκ ἐφείσατο,	4 τοῦ ↓(κατὰ τὸ θέλημα) ↓(τοῦ θεοῦ καὶ) ↓(πατρὸς ἡμῶν)	τῇ τοῦ υἱοῦ τοῦ θεοῦ τοῦ ἀγαπήσαντός με	καθὼς καὶ ὁ Χριστὸς ἠγάπησεν / ἡμᾶς	 /τὴν ἐκκλησίαν
ἀλλὰ ὑπὲρ ἡμῶν πάντων παρέδωκεν αὐτόν,	δόντος ἑαυτὸν ὑπὲρ τῶν ἁμαρτιῶν ἡμῶν	καὶ παραδόντος ἑαυτὸν ὑπὲρ ἐμοῦ.	καὶ / παρέδωκεν ἑαυτὸν ὑπὲρ / ἡμῶν προσφορὰν καὶ θυσίαν τῷ θεῷ εἰς ὀσμὴν εὐωδίας.	/ ἑαυτὸν παρέδωκεν / αὐτῆς, 26 ἵνα αὐτὴν ἁγιάσῃ καθαρίσας τῷ λουτρῷ τοῦ ὕδατος ἐν ῥήματι.
↑(ὅς γε τοῦ ἰδίου) ↑(υἱοῦ οὐκ ἐφείσατο)	ὅπως ἐξέληται ἡμᾶς ἐκ τοῦ αἰῶνος τοῦ ἐνεστῶτος τοῦ πονηροῦ κατὰ τὸ θέλημα τοῦ θεοῦ καὶ πατρὸς ἡμῶν, 5 ᾧ ἡ δόξα εἰς τοὺς αἰῶνας τῶν αἰώνων.			
πῶς οὐχὶ καὶ σὺν αὐτῷ τὰ πάντα ἡμῖν χαρίσεται;				

PLANCHE 20

La gloire de Dieu - le Père - dans la résurrection de Jésus-Christ - le Seigneur.

Phil. 2	Rom. 4,24	Gal. 1,1	Rom. 6,4	Rom. 15,6	Eph.1,17
	([23]ἐγράφη) ... δι'ἡμᾶς οἷς μέλλει λογίζεσθαι, τοῖς πιστεύουσιν	Παῦλος ἀπόστολος, ... διὰ Ἰησοῦ **Χριστοῦ**	συνετάφημεν οὖν αὐτῷ διὰ τοῦ βαπτίσματος	ἵνα ὁμοθυμαδὸν ἐν ἑνὶ στόματι δοξάζητε	([16]μνείαν ποιού- μενος ἐπὶ τῶν προσευχῶν μου,) ἵνα
[8]ἐταπείνωσεν ἑαυτὸν γενόμενος ὑπήκοος μέχρι θανάτου, θανάτου δὲ σταυροῦ.			**εἰς τὸν θάνατον,**		
[9]διὸ καὶ ὁ θεὸς	ἐπὶ τὸν	καὶ θεοῦ πατρὸς	ἵνα ὥσπερ	τὸν θεὸν καὶ πατέρα	ὁ θεὸς
αὐτὸν ὑπερύψωσεν	τὸν ἐγείραντα (↓ἐκ νεκρῶν)	τοῦ ἐγείραντος αὐτὸν ἐκ νεκρῶν, (καὶ) ...	ἠγέρθη Χριστὸς ἐκ νεκρῶν	τοῦ	τοῦ
καὶ ἐχαρίσατο αὐτῷ τὸ ὄνομα τὸ ὑπὲρ πᾶν ὄνομα, [10]**ἵνα** ἐν τῷ ὀνόματι Ἰησοῦ	Ἰησοῦν				
πᾶν γόνυ κάμψῃ (...) [11]καὶ πᾶσα γλῶσσα ἐξομολογήσεται ὅτι κύριος	τὸν κύριον ἡμῶν ἐκ νεκρῶν, (ὅς...)			κυρίου ἡμῶν	κυρίου ἡμῶν
Ἰησοῦς Χριστὸς εἰς δόξαν θεοῦ πατρός.			(↑Χριστὸς) διὰ τῆς δόξης τοῦ πατρός,	Ἰησοῦ Χριστοῦ. (↑δοξάζητε)	Ἰησοῦ Χριστοῦ, ὁ πατὴρ τῆς δόξης,
			οὕτως καὶ ἡμεῖς ἐν καινότητι ζωῆς περιπατήσωμεν.		δώῃ ὑμῖν πνεῦμα σοφίας...

PLANCHE 21

LA COMPARAISON DU MARIAGE ET SON APPLICATION

Romains 7,1-6

		Thèse (v.1):	
		7 1 Ἠ ἀγνοεῖτε, ἀδελφοί, γινώσκουσιν γὰρ νόμον λαλῶ, ὅτι ὁ νόμος κυριεύει τοῦ ἀν- θρώπου ἐφ'ὅσον χρόνον ζῇ;	
Un parallèle: 1 Cor. 7,39	A. L'image (v.2-3)	B. Application (I) (v.4-5)	C. Application (II) (v.6)
Γυνὴ δέδεται ἐφ'ὅσον χρόνον ζῇ ὁ ἀνὴρ αὐτῆς· ἐὰν δὲ κοιμηθῇ ὁ ἀνήρ,	2 ἡ γὰρ ὕπανδρος γυνὴ τῷ ζῶντι ἀνδρὶ δέδεται νόμῳ· ἐὰν δὲ ἀποθάνῃ ὁ ἀνήρ, κατήργηται ἀπὸ τοῦ νόμου τοῦ ἀνδρός.	4 ὥστε, ἀδελφοί μου, καὶ ὑμεῖς ἐθανατώθητε τῷ νόμῳ	6 νυνὶ δὲ κατηργήθημεν ἀπὸ τοῦ νόμου,
		διὰ τοῦ σώματος τοῦ Χριστοῦ,	
	3 ἄρα οὖν ζῶντος τοῦ ἀνδρὸς μοιχαλὶς χρηματίσει ἐὰν γένηται ἀνδρὶ ἑτέρῳ· ἐὰν δὲ ἀποθάνῃ ὁ ἀνήρ,		ἀποθανόντες ἐν ᾧ κατειχόμεθα,
ἐλευθέρα ἐστὶν ᾧ θέλει γαμηθῆναι, μόνον ἐν κυρίῳ.	ἐλευθέρα ἐστὶν ἀπὸ τοῦ νόμου, τοῦ μὴ εἶναι αὐτὴν μοιχαλίδα γενομένην ἀνδρὶ ἑτέρῳ.	εἰς τὸ γένεσθαι ὑμᾶς ἑτέρῳ, τῷ ἐκ νεκρῶν ἐγερθέντι, ἵνα καρποφορήσωμεν τῷ θεῷ.	ὥστε δουλεύειν ὑμᾶς ἐν καινό- τητι πνεύματος
		5 ὅτε γὰρ ἦμεν ἐν τῇ σαρκί, τὰ παθήματα τῶν ἁμαρτιῶν τὰ διὰ τοῦ νόμου ἐνήργειτο ἐν τοῖς μέλεσιν ἡμῶν εἰς τὸ καρποφορῆσαι τῷ θανάτῳ·	καὶ οὐ παλαιότητι γράμματος.

LES FIANÇAILLES DU CHRIST ET DE L'EGLISE

2 Corinthiens 11,2s, et ses parallèles

Rom. 7,4	2 Corinthiens 11,2s	Eph. 5,25-27
ὥστε, ἀδελφοί μου, καὶ ὑμεῖς		[25] οἱ ἄνδρες, ἀγαπᾶτε τὰς γυναῖκας,
	[2] ζηλῶ γὰρ ὑμᾶς θεοῦ ζήλῳ,	καθὼς καὶ ὁ Χριστὸς ἠγάπησεν τὴν ἐκκλησίαν
ἐθανατώθητε τῷ νόμῳ		καὶ ἑαυτὸν παρέδωκεν
διὰ τοῦ σώματος τοῦ Χριστοῦ,		ὑπὲρ αὐτῆς,
	ἡρμοσάμην γὰρ ὑμᾶς ἑνὶ ἀνδρὶ	[26] ἵνα αὐτὴν ἁγιάσῃ καθαρίσας
	παρθένον ἁγνὴν	τῷ λουτρῷ τοῦ ὕδατος ἐν ῥήματι,
εἰς τὸ γένεσθαι ὑμᾶς ἑτέρῳ,	παραστῆσαι τῷ Χριστῷ·	[27] ἵνα παραστήσῃ αὐτὸς ἑαυτῷ
τῷ ἐκ νεκρῶν ἐγερθέντι,	[3] φοβοῦμαι δὲ μή πως, ὡς ὁ ὄφις	ἔνδοξον τὴν ἐκκλησίαν,
	ἐξηπάτησεν Εὕαν ἐν τῇ πανουργίᾳ αὐτοῦ,	μὴ ἔχουσαν σπίλον ἢ ῥυτίδα
	φθαρῇ τὰ νοήματα ὑμῶν ἀπὸ τῆς ἁπλότητος	ἤ τι τῶν τοιούτων,
ἵνα καρποφορήσωμεν τῷ θεῷ.	[καὶ τῆς ἁγνότητος] τῆς εἰς τὸν Χριστόν.	ἀλλ' ἵνα ᾖ ἁγία καὶ ἄμωμος.

PLANCHE 23

L

L'UNION DU CHRIST ET DE L'EGLISE

Ephésiens 5,21-33 et parallèles

Col. 3,18s	EPHESIENS 5 Maris et femmes	 Le Christ et l'Eglise	2 Cor. 11,2s
	...[21] ὑποτασσόμενοι ἀλλήλοις ἐν φόβῳ Χριστοῦ.		[2]ζηλῶ γὰρ ὑμᾶς θεοῦ ζήλῳ,
[18] Αἱ γυναῖκες, ὑποτάσσεσθε τοῖς ἀνδράσιν ὡς ἀνῆκεν ἐν κυρίῳ.	[22] Αἱ γυναῖκες τοῖς ἰδίοις ἀνδράσιν ὡς τῷ κυρίῳ, [23] ὅτι ὁ ἀνήρ ἐστιν κεφαλὴ τῆς γυναικὸς	ὡς καὶ ὁ Χριστὸς κεφαλὴ τῆς ἐκκλησίας, αὐτὸς σωτὴρ τοῦ σώματος.	
	οὕτως καὶ αἱ γυναῖκες τοῖς ἀνδράσιν ἐν παντί.	[24] ἀλλὰ ὡς ἡ ἐκκλησία ὑποτάσσεται τῷ Χριστῷ,	
[19] Οἱ ἄνδρες, ἀγαπᾶτε τὰς γυναῖκας καὶ μὴ πικραίνεσθε πρὸς αὐτάς.	[25] Οἱ ἄνδρες, ἀγαπᾶτε τὰς γυναῖκας,	καθὼς καὶ ὁ Χριστὸς ἠγάπησεν τὴν ἐκκλησίαν καὶ ἑαυτὸν παρέδωκεν ὑπὲρ αὐτῆς,	
	[28] οὕτως ὀφείλουσιν	[26] ἵνα αὐτὴν ἁγιάσῃ καθαρίσας τῷ λουτρῷ τοῦ ὕδατος ἐν ῥήματι, [27] ἵνα παραστήσῃ αὐτὸς ἑαυτῷ ἔνδοξον τὴν ἐκκλησίαν, μὴ ἔχουσαν σπίλον ἢ ῥυτίδα ἤ τι τῶν τοιούτων, ἀλλ'ἵνα ᾖ ἁγία καὶ ἄμωμος.	ἡρμοσάμην γὰρ ὑμᾶς ἑνὶ ἀνδρὶ παρθένον ἁγνὴν παραστῆσαι τῷ Χριστῷ· ([3]φοβοῦμαι δὲ μή πως... τὰ νοήματα ὑμῶν ἀπὸ τῆς ἁπλότητος τῆς εἰς τὸν Χριστόν)
	καὶ οἱ ἄνδρες ἀγαπᾶν τὰς ἑαυτῶν γυναῖκας ὡς τὰ ἑαυτῶν σώματα. ὁ ἀγαπῶν τὴν ἑαυτοῦ γυναῖκα ἑαυτὸν ἀγαπᾷ, [29] οὐδεὶς γάρ ποτε τὴν ἑαυτοῦ σάρκα ἐμίσησεν, ἀλλὰ ἐκτρέφει καὶ θάλπει αὐτήν,	καθὼς καὶ ὁ Χριστὸς τὴν ἐκκλησίαν, [30] ὅτι μέλη ἐσμὲν τοῦ σώματος αὐτοῦ.	
	[31] ἀντὶ τούτου καταλείψει ἄνθρωπος τὸν πατέρα καὶ τὴν μητέρα καὶ προσκολληθήσεται πρὸς τὴν γυναῖκα αὐτοῦ, καὶ ἔσονται οἱ δύο εἰς σάρκα μίαν.		[3]φοβοῦμαι δὲ μή πως, ὡς ὁ ὄφις ἐξηπάτησεν Εὕαν ἐν τῇ πανουργίᾳ αὐτοῦ, φθαρῇ τὰ νοήματα ὑμῶν ἀπὸ τῆς ἁπλότητος [καὶ τῆς ἁγνότητος] τῆς εἰς Χριστόν.
		[32] τὸ μυστήριον τοῦτο μέγα ἐστίν, ἐγὼ δὲ λέγω εἰς Χριστὸν καὶ εἰς τὴν ἐκκλησίαν.	
	[33] πλὴν καὶ ὑμεῖς οἱ καθ'ἕνα ἕκαστος τὴν ἑαυτοῦ γυναῖκα ἀγαπάτω ὡς ἑαυτόν, ἡ δὲ γυνὴ ἵνα φοβῆται τὸν ἄνδρα.		

PLANCHE 24

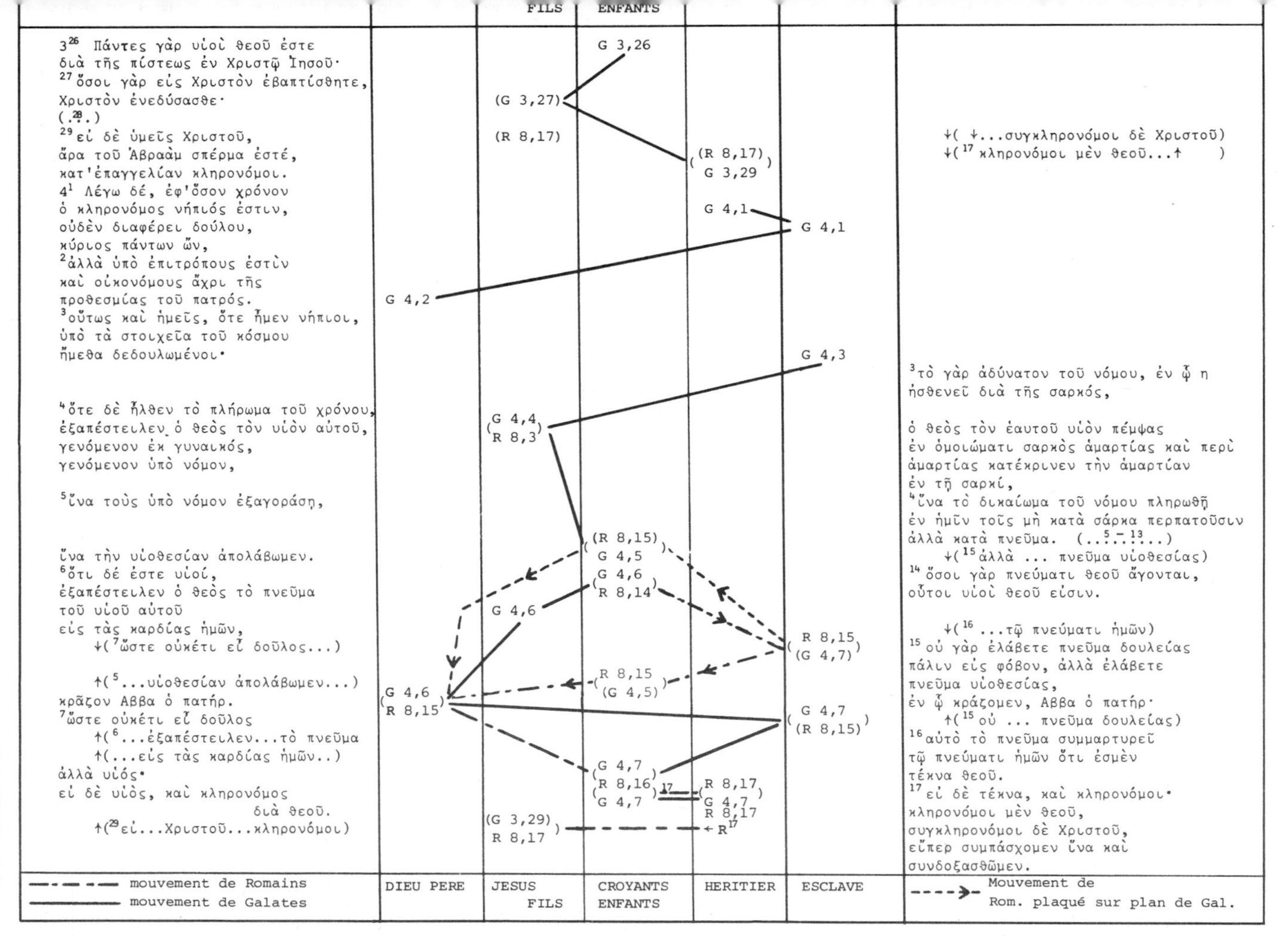
3[26] Πάντες γὰρ υἱοὶ θεοῦ ἐστε
διὰ τῆς πίστεως ἐν Χριστῷ Ἰησοῦ·
[27] ὅσοι γὰρ εἰς Χριστὸν ἐβαπτίσθητε,
Χριστὸν ἐνεδύσασθε·
(.[28].)
[29] εἰ δὲ ὑμεῖς Χριστοῦ,
ἄρα τοῦ Ἀβραὰμ σπέρμα ἐστέ,
κατ'ἐπαγγελίαν κληρονόμοι.
4[1] Λέγω δέ, ἐφ'ὅσον χρόνον
ὁ κληρονόμος νήπιός ἐστιν,
οὐδὲν διαφέρει δούλου,
κύριος πάντων ὤν,
[2] ἀλλὰ ὑπὸ ἐπιτρόπους ἐστὶν
καὶ οἰκονόμους ἄχρι τῆς
προθεσμίας τοῦ πατρός.
[3] οὕτως καὶ ἡμεῖς, ὅτε ἦμεν νήπιοι,
ὑπὸ τὰ στοιχεῖα τοῦ κόσμου
ἤμεθα δεδουλωμένοι·
[4] ὅτε δὲ ἦλθεν τὸ πλήρωμα τοῦ χρόνου,
ἐξαπέστειλεν ὁ θεὸς τὸν υἱὸν αὐτοῦ,
γενόμενον ἐκ γυναικός,
γενόμενον ὑπὸ νόμον,
[5] ἵνα τοὺς ὑπὸ νόμον ἐξαγοράσῃ,
ἵνα τὴν υἱοθεσίαν ἀπολάβωμεν.
[6] ὅτι δέ ἐστε υἱοί,
ἐξαπέστειλεν ὁ θεὸς τὸ πνεῦμα
τοῦ υἱοῦ αὐτοῦ
εἰς τὰς καρδίας ἡμῶν,
↓([7] ὥστε οὐκέτι εἶ δοῦλος...)
↑([5] ...υἱοθεσίαν ἀπολάβωμεν...)
κρᾶζον Αββα ὁ πατήρ.
[7] ὥστε οὐκέτι εἶ δοῦλος
↑([6] ...ἐξαπέστειλεν...τὸ πνεῦμα
↑(...εἰς τὰς καρδίας ἡμῶν..)
ἀλλὰ υἱός·
εἰ δὲ υἱός, καὶ κληρονόμος
διὰ θεοῦ.
↑([29] εἰ...Χριστοῦ...κληρονόμοι)
G 3,26
(G 3,27)
(R 8,17)
(R 8,17) G 3,29
G 4,1
G 4,1
G 4,2
G 4,3
(G 4,4 R 8,3)
(R 8,15) G 4,5
(G 4,6 R 8,14)
G 4,6
R 8,15 (G 4,7)
R 8,15 (G 4,5)
(G 4,6 R 8,15)
G 4,7 (R 8,15)
(G 4,7 R 8,16)
(G 4,7)
17
(R 8,17 G 4,7)
R 8,17
(G 3,29)
R 8,17
R[17]
↓(↓...συγκληρονόμοι δὲ Χριστοῦ)
↓([17] κληρονόμοι μὲν θεοῦ...↑)
[3] τὸ γὰρ ἀδύνατον τοῦ νόμου, ἐν ᾧ ἠ
σθένει διὰ τῆς σαρκός,
ὁ θεὸς τὸν ἑαυτοῦ υἱὸν πέμψας
ἐν ὁμοιώματι σαρκὸς ἁμαρτίας καὶ περὶ
ἁμαρτίας κατέκρινεν τὴν ἁμαρτίαν
ἐν τῇ σαρκί,
[4] ἵνα τὸ δικαίωμα τοῦ νόμου πληρωθῇ
ἐν ἡμῖν τοῖς μὴ κατὰ σάρκα περιπατοῦσιν
ἀλλὰ κατὰ πνεῦμα. (..5-13..)
↓([15] ἀλλὰ ... πνεῦμα υἱοθεσίας)
[14] ὅσοι γὰρ πνεύματι θεοῦ ἄγονται,
οὗτοι υἱοὶ θεοῦ εἰσιν.
↓([16] ...τῷ πνεύματι ἡμῶν)
[15] οὐ γὰρ ἐλάβετε πνεῦμα δουλείας
πάλιν εἰς φόβον, ἀλλὰ ἐλάβετε
πνεῦμα υἱοθεσίας,
ἐν ᾧ κράζομεν, Αββα ὁ πατήρ·
↑([15] οὐ ... πνεῦμα δουλείας)
[16] αὐτὸ τὸ πνεῦμα συμμαρτυρεῖ
τῷ πνεύματι ἡμῶν ὅτι ἐσμὲν
τέκνα θεοῦ.
[17] εἰ δὲ τέκνα, καὶ κληρονόμοι·
κληρονόμοι μὲν θεοῦ,
συγκληρονόμοι δὲ Χριστοῦ,
εἴπερ συμπάσχομεν ἵνα καὶ
συνδοξασθῶμεν.
mouvement de Romains
mouvement de Galates
DIEU PERE
JESUS FILS
CROYANTS ENFANTS
HERITIER
ESCLAVE
Mouvement de Rom. plaqué sur plan de Gal.
FILS
ENFANTS

PLANCHE 25

LE "CYCLE" FAMILIAL EN GALATES 3 - 4

A. Diagramme linéaire

		Thèmes adjacents	FAMILLE	Hors métaphore
	3,22	συνέκλεισεν		
	23	ἐφρουρούμεθα		
		συγκλειόμενοι		
	24	παιδαγωγός		
	25	οὐκέτι ὑπὸ		
		παιδαγωγόν		
	26		πάντες γὰρ	
			υἱοὶ θεοῦ	
			ἐν Χῷ Ἰησοῦ	
			(s.-e. τῷ υἱῷ)	
			...	
	29	κληρονόμοι		
	4,1	(κληρονόμος νήπιος δοῦλος κύριος		
	2	ἐπίτροπος οἰκονόμος προθεσμία LA PARABOLE	τοῦ πατρός)	
	3		οὕτως ἡμεῖς	
		νήπιοι		
		δεδουλωμένοι		
	4,4		τὸν υἱὸν αὐτοῦ	← ἐξαπέστειλεν ὁ θεός
	5	ἵνα ἐξαγοράσῃ	ἵνα τὴν	
			υἱοθεσίαν	
			ἀπολάβωμεν	
	6		ὅτι δὲ ἐστε	
			υἱοί,	
			τὸ πνεῦμα	← ἐξαπέστειλεν ὁ θεὸς
↑			τοῦ υἱοῦ	
			αὐτοῦ	κρᾶζον → Ἀββα
comp.			ὁ πατήρ	
3,22	7	οὐκέτι δοῦλος		
-25		ἀλλὰ	υἱός	
3,26			εἰ δὲ υἱός	
3,29		καὶ κληρονόμος		διὰ θεοῦ
		C.Q.F.D.		

LE "CYCLE" FAMILIAL EN GALATES 3 - 4

B. Diagramme cyclique

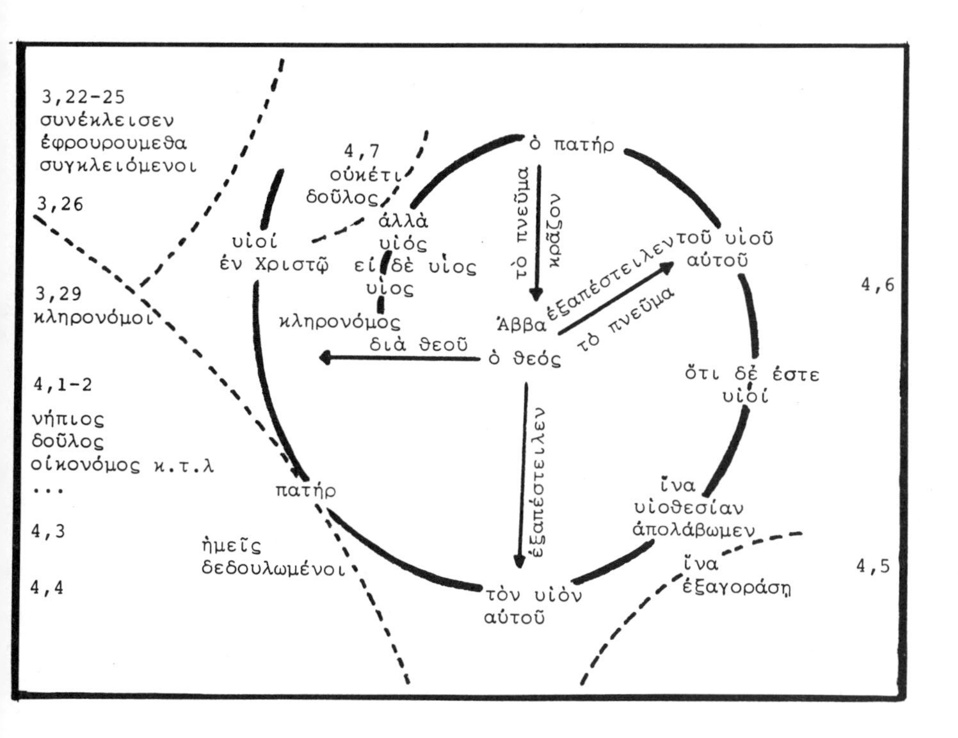

LE "CYCLE" FAMILIAL EN GALATES 3 - 4

A. Diagramme linéaire

		Thèmes adjacents	FAMILLE	Hors métaphore
	3,22	συνέκλεισεν		
	23	ἐφρουρούμεθα		
		συγκλειόμενοι		
	24	παιδαγωγός		
	25	οὐκέτι ὑπὸ		
		παιδαγωγόν		
	26		πάντες γὰρ	
			υἱοὶ θεοῦ	
			ἐν Χῷ Ἰησοῦ	
			(s.-e. τῷ υἱῷ)	
			...	
	29	κληρονόμοι		
	4,1	(κληρονόμος LA PARABOLE		
		νήπιος		
		δοῦλος		
		κύριος		
	2	ἐπίτροπος		
		οἰκονόμος		
		προθεσμία	τοῦ πατρός)	
	3		οὕτως ἡμεῖς	
		νήπιοι		
		δεδουλωμένοι		
	4,4		τὸν υἱὸν αὐτοῦ	← ἐξαπέστειλεν ὁ θεός
	5	ἵνα ἐξαγοράσῃ	ἵνα τὴν	
			υἱοθεσίαν	
			ἀπολάβωμεν	
	6		ὅτι δέ ἐστε	
			υἱοί,	
			τὸ πνεῦμα	← ἐξαπέστειλεν ὁ θεός
↑			τοῦ υἱοῦ	
			αὐτοῦ	κρᾶζον → Ἀββα
comp.			ὁ πατήρ	
3,22	7	οὐκέτι δοῦλος		
-25		ἀλλὰ	υἱός	
3,26			εἰ δὲ υἱός	
3,29		καὶ κληρονόμος		διὰ θεοῦ
		C.Q.F.D.		

LE "CYCLE" FAMILIAL EN GALATES 3 - 4

B. Diagramme cyclique

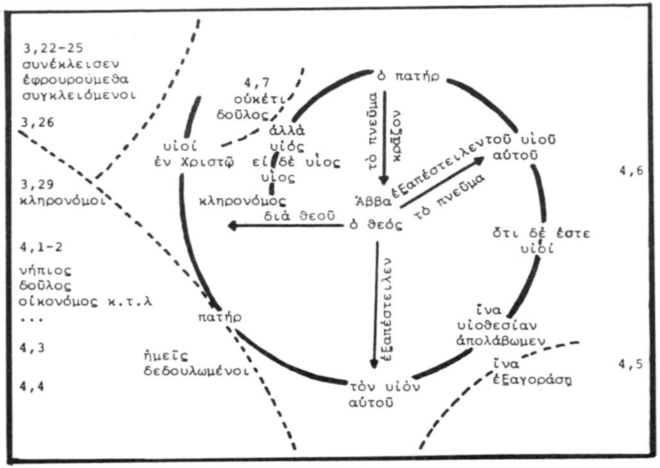

3,22-25
συνέκλεισεν
ἐφρουρούμεθα
συγκλειόμενοι
3,26
υἱοί
ἐν Χριστῷ
3,29
κληρονόμοι
4,1-2
νήπιος
δοῦλος
οἰκονόμος κ.τ.λ
...
4,3
ἡμεῖς
δεδουλωμένοι
4,4
πατήρ
4,7
οὐκέτι
δοῦλος
ἀλλὰ
υἱός
εἰ δὲ υἱος
υἱος
κληρονόμος
διὰ θεοῦ
ὁ πατήρ
τὸ πνεῦμα
κρᾶζον
Ἀββα
ὁ θεός
ἐξαπέστειλεν
τὸ πνεῦμα
τοῦ υἱοῦ
αὐτοῦ
4,6
ὅτι δὲ ἐστε
υἱοί
ἐξαπέστειλεν
τὸν υἱὸν
αὐτοῦ
ἵνα
υἱοθεσίαν
ἀπολάβωμεν
ἵνα
ἐξαγοράσῃ
4,5

A P P E N D I C E

ad II/9

S Y N O P S E

GALATES 2,15 - 4,7

ROMAINS 3,9ss; 4; 7 - 8

27/1	ROMAINS 3		GALATES 2	27/1
	3[9] Τί οὖν; προεχόμεθα; οὐ πάντως, προῃτιασάμεθα γὰρ Ἰουδαίους τε καὶ Ἕλληνας πάντας ὑφ'ἁμαρτίαν εἶναι, [10]καθὼς γέγραπται ὅτι οὐκ ἔστιν δίκαιος οὐδὲ εἷς, [11]οὐκ ἔστιν ὁ συνίων, οὐκ ἔστιν ὁ ἐκζητῶν τὸν θεόν. [12]πάντες ἐξέκλιναν, ἅμα ἠχρειώθησαν· οὐκ ἔστιν ποιῶν χρηστότητα, οὐκ ἔστιν ἕως ἑνός. [13]τάφος ἀνεῳγμένος ὁ λάρυγξ αὐτῶν, ταῖς γλώσσαις αὐτῶν ἐδολιοῦσαν, ἰὸς ἀσπίδων ὑπὸ τὰ χείλη αὐτῶν, [14]ὧν τὸ στόμα ἀρᾶς καὶ πικρίας γέμει· [15]ὀξεῖς οἱ πόδες αὐτῶν ἐκχέαι αἷμα, [16]συντρίμμα καὶ ταλαιπωρία ἐν ταῖς ὁδοῖς αὐτῶν, [17]καὶ ὁδὸν εἰρήνης οὐκ ἔγνωσαν. [18]οὐκ ἔστιν φόβος θεοῦ ἀπέναντι τῶν ὀφθαλμῶν αὐτῶν. [19]Οἴδαμεν δὲ ὅτι ὅσα ὁ νόμος λέγει τοῖς ἐν τῷ νόμῳ λαλεῖ, ἵνα πᾶν στόμα φραγῇ καὶ ὑπόδικος γένηται πᾶς ὁ κόσμος τῷ θεῷ· [20] διότι ἐξ ἔργων νόμου οὐ δικαιωθήσεται πᾶσα σὰρξ ἐνώπιον αὐτοῦ, διὰ γὰρ νόμου ἐπίγνωσις ἁμαρτίας. [21]Νυνὶ δὲ χωρὶς νόμου δικαιοσύνη θεοῦ πεφανέρωται, μαρτυρουμένη ὑπὸ τοῦ νόμου καὶ τῶν προφητῶν, [22] δικαιοσύνη δὲ θεοῦ διὰ πίστεως Ἰησοῦ Χριστοῦ, εἰς πάντας τοὺς πιστεύοντας· οὐ γάρ ἐστιν διαστολή·		2[15] Ἡμεῖς φύσει Ἰουδαῖοι καὶ οὐκ ἐξ ἐθνῶν ἁμαρτωλοί, [16]εἰδότες [δὲ] ὅτι οὐ δικαιοῦται ἄνθρωπος ἐξ ἔργων νόμου ἐὰν μὴ διὰ πίστεως Ἰησοῦ Χριστοῦ, καὶ ἡμεῖς εἰς Χριστὸν Ἰησοῦν ἐπιστεύσαμεν, ἵνα δικαιωθῶμεν ἐκ πίστεως Χριστοῦ καὶ οὐκ ἐξ ἔργων νόμου, ὅτι ἐξ ἔργων νόμου οὐ δικαιωθήσεται πᾶσα σάρξ. ([16]εἰδότες [δὲ] ὅτι οὐ δικαιοῦται ἄνθρωπος ἐξ ἔργων νόμου ἐὰν μὴ διὰ πίστεως Ἰησοῦ Χριστοῦ, καὶ ἡμεῖς εἰς Χριστὸν Ἰησοῦν ἐπιστεύσαμεν,	

27/2	ROMAINS 3		GALATES 2	27/2
	[23]πάντες γὰρ ἥμαρτον καὶ ὑστεροῦνται τῆς δόξης τοῦ θεοῦ, [24]δικαιούμενοι δωρεὰν τῇ αὐτοῦ χάριτι διὰ τῆς ἀπολυτρώσεως τῆς εν Χριστῷ Ἰησοῦ· [25]ὃν προέθετο ὁ θεὸς ἱλαστήριον διὰ πίστεως ἐν τῷ αὐτοῦ αἵματι εἰς ἔδειξιν τῆς δικαιοσύνης αὐτοῦ διὰ τὴν πάρεσιν τῶν προγεγονότων ἁμαρτημάτων [26]ἐν τῇ ἀνοχῇ τοῦ θεοῦ, πρὸς τὴν ἔνδειξιν τῆς δικαιοσύνης αὐτοῦ ἐν τῷ νῦν καιρῷ, εἰς τὸ εἶναι αὐτὸν δίκαιον καὶ δικαιοῦντα τὸν ἐκ πίστεως Ἰησοῦ. [27]Ποῦ οὖν ἡ καύχησις; ἐξεκλείσθη. διὰ ποίου νόμου; τῶν ἔργων; οὐχί, ἀλλὰ διὰ νόμου πίστεως. [28]λογιζόμεθα γὰρ δικαιοῦσθαι πίστει ἄνθρωπον χωρὶς ἔργων νόμου. [29]ἢ Ἰουδαίων ὁ θεὸς μόνον; οὐχὶ καὶ ἐθνῶν; ναὶ καὶ ἐθνῶν, [30]εἴπερ εἷς ὁ θεός, ὃς δικαιώσει περιτομὴν ἐκ πίστεως καὶ ἀκροβυστίαν διὰ τῆς πίστεως. [31]νόμον οὖν καταργοῦμεν διὰ τῆς πίστεως; μὴ γένοιτο, ἀλλὰ νόμον ἱστάνομεν.		ἵνα δικαιωθῶμεν ἐκ πίστεως Χριστοῦ καὶ οὐκ ἐξ ἔργων νόμου, ὅτι ἐξ ἔργων νόμου οὐ δικαιωθήσεται πᾶσα σάρξ.) [17]εἰ δὲ ζητοῦντες δικαιωθῆναι ἐν Χριστῷ εὑρέθημεν καὶ αὐτοὶ ἁμαρτωλοί, ἄρα Χριστὸς ἁμαρτίας διάκονος; μὴ γένοιτο. [18]εἰ γὰρ ἃ κατέλυσα ταῦτα πάλιν οἰκοδομῶ, παραβάτην ἐμαυτὸν συνιστάνω. [19]ἐγὼ γὰρ διὰ νόμου νόμῳ ἀπέθανον ἵνα θεῷ ζήσω. Χριστῷ συνεσταύρωμαι· [20]ζῶ δὲ οὐκέτι ἐγώ, ζῇ δὲ ἐν ἐμοὶ Χριστός· ὃ δὲ νῦν ζῶ ἐν σαρκί, ἐν πίστει ζῶ τῇ τοῦ υἱοῦ τοῦ θεοῦ τοῦ ἀγαπήσαντός με καὶ παραδόντος ἑαυτὸν ὑπὲρ ἐμοῦ. [21]οὐκ ἀθετῶ τὴν χάριν τοῦ θεοῦ· εἰ γὰρ διὰ νόμου δικαιοσύνη, ἄρα Χριστὸς δωρεὰν ἀπέθανεν.	

<table>
<tr><th>27/3</th><th>ROMAINS 4</th><th></th><th>GALATES 3</th><th>27/3</th></tr>
<tr><td></td><td></td><td></td><td>3[1] Ὦ ἀνόητοι Γαλάται, τίς ὑμᾶς
ἐβάσκανεν, οἷς κατ'ὀφθαλμοὺς Ἰησοῦς
Χριστὸς προεγράφη ἐσταυρωμένος;
[2]τοῦτο μόνον θέλω μαθεῖν ἀφ'ὑμῶν,
ἐξ ἔργων νόμου τὸ πνεῦμα ἐλάβετε
ἢ ἐξ ἀκοῆς πίστεως; [3] οὕτως ἀνόητοί
ἐστε; ἐναρξάμενοι πνεύματι νῦν σαρκὶ
ἐπιτελεῖσθε; [4]τοσαῦτα ἐπάθετε εἰκῇ;
εἴ γε καὶ εἰκῇ. [5]ὁ οὖν ἐπιχορηγῶν
τὸ πνεῦμα καὶ ἐνεργῶν δυνάμεις ἐν
ὑμῖν ἐξ ἔργων νόμου ἢ ἐξ ἀκοῆς
πίστεως;</td><td></td></tr>
<tr><td>προπάτωρ</td><td>4[1] Τί οὖν ἐροῦμεν εὑρηκέναι Ἀβραὰμ
τὸν προπάτορα ἡμῶν κατὰ σάρκα;
[2]εἰ γὰρ Ἀβραὰμ ἐξ ἔργων ἐδικαιώθη,
ἔχει καύχημα· ἀλλ'οὐ πρὸς θεόν.
[3]τί γὰρ ἡ γραφὴ λέγει;
Ἐπίστευσεν δὲ Ἀβραὰμ τῷ θεῷ,
καὶ ἐλογίσθη αὐτῷ εἰς δικαιοσύνην.
[4]τῷ δὲ ἐργαζομένῳ ὁ μισθὸς οὐ λογί-
ζεται κατὰ χάριν ἀλλὰ κατὰ ὀφείλημα·
[5]τῷ δὲ μὴ ἐργαζομένῳ, πιστεύοντι δὲ
ἐπὶ τὸν δικαιοῦντα τὸν ἀσεβῆ, λογίζε-
ται ἡ πίστις αὐτοῦ εἰς δικαιοσύνην,
[6]καθάπερ καὶ Δαυὶδ λέγει τὸν μακαρισ-
μὸν τοῦ ἀνθρώπου ᾧ ὁ θεὸς λογίζεται
δικαιοσύνην χωρὶς ἔργων,
[7]μακάριοι ὧν ἀφέθησαν αἱ ἀνομίαι
καὶ ὧν ἐπεκαλύφθησαν αἱ ἁμαρτίαι
[8]μακάριος ἀνὴρ οὗ οὐ μὴ λογίσηται
κύριος ἁμαρτίαν.
[9]ὁ μακαρισμὸς οὖν οὗτος ἐπὶ τὴν περι-
τομὴν ἢ καὶ ἐπὶ τὴν ἀκροβυστίαν;
λέγομεν γάρ, Ἐλογίσθη τῷ Ἀβραὰμ
ἡ πίστις εἰς δικαιοσύνην. [10]πῶς οὖν
ἐλογίσθη; ἐν περιτομῇ ὄντι ἢ ἐν ἀκρο-
βυστίᾳ; οὐκ ἐν περιτομῇ ἀλλ'ἐν ἀκρο-
βυστίᾳ·</td><td></td><td>3[6] καθὼς Ἀβραὰμ
ἐπίστευσεν τῷ θεῷ,
καὶ ἐλογίσθη αὐτῷ εἰς δικαιοσύνην.

[7]Γινώσκετε ἄρα ὅτι οἱ ἐκ πίστεως,</td><td></td></tr>
</table>

27/4	ROMAINS 4		GALATES 3	27/4
   πατήρ πατήρ πατήρ	[11] καὶ σημεῖον ἔλαβεν περιτο- μῆς, σφραγῖδα τῆς δικαιοσύνης τῆς πίστεως τῆς ἐν ἀκροβυστίᾳ, εἰς τὸ εἶναι αὐτὸν πατέρα πάντων τῶν πιστευ- όντων δι'ἀκροβυστίας, εἰς τὸ λογισ- θῆναι αὐτοῖς [τὴν] δικαιοσύνην, [12]καὶ πατέρα περιτομῆς τοῖς οὐκ ἐκ περιτομῆς μόνον ἀλλὰ καὶ τοῖς στοι- χοῦσιν τοῖς ἴχνεσιν τῆς ἐν ἀκροβυσ- τίᾳ πίστεως τοῦ πατρὸς ἡμῶν Ἀβραάμ.		οὗτοι υἱοί εἰσιν Ἀβραάμ.	υἱὸς Ἀβραάμ
(ἐπαγγελία) σπέρμα (Ἀβρ) κληρονόμος κληρονόμος σπέρμα πατήρ πατήρ (cit.) πατήρ (cit.) σπέρμα " (ἐπαγγελία) (ἐπαγγελλομαι)	[13] Οὐ γὰρ διὰ νόμου ἡ ἐπαγγελία τῷ Ἀβραὰμ ἢ τῷ σπέρματι αὐτοῦ, τὸ κληρο- νόμον αὐτὸν εἶναι κόσμου, ἀλλὰ διὰ δικαιοσύνης πίστεως· [14] εἰ γὰρ οἱ ἐκ νόμου κληρονόμοι, κεκένωται ἡ πίστις καὶ κατήργηται ἡ ἐπαγγελία· [15] ὁ γὰρ νόμος ὀργὴν κατεργάζεται· οὗ δὲ οὐκ ἔστιν νόμος, οὐδὲ παράβασις. [16] διὰ τοῦτο ἐκ πίστεως, ἵνα κατὰ χάριν, εἰς τὸ εἶναι βεβαίαν τὴν ἐπαγγελίαν παντὶ τῷ σπέρματι, οὐ τῷ ἐκ τοῦ νόμου μόνον ἀλλὰ καὶ τῷ ἐκ πίστεως Ἀβραάμ (ὅς ἐστιν πατὴρ πάντων ἡμῶν [17] καθὼς γέγραπται ὅτι Πατέρα πολλῶν ἐθνῶν τέθεικά σε) κατέναντι οὗ ἐπίστευσεν θεοῦ τοῦ ζῳοποιοῦντος τοὺς νεκροὺς καὶ καλοῦντος τὰ μὴ ὄντα ὡς ὄντα· [18] ὃς παρ'ἐλπίδα ἐπ'ἐλ- πίδι ἐπίστευσεν εἰς τὸ γενέσθαι αὐτὸν πατέρα πολλῶν ἐθνῶν κατὰ τὸ εἰρημένον, Οὕτως ἔσται τὸ σπέρμα σου· [19] καὶ μὴ ἀσθενήσας τῇ πίστει κατενόησεν τὸ ἑαυτοῦ σῶμα ἤδη νενεκρωμένον, ἑκατον- ταετής που ὑπάρχων, καὶ τὴν νέκρωσιν τῆς μήτρας Σάρρας, [20] εἰς δὲ τὴν ἐπαγ- γελίαν τοῦ θεοῦ οὐ διεκρίθη τῇ ἀπισ- τίᾳ ἀλλ'ἐνεδυναμώθη τῇ πίστει, δοὺς δόξαν τῷ θεῷ [21] καὶ πληροφορηθεὶς ὅτι ὃ ἐπήγγελται δυνατός ἐστιν καὶ ποιῆσαι.	↓ ↓ ↓ ↓ ↓ ↓ ↓ ↓	([16] τῷ δὲ Ἀβραὰμ ἐρρέθησαν αἱ ἐπαγγε- λίαι καὶ τῷ σπέρματι αὐτοῦ...) ([17] διαθήκην ... νόμος οὐκ ἀκυροῖ, εἰς τὸ καταργῆσαι τὴν ἐπαγγελίαν. ... [18] ... [19] τί οὖν ὁ νόμος; τῶν παραβάσεων χάριν προσετέθη, ἄχρις οὗ ἔλθῃ τὸ σπέρμα ᾧ ἐπήγγελται..) [8] προϊδοῦσα δὲ ἡ γραφὴ ὅτι ἐκ πίστεως δικαιοῖ τὰ ἔθνη ὁ θεὸς προευηγγελί- σατο τῷ Ἀβραὰμ ὅτι Ἐνευλογηθήσονται ἐν σοὶ πάντα τὰ ἔθνη.	(ἐπαγγελία) σπέρμα διαθήκη σπέρμα

PLANCHE 27/4

27/5	ROMAINS 4		GALATES 3	27/5
	22 διὸ καὶ ἐλογίσθη αὐτῷ εἰς δικαιοσύνην. 23 οὐκ ἐγράφη δὲ δι'αὐτὸν μόνον ὅτι ἐλογίσθη αὐτῷ, 24 ἀλλὰ καὶ δι'ἡμᾶς οἷς μέλλει λογίζεσθαι, τοῖς πιστεύουσιν ἐπὶ τὸν ἐγείραντα Ἰησοῦν τὸν κύριον ἡμῶν ἐκ νεκρῶν, 25 ὃς παρεδόθη διὰ τὰ παραπτώματα ἡμῶν καὶ ἠγέρθη διὰ τὴν δικαίωσιν ἡμῶν. (15 ὁ γὰρ νόμος ὀργὴν κατεργάζεται...)	↑ ↑	9 ὥστε οἱ ἐκ πίστεως εὐλογοῦνται σὺν τῷ πιστῷ Ἀβραάμ. 10 ὅσοι γὰρ ἐξ ἔργων νόμου εἰσὶν ὑπὸ κατάραν εἰσίν· γέγραπται γὰρ ὅτι Ἐπικατάρατος πᾶς ὃς οὐκ ἐμμένει πᾶσιν τοῖς γεγραμμένοις ἐν τῷ βιβλίῳ τοῦ νόμου τοῦ ποιῆσαι αὐτά. 11 ὅτι δὲ ἐν νόμῳ οὐδεὶς δικαιοῦται παρὰ τῷ θεῷ δῆλον, ὅτι Ὁ δίκαιος ἐκ πίστεως ζήσεται· 12 ὁ δὲ νόμος οὐκ ἔστιν ἐκ πίστεως, ἀλλ'Ὁ ποιήσας αὐτὰ ζήσεται ἐν αὐτοῖς. 13 Χριστὸς ἡμᾶς ἐξηγόρασεν ἐκ τῆς κατάρας τοῦ νόμου γενόμενος ὑπὲρ ἡμῶν κατάρα, ὅτι γέγραπται, Ἐπικατάρατος πᾶς ὁ κρεμάμενος ἐπὶ ξύλου, 14 ἵνα εἰς τὰ ἔθνη ἡ εὐλογία τοῦ Ἀβραὰμ γένηται ἐν Χριστῷ Ἰησοῦ ἵνα τὴν ἐπαγγελίαν τοῦ πνεύματος λάβωμεν διὰ τῆς πίστεως.	
σπέρμα	(4 13 οὐ γὰρ διὰ νόμου ἡ ἐπαγγελία τῷ Ἀβραὰμ ἢ τῷ σπέρματι αὐτοῦ...) (κατήργηται ἡ ἐπαγγελία cf infra)	↑ ↑ ↑	3 15 Ἀδελφοί, κατ'ἄνθρωπον λέγω· ὅμως ἀνθρώπου κεκυρωμένην διαθήκην οὐδεὶς ἀθετεῖ ἢ ἐπιδιατάσσεται. 16 τῷ δὲ Ἀβραὰμ ἐρρέθησαν αἱ ἐπαγγελίαι καὶ τῷ σπέρματι αὐτοῦ. οὐ λέγει, Καὶ τοῖς σπέρμασιν, ὡς ἐπὶ πολλῶν, ἀλλ'ὡς ἐφ'ἑνός, Καὶ τῷ σπέρματί σου, ὅς ἐστιν Χριστός. 17 τοῦτο δὲ λέγω· διαθήκην προκεκυρωμένην ὑπὸ τοῦ θεοῦ ὁ μετὰ τετρακόσια καὶ τριάκοντα ἔτη γεγονὼς νόμος οὐκ ἀκυροῖ, εἰς τὸ καταργῆσαι τὴν ἐπαγγελίαν.	διαθήκη σπέρμα (Ἀβρ.) " "

27/6	ROMAINS 4 (+5-6)		GALATES 3	27/6
κληρονόμος σπέρμα σπερμα	(4[14] εἰ γὰρ οἱ ἐκ νόμου κληρονόμοι κεκένωται ἡ πίστις καὶ κατήργηται ἡ ἐπαγγελία· [15] ὁ γὰρ νόμος ὀργὴν κατεργάζεται· οὗ δὲ οὐκ ἔστιν νόμος, οὐδὲ παράβασις. [16] διὰ τοῦτο ἐκ πίστεως, ἵνα κατὰ χάριν, εἰς τὸ εἶναι βεβαίαν τὴν ἐπαγγελίαν πάντὶ τῷ σπέρματι...) Chap. 5: 1-11: développement du thème καύχημα. Cf. 2 Cor. passim! 12-21: les deux Adam. Développement d'un thème de 1 Cor. 15,22s.45ss De la mort à la vie, par Jésus-Christ. Chap. 6: 1-14: Mort au péché, par union au Christ mort et ressuscité. 15-23: De l'esclavage de la loi au service du Christ. Chap. 7: 1-12: Le régime de la loi est passé. 13-25: Le chrétien voit dans la foi sa condition passée sous la loi. Développement de 1 Cor. 15,56-57.	↑ ↑ ↑ ↑ ↑ ↑ ↑ ↑	[18] εἰ γὰρ ἐκ νόμου ἡ κληρονομία οὐκέτι ἐξ ἐπαγγελίας· τῷ δὲ Ἀβραὰμ δι'ἐπαγγελίας κεχάρισται ὁ θεός. [19] Τί οὖν ὁ νόμος; τῶν παραβάσεων χάριν προσετέθη, ἄχρις οὗ ἔλθῃ τὸ σπέρμα ᾧ ἐπήγγελται, διαταγεὶς δι'ἀγγέλων ἐν χειρὶ μεσίτου. [20] ὁ δὲ μεσίτης ἑνὸς οὐκ ἔστιν, ὁ δὲ θεὸς εἷς ἐστιν. Cf. 3,26-27 Cf. 3,22-25	κληρονομία σπέρμα

PLANCHE 27/6

27/7 ROMAINS 7		GALATES 4 27/7
7[1] Ἡ ἀγνοεῖτε, ἀδελφοί, γινώσκουσιν	↓	(4[1] Λέγω δέ,
γὰρ νόμον λαλῶ, ὅτι ὁ νόμος κυριεύ-	↓	
ει τοῦ ἀνθρώπου ἐφ'ὅσον χρόνον ζῇ;	↓	ἐφ'ὅσον χρόνον
[2] ἡ γὰρ ὕπανδρος γυνὴ τῷ ζῶντι ἀνδρὶ	↓	ὁ κληρονόμος νήπιός ἐστιν,
δέδεται νόμῳ·	↓	οὐδὲν διαφέρει δούλου, κύριος πάντων
	↓	ὤν, [2] ἀλλὰ ὑπὸ ἐπιτρόπους ἐστὶν καὶ
ἐὰν δὲ ἀποθάνῃ ὁ ἀνήρ,	↓	οἰκονόμους ἄχρι τῆς προθεσμίας τοῦ
κατήργηται ἀπὸ τοῦ νόμου τοῦ ἀνδρός.	↓	πατρός.
[3] ἄρα οὖν ζῶντος τοῦ ἀνδρὸς μοιχαλὶς	↓	
χρηματίσει ἐὰν γένηται ἀνδρὶ ἑτέρῳ·	↓	
ἐὰν δὲ ἀποθάνῃ ὁ ἀνήρ, ἐλευθέρα	↓	
ἐστὶν ἀπὸ τοῦ νόμου, τοῦ μὴ εἶναι	↓	
αὐτὴν μοιχαλίδα γενομένην ἀνδρὶ	↓	
ἑτέρῳ. [4] ὥστε, ἀδελφοί μου, καὶ ὑμεῖς	↓	[3] οὕτως καὶ ἡμεῖς
ἐθανατώθητε τῷ νόμῳ διὰ τοῦ σώματος	↓	
τοῦ Χριστοῦ, εἰς τὸ γένεσθαι ὑμᾶς	↓	
ἑτέρῳ, τῷ ἐκ νεκρῶν ἐγερθέντι, ἵνα	↓	
καρποφορήσωμεν τῷ θεῷ.	↓	
[5] ὅτε γὰρ ἦμεν ἐν τῇ σαρκί,	↓	ὅτε ἦμεν νήπιοι
τὰ παθήματα τῶν ἁμαρτιῶν τὰ διὰ τοῦ	↓	ὑπὸ τὰ στοιχεῖα τοῦ κόσμου
νόμου ἐνηργεῖτο ἐν τοῖς μέλεσιν ἡμῶν	↓	ἤμεθα δεδουλωμένοι·
εἰς τὸ καρποφορῆσαι τῷ θανάτῳ·	↓	
[6] νυνὶ δὲ	↓	[4] ὅτε δὲ ἦλθεν τὸ πλήρωμα τοῦ χρόνου,
	↓	ἐξαπέστειλεν ὁ θεὸς τὸν υἱὸν αὐτοῦ,
	↓	γενόμενον ἐκ γυναικός, γενόμενον
	↓	ὑπὸ νόμον,
κατηργήθημεν ἀπὸ τοῦ νόμου,	↓	[5] ἵνα τοὺς ὑπὸ νόμον ἐξαγοράσῃ,
ἀποθανόντες ἐν ᾧ κατειχόμεθα	↓	
ὥστε δουλεύειν ἡμᾶς ἐν καινότητι	↓	ἵνα τὴν υἱοθεσίαν ἀπολάβωμεν.)
πνεύματος καὶ οὐ παλαιότητι		
γράμματος.		

Cf. Planches 13 et 22

27/8	ROMAINS 7		GALATES 3	27/8
	[7] Τί οὖν ἐροῦμεν; ὁ νόμος ἁμαρτία; μὴ γένοιτο· ἀλλὰ τὴν ἁμαρτίαν οὐκ ἔγνων εἰ μὴ διὰ νόμου, τήν τε γὰρ ἐπιθυμίαν οὐκ ᾔδειν εἰ μὴ ὁ νόμος ἔλεγεν, Οὐκ ἐπιθυμήσεις. [8] ἀφορμὴν δὲ λαβοῦσα ἡ ἁμαρτία διὰ τῆς ἐντολῆς κατειργάσατο ἐν ἐμοὶ πᾶσαν ἐπιθυμίαν· χωρὶς γὰρ νόμου ἁμαρτία νεκρά. [9] ἐγὼ δὲ ἔζων χωρὶς νόμου ποτέ· ἐλθούσης δὲ τῆς ἐντολῆς ἡ ἁμαρτία ἀνέζησεν, [10] ἐγὼ δὲ ἀπέθανον, καὶ εὑρέθη μοι ἡ ἐντολὴ ἡ εἰς ζωὴν αὕτη εἰς θάνατον·		[21] ὁ οὖν νόμος κατὰ τῶν ἐπαγγελιῶν [τοῦ θεοῦ]; μὴ γένοιτο· [21b] εἰ γὰρ ἐδόθη νόμος ὁ δυνάμενος ζῳοποιῆσαι, ὄντως ἐκ νόμου ἂν ἦν ἡ δικαιοσύνη.	
	[11] ἡ γὰρ ἁμαρτία ἀφορμὴν λαβοῦσα διὰ τῆς ἐντολῆς ἐξηπάτησέν με καὶ δι'αὐτῆς ἀπέκτεινεν. [12] ὥστε ὁ μὲν νόμος ἅγιος, καὶ ἡ ἐντολὴ ἁγία καὶ δικαία καὶ ἀγαθή. [13] Τὸ οὖν ἀγαθὸν ἐμοὶ ἐγένετο θάνατος; μὴ γένοιτο· ἀλλὰ ἡ ἁμαρτία, ἵνα φανῇ ἁμαρτία, διὰ τοῦ ἀγαθοῦ μοι κατεργαζομένη θάνατον · ἵνα γένηται καθ' ὑπερβολὴν ἁμαρτωλὸς ἡ ἁμαρτία διὰ τῆς ἐντολῆς. [14] οἴδαμεν γὰρ ὅτι ὁ νόμος πνευματικός ἐστιν· ἐγὼ δὲ σάρκινός εἰμι, πεπραμένος ὑπὸ τὴν ἁμαρτίαν. [15] ὃ γὰρ κατεργάζομαι οὐ γινώσκω· οὐ γὰρ ὃ θέλω τοῦτο πράσσω, ἀλλ'ὃ μισῶ τοῦτο ποιῶ. [16] εἰ δὲ ὃ οὐ θέλω τοῦτο ποιῶ, σύμφημι τῷ νόμῳ ὅτι καλός. [17] νυνὶ δὲ οὐκέτι ἐγὼ κατεργάζομαι αὐτὸ ἀλλὰ ἡ οἰκοῦσα ἐν ἐμοὶ ἁμαρτία. [18] οἶδα γὰρ ὅτι οὐκ οἰκεῖ ἐν ἐμοί, τοῦτ'ἔστιν ἐν τῇ σαρκί μου, ἀγαθόν· τὸ γὰρ θέλειν παράκειταί μοι, τὸ δὲ κατεργάζεσθαι τὸ καλὸν οὔ· [19] οὐ γὰρ ὃ θέλω ποιῶ ἀγαθόν, ἀλλὰ ὃ οὐ θέλω κακὸν τοῦτο πράσσω.		[22] ἀλλὰ συνέκλεισεν ἡ γραφὴ τὰ πάντα ὑπὸ ἁμαρτίαν Cf. 5,16-17	

27/9	ROMAINS 7		GALATES 3	27/9
	[20] εἰ δὲ ὃ οὐ θέλω [ἐγὼ] τοῦτο ποιῶ, οὐκέτι ἐγὼ κατεργάζομαι αὐτὸ ἀλλὰ ἡ οἰκοῦσα ἐν ἐμοὶ ἁμαρτία. [21] Εὑρίσκω ἄρα τὸν νόμον τῷ θέλοντι ἐμοὶ ποιεῖν τὸ καλὸν ὅτι ἐμοὶ τὸ κακὸν παράκειται· [22] συνήδομαι γὰρ τῷ νομῳ τοῦ θεοῦ κατὰ τὸν ἔσω ἄνθρωπον, [23] βλέπω δὲ ἕτερον νόμον ἐν τοῖς μέλεσίν μου ἀντιστρατευόμενον τῷ νόμῳ τοῦ νοός μου καὶ αἰχμαλωτίζοντά με ἐν τῷ νόμῳ τῆς ἁμαρτίας τῷ ὄντι ἐν τοῖς μέλεσίν μου. [24] ταλαίπωρος ἐγὼ ἄνθρωπος· τίς με ῥύσεται ἐκ τοῦ σώματος τοῦ θανάτου τούτου; [25] χάρις δὲ τῷ θεῷ διὰ Ἰησοῦ Χριστοῦ τοῦ κυρίου ἡμῶν. ἄρα οὖν αὐτὸς ἐγὼ τῷ μὲν νοΐ δουλεύω νόμῳ θεοῦ, τῇ δὲ σαρκὶ νόμῳ ἁμαρτίας.		ἵνα ἡ ἐπαγγελία ἐκ πίστεως Ἰησοῦ Χριστοῦ δοθῇ τοῖς πιστεύουσιν.	
	Cf. supra Chap. 7!		[23] Πρὸ τοῦ δὲ ἐλθεῖν τὴν πίστιν ὑπὸ νόμον ἐφρουρούμεθα συγκλειόμενοι εἰς τὴν μέλλουσαν πίστιν ἀποκαλυφθῆναι. [24] ὥστε ὁ νόμος παιδαγωγὸς ἡμῶν γέγονεν εἰς Χριστόν, ἵνα ἐκ πίστεως δικαιωθῶμεν· [25] ἐλθούσης δὲ τῆς πίστεως οὐκέτι ὑπὸ παιδαγωγόν ἐσμεν.	
	8[1] Οὐδὲν ἄρα νῦν κατάκριμα τοῖς ἐν Χριστῷ Ἰησοῦ. [2] ὁ γὰρ νόμος τοῦ πνεύματος τῆς ζωῆς ἐν Χριστῷ Ἰησοῦ ἠλευθέρωσέν με ἀπὸ τοῦ νόμου τῆς ἁμαρτίας καὶ τοῦ θανάτου. Cf. 6,3ss Cf. 10,12-13		[26] Πάντες γὰρ υἱοὶ θεοῦ ἐστε διὰ τῆς πίστεως ἐν Χριστῷ Ἰησοῦ. [27] ὅσοι γὰρ εἰς Χριστὸν ἐβαπτίσθητε, Χριστὸν ἐνεδύσασθε· [28] οὐκ ἔνι Ἰουδαῖος οὐδὲ Ἕλλην, οὐκ ἔνι δοῦλος οὐδὲ ἐλεύθερος, οὐκ ἔνι ἄρσεν καὶ θῆλυ· πάντες γὰρ ὑμεῖς εἷς ἐστε ἐν Χριστῷ Ἰησοῦ. [29] εἰ δὲ ὑμεῖς Χριστοῦ, ἄρα τοῦ Ἀβραὰμ σπέρμα ἐστέ, κατ'ἐπαγγελίαν κληρονόμοι.	υἱός σπέρμα κληρονόμος

ROMAINS 8

υἱός (Χρ)

(7[2]... ἡ γὰρ ὕπανδρος γυνὴ
τῷ ζῶντι ἀνδρὶ δέδεται νόμῳ·

ἐὰν δὲ ἀποθάνῃ ὁ ἀνήρ, κατήργηται
ἀπὸ τοῦ νόμου τοῦ ἀνδρός...
[5]ὅτε γὰρ ἦμεν ἐν τῇ σαρκί, τὰ παθή-
ματα τῶν ἁμαρτιῶν ... ἐνήργειτο
ἐν τοῖς μέλεσιν ἡμῶν...
[6] νυνὶ δὲ...)

[3]τὸ γὰρ ἀδύνατον τοῦ νόμου, ἐν ᾧ
ἠσθένει διὰ τῆς σαρκός,
ὁ θεὸς τὸν ἑαυτοῦ υἱὸν πέμψας
ἐν ὁμοιώματι σαρκὸς ἁμαρτίας καὶ περὶ
ἁμαρτίας κατέκρινεν τὴν ἁμαρτίαν
ἐν τῇ σαρκί,
[4]ἵνα τὸ δικαίωμα τοῦ νόμου
πληρωθῇ ἐν ἡμῖν τοῖς μὴ κατὰ σάρκα
περιπατοῦσιν ἀλλὰ κατὰ πνεῦμα.
[5]οἱ γὰρ κατὰ σάρκα ὄντες τὰ τῆς
σαρκὸς φρονοῦσιν, οἱ δὲ κατὰ πνεῦμα
τὰ τοῦ πνεύματος. [6]τὸ γὰρ φρόνημα τῆς
σαρκὸς θάνατος, τὸ δὲ φρόνημα τοῦ
πνεύματος ζωὴ καὶ εἰρήνη· [7]διότι τὸ
φρόνημα τῆς σαρκὸς ἔχθρα εἰς θεόν,
τῷ γὰρ νόμῳ τοῦ θεοῦ οὐχ ὑποτάσσεται,
οὐδὲ γὰρ δύναται·[8]οἱ δὲ ἐν σαρκὶ
ὄντες θεῷ ἀρέσαι οὐ δύνανται. [9]ὑμεῖς
δὲ οὐκ ἐστὲ ἐν σαρκὶ ἀλλὰ ἐν πνεύματι,
εἴπερ πνεῦμα θεοῦ οἰκεῖ ἐν υμῖν.
εἰ δέ τις πνεῦμα Χριστοῦ οὐκ ἔχει,
οὗτος οὐκ ἔστιν αὐτοῦ. [10]εἰ δὲ Χρισ-
τὸς ἐν ὑμῖν, τὸ μὲν σῶμα νεκρὸν διὰ
ἁμαρτίαν, τὸ δὲ πνεῦμα ζωὴ διὰ δι-
καιοσύνη. [11]εἰ δὲ τὸ πνεῦμα τοῦ
ἐγείραντος τὸν Ἰησοῦν ἐκ νεκρῶν
οἰκεῖ ἐν ὑμῖν, ὁ ἐγείρας |τὸν| Χρισ-
τὸν ἐκ νεκρῶν ζῳοποιήσει καὶ τὰ θνητὰ
σώματα ὑμῶν διὰ τοῦ ἐνοικοῦντος
αὐτοῦ πνεύματος ἐν ὑμῖν.

GALATES 4

4[1] Λέγω δέ, ἐφ'ὅσον χρόνον
ὁ κληρονόμος νήπιός ἐστιν,
οὐδὲν διαφέρει δούλου,
κύριος πάντων ὤν,
[2]ἀλλὰ ὑπὸ ἐπιτρόπους ἐστὶν
καὶ οἰκονόμους
ἄχρι τῆς προθεσμίας τοῦ πατρός.
[3]οὕτως καὶ ἡμεῖς, ὅτε ἦμεν νήπιοι,
ὑπὸ τὰ στοιχεῖα τοῦ κόσμου ἤμεθα
δεδουλωμένοι·

[4]ὅτε δὲ ἦλθεν τὸ πλήρωμα τοῦ χρόνου,

ἐξαπέστειλεν ὁ θεὸς τὸν υἱὸν αὐτοῦ,
γενόμενον ἐκ γυναικός,
γενόμενον ὑπὸ νόμον,

[5]ἵνα τοὺς ὑπὸ νόμον
ἐξαγοράσῃ,
ἵνα τὴν υἱοθεσίαν ἀπολάβωμεν.

(5[24] οἱ δὲ τοῦ Χριστοῦ [Ἰησοῦ] τὴν
σάρκα ἐσταύρωσαν σὺν τοῖς παθήμασιν
καὶ ταῖς ἐπιθυμίαις.
[25] εἰ ζῶμεν πνεύματι

πνεύματι καὶ στοιχῶμεν.)

κληρονόμος
δοῦλος

πατήρ

δουλοῦμαι

υἱός (Χρ)

ἐξαγοράζω
υἱοθεσία

PLANCHE 27/10

27/11	ROMAINS 8		GALATES 4	27/11
	[12] Ἄρα οὖν, ἀδελφοί, ὀφειλέται ἐσμέν, ού τῇ σαρκὶ τοῦ κατὰ σάρκα ζῆν· [13] εἰ γὰρ κατὰ σάρκα ζῆτε μέλλετε ἀποθνῄσκειν, εἰ δὲ πνεύματι τὰς πρά- ξεις τοῦ σώματος θανατοῦτε ζήσεσθε.			
πνεῦμα θεοῦ / υἱός	[14] ὅσοι γὰρ πνεύματι θεοῦ ἄγονται, οὗτοι υἱοὶ θεοῦ εἰσιν.		[6] Ὅτι δέ ἐστε υἱοί, ἐξαπέστειλεν ὁ θεὸς τὸ πνεῦμα τοῦ υἱοῦ αὐτοῦ εἰς τὰς καρδίας ἡμῶν,	υἱός πνεῦμα τοῦ υἱοῦ
δουλεία υἱοθεσία Ἀββα ὁ πατήρ	[15] οὐ γὰρ ἐλάβετε πνεῦμα δουλείας πάλιν εἰς φόβον, ἀλλὰ πνεῦμα υἱοθεσίας, ἐν ᾧ κράζομεν, Ἀββα ὁ πατήρ· [16] αὐτὸ τὸ πνεῦμα συμμαρτυρεῖ τῷ πνεύματι ἡμῶν ὅτι ἐσμὲν		κρᾶζον, Ἀββα ὁ πατήρ.	Ἀββα ὁ πατήρ
τέκνον τέκνον / κλη. κληρονόμος συγκληρονόμος	τέκνα θεοῦ. [17] εἰ δὲ τέκνα, καὶ κληρονόμοι· κληρονόμοι μὲν θεοῦ, συγκληρονόμοι δὲ Χριστοῦ, εἴπερ συμπάσχομεν, ἵνα καὶ συνδοξασθῶμεν.		[7] ὥστε οὐκέτι εἶ δοῦλος ἀλλὰ υἱος· εἰ δὲ υἱός, καὶ κληρονόμος διὰ θεοῦ.	δοῦλος υἱός υἱός / κληρον.
	[18] Λογίζομαι γὰρ ὅτι οὐκ ἄξια τὰ παθή- ματα τοῦ νῦν καιροῦ πρὸς τὴν μέλλου- σαν δόξαν ἀποκαλυφθῆναι εἰς ἡμᾶς.			
υἱός	[19] ἡ γὰρ ἀποκαραδοκία τῆς κτίσεως τὴν ἀποκάλυψιν τῶν υἱῶν τοῦ θεοῦ ἀπεκ- δέχεται; [20] τῇ γὰρ ματαιότητι ἡ κτίσις ὑπετάγη, οὐχ ἑκοῦσα ἀλλὰ διὰ τὸν ὑποτάξαντα, ἐφ'ἐλπίδι [21] ὅτι καὶ αὐτὴ ἡ κτίσις ἐλευθερωθήσεται ἀπὸ τῆς δουλείας τῆς φθορᾶς εἰς τὴν			
τέκνον	ἐλευθερίαν τῆς δόξης τῶν τέκνων τοῦ θεοῦ.			

Cf. Planches 14, 25 et 26

	[22] οἴδαμεν γὰρ ὅτι πᾶσα ἡ κτίσις συστενάζει καὶ συνωδίνει ἄχρι τοῦ νῦν· [23] οὐ μόνον δέ, ἀλλὰ καὶ αὐτοὶ τὴν ἀπαρχὴν τοῦ πνεύματος ἔχοντες ἡμεῖς καὶ αὐτοὶ ἐν ἑαυτοῖς στενάζο-			
υἱοθεσία	μεν υἱοθεσίαν ἀπεκδεχόμενοι, τὴν ἀπο- λύτρωσιν τοῦ σώματος ἡμῶν. [24] τῇ γὰρ ἐλπίδι ἐσώθημεν· ἐλπὶς δὲ βλεπομένη οὐκ ἔστιν ἐλπίς· ὃ γὰρ βλέπει τίς ἐλπίζει; [25] εἰ δὲ ὃ οὐ βλέπομεν ἐλπί- ζομεν, δι'ὑπομονῆς ἀπεκδεχόμεθα. [26] Ὡσαύτως δὲ καὶ τὸ πνεῦμα συναντι- λαμβάνεται τῇ ἀσθενείᾳ ἡμῶν· τὸ γὰρ τί προσευξώμεθα καθὸ δεῖ οὐκ οἴδαμεν, ἀλλὰ αὐτὸ τὸ πνεῦμα ὑπερτυγχάνει στεναγμοῖς ἀλαλήτοις· [27] ὁ δὲ ἐραυνῶν τὰς καρδίας οἶδεν τί τὸ φρόνημα τοῦ πνεύματος, ὅτι κατὰ θεὸν ἐντυγχάνει ὑπὲρ ἁγίων. [28] οἴδαμεν δὲ ὅτι τοῖς ἀγα- πῶσιν τὸν θεὸν πάντα συνεργεῖ εἰς ἀγαθόν, τοῖς κατὰ πρόθεσιν κλητοῖς οὖσιν. [29] ὅτι οὓς προέγνω, καὶ προ- ώρισεν συμμόρφους τῆς εἰκόνος τοῦ			
υἱός / πρωτό- τοκος / ἀδελ- φός	υἱοῦ αὐτοῦ, εἰς τὸ εἶναι αὐτὸν πρωτότοκον ἐν πολλοῖς ἀδελφοῖς· [30] οὓς δὲ προώρισεν, τούτους καὶ ἐκά- λεσεν· καὶ οὓς ἐκάλεσεν, τούτους καὶ ἐδικαίωσεν· οὓς δὲ ἐδικαίωσεν, τού- τους καὶ ἐδόξασεν. [31] Τί οὖν ἐροῦμεν πρὸς ταῦτα; εἰ ὁ θεὸς ὑπὲρ ἡμῶν, τίς			
υἱὸς	καθ'ἡμῶν; [32] ὅς γε τοῦ ἰδίου υἱοῦ οὐκ ἐφείσατο, ἀλλὰ ὑπὲρ ἡμῶν πάντων παρέδωκεν αὐτόν, πῶς οὐχὶ καὶ σὺν αὐτῷ τὰ πάντα ἡμῖν χαρίσεται; ([33] / [34]) [35] τίς ἡμᾶς χωρίσει ἀπὸ τῆς ἀγάπης τοῦ Χριστοῦ; (... +[36-39]) [39] ... οὔτε τις κτίσις ἑτέρα δυνήσεται ἡμᾶς χωρίσαι ἀπὸ τῆς ἀγάπης τοῦ θεοῦ τῆς ἐν Χριστῷ Ἰησοῦ τῷ κυρίῳ ἡμῶν.			

PREFACE

On assiste depuis un certain nombre d'années à un renouveau étonnant, voire à un bouleversement profond dans l'étude des phénomènes métaphoriques. Jusqu'ici, l'image, sous toutes ses formes, depuis le mot-image (métaphore, comparaison simple) jusqu'aux formes les plus élaborées (similitude, parabole), était considérée comme un phénomène de style; elle relevait du domaine de la rhétorique, qui avait élaboré un inventaire extrêmement détaillé des tournures imagées, donnant le jour à la tropologie. Mais l'évolution de la linguistique, depuis cette espèce de "révolution copernicienne" que fut l'avènement de l'école saussurienne, a entraîné une remise en question de toutes les idées reçues, dans le domaine précis de l'étude des images également. Elément du discours, l'image prend désormais place également parmi les phénomènes de langage, et l'attention qu'on s'est mis à accorder à la métaphore, événement de transfert de sens aussi bien que "transgression catégoriale" (RYLE, TURBAYNE*), a donné une impulsion nouvelle à la philosophie du langage elle-même, comme aussi à la philosophie des sciences (théorie des modèles: BLACK, TURBAYNE, etc.).

Les théologiens ne sont pas restés insensibles à cette évolution, et l'on ne compte plus les essais herméneutiques tenant compte d'une manière ou d'une autre des résultats de cette nouvelle "métaphorologie" ou posant les jalons d'une appréhension nouvelle du langage imagé dans la Bible, ou du langage théologique en général. C'est au niveau de l'étude des paraboles que ce renouveau est le plus sensible. Dans ce domaine, on a vraisemblablement déjà dépassé le stade

* Dans cette préface, nous nous contentons de nommer quelques auteurs cités dans le corps de notre étude. On retrouvera la référence précise de leurs ouvrages par le moyen de l'Index bibliographique.

des tâtonnements, pour obtenir, par le moyen de cette approche nouvelle du langage imagé, des résultats que l'on peut considérer comme acquis (WEDER, HARNISCH). Il n'en va pas de même du langage imagé de Paul, qui n'a jamais été l'objet d'une attention aussi soutenue que les paraboles évangéliques. Il nous semble certes que l'étude des images dans le corpus paulinien pourrait profiter également du renouveau d'intérêt pour la métaphore, mais il ne nous paraît pas possible d'aborder d'emblée ce domaine à un niveau herméneutique ou systématique. En effet, les expériences accumulées par l'exercice concret de l'exégèse et la réflexion herméneutique doivent se compléter et se féconder mutuellement. Partant de la constatation que les résultats des études exégétiques (et donc également herméneutiques) consacrées aux paraboles de Jésus ne se laissent pas appliquer directement aux images de Paul, nous avons estimé qu'il était nécessaire de reposer "à nouveaux frais" le problème du langage imagé de l'apôtre, et d'y consacrer une étude spécifiquement exégétique. Il n'était certes pas possible de le faire sans essayer de tenir compte des recherches récentes des philosophes du langage et des herméneutes (RICOEUR, JUENGEL). D'où une Introduction qui ne se borne pas à dresser un "état de la question" dans le domaine de l'étude des images de Paul, mais qui expose de manière assez large les résultats des travaux récents consacrés aux phénomènes métaphoriques. Mais il s'agissait pour nous avant tout de montrer, si possible, comment Paul métaphorise, et de le faire en suivant pas à pas, au moyen parfois d'une analyse exégétique détaillée, la manière dont les images s'appellent l'une l'autre, s'enchaînent ou se relaient dans le discours de Paul. C'est ce que nous faisons dans le corps de notre étude, recourant de plus à de nombreux tableaux synoptiques permettant de voir, dans des textes apparentés, aussi bien les analogies que les différences dans la manière dont Paul traite l'image.

Ce travail a donc été conçu comme une thèse d'exégèse du Nouveau Testament, et c'est à ce titre, et non comme une thèse de Théologie systématique, qu'il a été reçu par la Faculté de Théologie de l'Université de Lausanne. Nous ne serions donc pas étonné que les systématiciens restent sur leur faim. L'un des résultats de notre étude nous paraît être de montrer la prudence qui préside à la manière dont Paul "métaphorise". Sensible au caractère évocateur de l'image, il nous rend attentifs à ses limites et modestes dans la systématisation dogmatique de ce qu'exprime la métaphore. Mais surtout, nous serions comblé, si notre étude d'un "cycle" des images pauliniennes pouvait seulement relancer l'intérêt pour ce domaine un peu délaissé et contribuer indirectement à l'élaboration d'une herméneutique tenant compte de la manière spécifique dont se présente le langage métaphorique dans le paulinisme.

Au moment de confier ce travail à l'imprimeur, je me sens pressé de remercier tous ceux qui m'ont encouragé dans cette entreprise, aidé de leurs conseils ou de leur appui matériel. Ma gratitude va en particulier à la Faculté de Théologie de l'Université de Lausanne, qui m'a accueilli parmi ses doctorands, après le décès de mon directeur de thèse, le professeur Ph.-H. Menoud, puis, pour une année, parmi ses assistants; à la Mission de Bâle qui, au moment de m'appeler à sa présidence, m'a accordé plusieurs mois pour rédiger ce travail; aux professeurs Ed. Schweizer et P. Gisel pour leurs remarques critiques précieuses à l'occasion de la soutenance de cette thèse, le 14 janvier 1980; aux professeurs O. Keel et B. Trémel, qui accueillent cet ouvrage dans la collection "Orbis Biblicus et Orientalis". Mais on me permettra de mentionner tout spécialement celui à qui je dois mon goût pour les études exégétiques, né au Camp Biblique de Vaumarcus: le professeur Pierre Bonnard, dont l'amitié ne s'est jamais démentie, malgré l'éloignement, et qui a bien voulu devenir mon directeur de thèse. Son art de la maieutique, ses critiques toujours constructives et son respect d'une pensée autre que la sienne, fût-elle à l'état naissant, demeureront pour moi exemplaires.

Daniel von Allmen

Bâle, Pâques 1981

INTRODUCTION

L'ETUDE DES IMAGES DANS LES EPITRES PAULINIENNES

Etat de la question

0/1 Les images de Paul et les paraboles de Jésus

(a) Alors que les paraboles de Jésus constituent un objet de recherche toujours à nouveau repris, rares sont les études consacrées aux images de Paul, non pas du point de vue de leur contenu théologique, mais du point de vue de l'image elle-même. Aussi n'est-il pas étonnant qu'un ou deux ouvrages à eux seuls aient marqué un demi-siècle de recherche théologique.

Ainsi, l'avis de Bultmann dans sa thèse consacrée au style de la prédication paulinienne[1] a fait autorité, dans ce domaine, pour au moins trois générations de théologiens allemands. Son jugement sur les images pauliniennes est constamment repris tel quel; on estime qu'il n'est pas nécessaire - ou qu'il ne vaut même pas la peine - de soumettre la question à nouvel examen. Or la thèse de celui qui deviendra le grand théologien de Marbourg n'a pas échappé à l'écueil du comparatisme, qui menace toute étude comparée de deux grandeurs. Le projet même de l'oeuvre est comparatiste: Bultmann y examine le style (et notamment, en moins de sept pages, dont plus de deux pages de pur inventaire, les images[2]) de Paul à la lumière des critères valables pour la diatribe stoïcienne. Mesuré à l'aune des écrits stoïciens,

---

1. R. BULTMANN: *Der Stil der paulinischen Predigt und die kynisch-stoische Diatribe*. Göttingen 1910. Voir aussi son article "Gleichnis und Parabel, II,2-3" in RGG_2 II (1928), col. 1239-1242.

2. Op. cit. p. 88-94.

le "style de la prédication paulinienne" apparaît bien pâle[3]. Mais la diatribe ne reste pas la seule pierre de touche à laquelle Bultmann éprouve Paul imagier. Et si l'on choisit pour canon la "rhétorique juive" représentée par Jésus et les rabbins, Paul s'en tire encore plus mal[4]. En résumé, "il manque à Paul le sens de la réalité extérieure. C'est pourquoi ses comparaisons sont parfois invraisemblables en elles-mêmes[5]. Il manque les scènes vivantes, dépeintes avec amour. Car ce qui manque à Paul, c'est le regard neuf de l'artiste, jeté sur le monde extérieur; il lui manque, nous l'avons vu plus haut (p. 79s), le talent dramatique et l'humour."[6]

(b) Mais Bultmann n'est pas le premier théologien aux yeux de qui les paraboles de Jésus ont terni l'éclat des images de Paul. Ainsi Jülicher cite avec complaisance[7] le verdict sans appel d'un prédécesseur: "Jésus puise ses images dans la nature, et les lis embaument, et les oiseaux pépient dans le ciel, et l'aube jette ses feux, dans ses discours; alors que Paul, lui, puise ses images dans son cabinet de travail (...). Assurément, les images de Jésus ont un autre parfum - alors que les images de Paul trahissent par leur odeur le cabinet dans lequel elles ont poussé."[8]

---

3. Dès l'abord, Bultmann concède cependant que l'on a pu arriver à des conclusions diamétralement opposées. Ainsi G. HEINRICI, in *Das zweite Sendschreiben des Apostels Paulus an die Korinthier*, Berlin 1887, p. 574, cité en note 1 de la p. 88.

4. Op. cit. p. 88.

5. Ici, note (3) de l'auteur: "Röm. 7,2f.; 11,17ff.; dazu s. Lietzmann, der gegen Deissmann (Licht vom Osten 197) Recht hat."

6. Op. cit. p. 92.

7. *Die Gleichnisreden Jesu*. 2 vol. Tübingen 1910 (éd. pratiquement identique à la deuxième édition, 1899); vol. I, p. 160, note 1: "Ich zitiere hier gern HAUSRATH's treffendes Urteil...".

8. *Der Apostel Paulus*. Heidelberg, 2e éd. 1872, p. 15.

Même tendance dans les articles que les grandes encyclopédies consacrent aux images, et ceci dès avant Bultmann. Le problème du langage imagé dans le N.T. est abordé sous le thème "Paraboles"[9], et les métaphores des écrits autres que les évangiles ne sont guère traitées qu'en appendice. Ainsi, dans la Real-Enzyklopädie, sous le thème "Gleichnisse", G. Heinrici ne parle pas de Paul[10].

Plus tard, on se contentera en général de se faire brièvement l'écho des conclusions de Bultmann[11]. Même quand, au départ, on a traité des figures de la rhétorique grecque et du MASCHAL sémitique, les paraboles de Jésus se taillent la part du lion, et tout se passe ensuite comme s'il n'était plus possible de choisir une nouvelle perspective, pour s'arrêter en détail aux images pauliniennes[12].

(c) Ce qui est en cause, c'est le principe même d'une approche comparatiste, que celle-ci soit consciente ou implicite. Une telle démarche peut être féconde, sur le plan historique,

---

9. En ce sens, le *Reallexikon für Antike und Christentum* fait exception. Il a un article de A. STUIBER consacré en général à "Bildersprache", Vol. II (1974), 341-346, et un art. spécifique sera consacré aux paraboles. Mais, sur le fond du problème, il ne se distingue guère des autres articles envisagés ici; ainsi, en fin d'article on signale l'influence exercée par les paraboles et les images du quatrième évangile sur le langage métaphorique chrétien, mais Paul et ses images ne sont même pas mentionnés.

10. *Real-Enzyklopädie* (1899), vol. VI, 688-703.

11. Ainsi N.A. DAHL, RGG_3, vol. VI (1958), col. 1619, résume le verdict moyen sur Paul imagier: "Nicht bildhafte Anschaulichkeit, sondern theologischer Gehalt ist für das paulinische Gleichnis bezeichnend" (suit une liste de six citations). Sur un article de presque trois colonnes, neuf lignes sont consacrées au paulinisme. Même concision dans l'article de J. SCHMID "Gleichnis (Gleichnisrede)" du *Lexikon für Theologie und Kirche* IV, 958-960.

12. Ainsi F. HAUCK, art. παραβολή, in ThWNT V, p. 741-759.

dans la mesure où il est possible d'établir avec un minimum de certitude une dépendance directe entre les écrits comparés. Cela vaut sur le plan du contenu (école comparatiste de la "Religionsgeschichte", p. ex.), mais on peut en dire autant d'une telle méthode appliquée à l'étude des styles. En ce domaine précis, en l'absence d'un lien historique ou d'une dépendance littéraire démontrée, une étude comparée de deux oeuvres ne peut guère que mettre en lumière des affinités, ce qui est intéressant, mais parfois d'un intérêt limité[13].

Mais en mesurant, délibérément ou implicitement, les images de Paul au mètre des paraboles de Jésus (comme à celui de la diatribe, et pour des raisons analogues), on rique de comparer des grandeurs incommensurables à plus d'un point de vue.

En premier lieu, une analyse comparative qui ne tient pas compte des rapports entre le genre littéraire et le style adoptés s'expose à des erreurs d'appréciation qui risquent d'être fatales. A ce titre, la perspective choisie par Bultmann dès 1910, et dont les tendances ne feront que s'accentuer dans le mouvement de la "Formgeschichte"[14], mériterait d'être corrigée par celle même qu'il abandonnait: la perspective de la critique littéraire, complémentaire de

---

13. Nombre de procédés utilisés par la diatribe et recensés par Bultmann sont de simples procédés pédagogiques, appliqués également par les rabbins, par exemple. C'est pourquoi il y a de nombreux recoupements dans les parallélismes découverts entre Paul et la Stoa, d'une part, Paul et le rabbinisme d'autre part. Comp. D. DAUBE: *The New Testament and Rabbinic Judaism*. London 1956.

14. *Geschichte der synoptischen Tradition*, première édition, Göttingen 1921.

la recherche des formes prélittéraires[15]. Les évangiles et les épîtres ressortissent à des genres littéraires différents. Dans les évangiles, nous sommes en présence d'oeuvres dans lesquelles la tradition orale populaire, puis catéchétique, a joué un rôle, avec sa prédilection pour des unités de discours bien frappées, faciles à retenir[16]. Tout autres sont les épîtres de Paul, à mi-chemin entre la lettre personnelle et l'épître de caractère littéraire[17]. Paul s'y adres-

15. Ainsi, la première édition de la RGG possédait encore un article "Literaturgeschichte NT", confié à Johannes WEISS (Vol. III, 2175-2215), dans lequel les genres littéraires représentés dans le N.T. sont décrits. Dans la troisième édition de cette même RGG, sous la rubrique "Formen und Gattungen" (II,999-1005), G. BORNKAMM se borne à l'examen du niveau prélittéraire des formes décrites, précisément, par la Formgeschichte. On ne trouve plus, dans cette édition, aucun article qui soit consacré à l'ensemble des formes littéraires représentées dans le N.T. Voir cependant l'art. "Briefliteratur, urchristliche", de E. FASCHER (I,1412-1415).
Au début du siècle, c'était encore au genre littéraire choisi que J. ALBANI faisait remonter les particularités du langage "parabolique" de Paul: "Die Parabel, die Vergleichung sind ihm nicht zwingend genug; er ist, besonders im brieflichen Verkehr, ihrer Wirkung nicht so ganz sicher." ("Die Parabel bei Paulus", in ZWTh 46 - NF XI - 1903, p. 161 171. Ici: p. 170).

16. A cet égard, les thèses de la "Formgeschichte" doivent être complétées et corrigées, à la lumière, notamment, des travaux de l'école scandinave, de STENDAHL (*The School of St. Matthew*, Uppsala 1954), RIESENFELD ("The Gospel Tradition and its Beginnings", 1959), GERHARDSSON (*Memory and Manuscript*, Uppsala 1961), puis de T. BOMAN: *Die Jesus-Überlieferung im Lichte der neueren Volkskunde*, Göttingen 1967, notamment chap. I et II.

17. Dans le domaine de la littérature épistolaire également, les études consacrées aux formes prélittéraires (hymne, confession de foi) ont partiellement éclipsé la recherche spécifiquement littéraire. Renouant, souvent de manière critique, avec les travaux de A. DEISSMANN (en part. *Licht vom Osten*, 4e éd. 1923, et ses *Bibelstudien*, 1895), on reprend aujourd'hui le problème du caractère spécifique des épîtres pauliniennes, redécouvrant des travaux qui avaient largement passé inaperçus au moment de leur parution: O. ROLLER: *Das Formular der paulinischen Briefe*, 1933 (BWANT 58), P. SCHUBERT: "Form and

se en général directement à des interlocuteurs - parfois à des adversaires bien réels; mais en dictant, il demeure conscient que ses lettres seront lues au cours des réunions cultuelles de la communauté. Cela détermine un style nécessairement bien différent. Cela implique en tous les cas que, du fait que Paul ne se sert pas de paraboles dans ses épîtres, il est, en bonne méthode, impossible d'inférer que Paul était incapable d'en forger. On ne connaît pas le style de sa prédication orale[18]. Se servait-il de paraboles? Citait-il des paraboles de Jésus? On se le demande[19], mais le caractère du livre des Actes et la manière dont Luc a reconstitué ses "discours" rendent toute réponse définitive impossible[20].

Mais le choix d'un genre littéraire et surtout le style que l'on adopte pour se mouvoir au sein de ce genre littéraire peut aussi être la conséquence d'options d'un ordre tout autre que littéraire. Ainsi le style et le contenu d'une prédication seront certainement fort différents, que l'on s'adresse à des initiés ou à des interlocuteurs qui ne savent encore rien ni du Christ ni de l'Evangile. A cet

---

(suite note 17)

Function of the Pauline Thanksgivings", Berlin 1939 (BZNW 20); voir en particulier R.W. FUNK: *Language, Hermeneutic and Word of God*, New York 1966. Ce n'est pas par hasard non plus qu'une récente introduction au N.T. est conçue à nouveau comme une "histoire de la littérature chrétienne primitive": Ph. VIELHAUER: *Geschichte der urchristlichen Literatur*, Berlin 1975 (de Gruyter Lehrbücher).

18. A cet égard le titre de la thèse de Bultmann prête à confusion: on y étudie le style des épîtres, et non le style de sa prédication.

19. Voir M.A. ROBINSON: "ΣΠΕΡΜΟΛΟΓΟΣ: Did Paul Preach from Jesus' Parables?" in *Biblica* 56 (1975), 231-240.

20. Voir M. DIBELIUS: *Die Reden der Apostelgeschichte und die antike Geschichtsschreibung*, Heidelberg 1949; U. WILCKENS: *Die Missionsreden der Apostelgeschichte*, Neukirchen 1961, mais aussi J. DUPONT: "Les discours des Actes des Apôtres", in RB 69 (1962), 37-60.

égard, la situation des paraboles de Jésus, aussi bien dans leur "Sitz im Leben" originel que dans la tradition synoptique, est différente de la situation des épîtres de Paul. On a pu montrer que la prédication de Jésus, relayée du temps de Paul par la prédication missionnaire et prise en charge par l'enseignement catéchétique[21], posait un fondement que les épîtres présupposent. On est en droit de se demander si cela n'a pas une incidence sur le langage utilisé, et notamment sur la nature des images auxquelles on a recours, dans un cas et dans l'autre[22]. Pour répondre à cette question, nous devrons cependant prendre un certain recul et repenser les problèmes que pose le langage imagé.

(d) Ce qui vient d'être dit des limites d'une étude comparée des paraboles de Jésus et des images de Paul n'implique pas qu'il soit impossible, ou sans intérêt, d'examiner ensemble ces deux grandeurs, à condition qu'un tel examen ne fasse pas bon marché de la spécificité des évangiles, d'une part, des épîtres d'autre part. Ainsi, Riesenfeld, partant de l'idée que Paul, dans ses lettres, supposait connue la tradition des évangiles, dont la transmission était confiée à d'autres, a cherché à montrer que de nombreuses expressions métaphoriques de Paul pouvaient être des allusions à des paraboles de Jésus[23]. Une telle enquête est sans aucun doute susceptible d'éclairer certains textes pauliniens, mais il n'en est pas moins évident que ses résultats demeurent hypothétiques, du fait que Paul ne fait jamais d'allusion claire aux évangiles comme sources de ses images.

---

21. Cf. T. BOMAN, p. 42-47.

22. Voir notamment R.W. FUNK: *Language, Hermeneutic and Word of God. The Problem of Language in the New Testament and Contemporary Theology*, notamment son chapitre 9: "The Phenomenology of Language and Form and Literary Criticism: Parable and Letter", p. 224-249.

23. "Le langage parabolique dans les épîtres de Saint Paul" in *Littérature et théologie pauliniennes*, Bruges 1960 (Rech.Bibl.V), p. 47-59.

Pour rendre compte des conditions dans lesquelles Paul se sert d'images, il est évidemment nécessaire d'étudier les images de Paul pour elles-mêmes. C'est ce que W. Straub[24] a bien vu. C'est donc simple justice que son étude figure, avec la thèse de Bultmann, parmi les quelques rares ouvrages connus et toujours à nouveau cités, à propos du langage imagé de Paul, même si la manière dont il réalise son projet pose, elle aussi, de sérieux problèmes, comme nous le verrons au paragraphe suivant (0/2c-d).

0/2 Les images, reflet du style de Paul

(a) Les problèmes que nous posent aujourd'hui les travaux consacrés aux images dans les épîtres de Paul ne tiennent pas seulement au fait que l'Apôtre y apparaît en général dans l'ombre des paraboles de Jésus. Ils sont aussi et surtout fonction de la notion d'image avec laquelle on opère, implicitement ou explicitement. En effet, ces monographies dépendaient toutes des définitions et axiomes posés par la rhétorique classique[25]. Or les recherches récentes sur le langage nous semblent permettre une approche renouvelée de cette question. C'est ce qu'ont montré en particulier P. Ricoeur[26] et E. Jüngel[27] dans des études consa-

---

24. *Die Bildersprache des Apostels Paulus*. Tübingen 1937.

25. Voir encore récemment W. BUEHLMANN et K. SCHERER: *Stilfiguren der Bibel*, Freiburg (Schweiz) 1973. La recension de R. LACK dans *Biblica* 55 (1974), 561-563 montre bien la grande lacune de cet ouvrage: il ne tient pas compte de la recherche récente sur le langage.

26. P. RICOEUR: *La métaphore vive*, Paris 1975. Voir aussi les deux articles qu'il a publiés dans *Die Metapher*, in EvTh, Sondernummer München 1974: "Philosophische und theologische Hermeneutik" (p. 24-45) et "Stellung und Funktion der Metapher in der biblischen Sprache" (p. 45-70).

27. E. JUENGEL: "Metaphorische Wahrheit. Erwägungen zur theologischen Relevanz der Metapher als Beitrag zur Hermeneutik einer narrativen Theologie", in *Die Metapher*, EvTh, Sonderheft, (note précédente), p. 71-122.

crées à la "métaphore". Leurs travaux permettent de saisir dans leur fond les problèmes posés par les études de nos prédécesseurs, et il devrait être possible de s'en inspirer pour soumettre au moins un aspect du langage métaphorique de Paul à un nouvel examen.

(b) Jusqu'ici, l'interprétation du langage imagé a toujours reposé sur une chaîne de postulats, qu'avec Ricoeur on peut formuler ainsi[28]:

1. "Certains noms appartiennent en propre à certaines sortes (genres et espèces) de choses; on peut appeler sens propre le sens de ces termes. Par contraste, la métaphore et les autres tropes sont des sens impropres ou figurés. .
2. Renonçant à utiliser le mot propre, le locuteur crée dans le langage une lacune[29] qu'il comble "par l'emprunt d'un terme étranger".
3. "Le terme d'emprunt est appliqué à la sorte de chose considérée au prix d'un écart entre le sens impropre ou figuré du mot d'emprunt et son sens propre".
4. Le terme d'emprunt, pris en son sens figuré, est substitué à un mot absent (...) qui aurait pu être employé à la même place en son sens propre".
5. Entre le sens figuré du mot d'emprunt et le sens propre du mot absent auquel le premier est substitué, il existe une relation qu'on peut appeler la <u>raison</u> de la transposition; (...) dans le cas de la métaphore", cette raison est "la ressemblance".
6. Guidé par la "raison" de la métaphore, on peut restituer le terme propre auquel le terme figuré a été substitué. "La

---

28. Les citations de ce paragraphe sont tirées de *La métaphore vive* (cf. supra note 26), p. 65s. Notre liste de postulats est légèrement abrégée par rapport à celle de Ricoeur. Dans cette simplification, nous nous inspirons de Ricoeur lui-même dans l'article en allemand cité plus haut (note 26): "Stellung...", p. 46s.

29. Quand la lacune est réelle (au niveau lexical), le trope qui la comble est appelé "catachrèse".

paraphrase en quoi consiste cette restitution est en principe exhaustive". La somme algébrique de la substitution et de la restitution est nulle: la métaphore n'enseigne rien.
7. La métaphore, "n'enseignant rien, a une simple fonction décorative"; elle est destinée "à plaire en ornant le langage, en donnant de la 'couleur' au discours, un 'vêtement' à l'expression nue de la pensée".

(c) Ainsi, aux yeux d'Aristote, le père de la rhétorique classique, un langage qui ne se servirait que de mots propres serait banal[30]. Le style d'un auteur se mesure donc à la manière dont il varie son discours, l'émaillant de métaphores ou d'autres figures, c'est à dire de termes pris dans un sens figuré. Dans une telle perspective, l'image n'a pas d'autre fonction que de rendre le style d'un auteur esthétiquement beau (perspective de la poétique) ou percutant, persuasif (perspective de la rhétorique proprement dite). Raison pour laquelle Platon déjà rejetait la rhétorique avec mépris, la rangeant du même côté que la "cosmétique"[31]. Et pour faire une métaphore, il faut savoir tout à la fois observer le monde extérieur et imaginer, puis raconter de manière vraisemblable le monde du possible. C'est dire que "bien métaphoriser"[32] ne s'apprend pas. C'est un don de la nature, ou du génie.

30. Cf. JUENGEL, p. 91; RICOEUR, Métaphore, p. 26.

31. RICOEUR, Métaphore, p. 65. Dans l'article de V. HEYLEN, "Les métaphores et les métonymies dans les épîtres pauliniennes" (EThL 12/1935), nous avons encore un bon exemple de la manière dont on envisageait la métaphore, encore relativement récemment. Cet auteur opère en effet avec les définitions qu'il emprunte à J. MUETZELL: *De translationum, quae vocantur, apud Curtium usu* (Berlin 1842). Ainsi pour la métaphore: "Il y a métaphore lorsqu'un mot est pris de son milieu propre et placé dans un autre de telle sorte que le milieu dans lequel le mot est transféré soit embelli, orné et illustré par la chose transposée" (HEYLEN: p. 254; MUETZELL, p. 18).

32. RICOEUR, Métaphore, p. 33, dans son commentaire d'un passage de la poétique d'Aristote.

Dans cette optique, on comprend que le style apparaisse comme la seule rubrique sous laquelle il convienne d'examiner les images de Paul[33]. Et l'enquête à laquelle on se sera ainsi livré donnera des renseignements sur le "génie littéraire" de cet auteur, et notamment sur ses qualités d'imagination[34], si l'on se place dans une perspective plutôt "poétique", ou sur la qualité de son argumentation[35], si l'on choisit plutôt un point de vue "rhétorique". Ainsi Paul est ou n'est pas un bon "imagier"[36] - jugement tenant à des critères formels dont l'appréciation est souvent très subjective: ce qui est qualité pour les uns sera défaut pour les autres.[37]

(d) Pour Aristote, la métaphore n'était pas encore une figure de style parmi d'autres. Ce mot désignait dans son esprit toute expression prise dans un sens figuré, et produite par "transfert" du sens du terme propre sur le terme pris au sens figuré. C'est dans cette acception que P. Ricoeur l'utilise souvent, pour parler du "procès" de métaphorisation. C'est ainsi également qu'il faudra généralement comprendre, dans les pages qui suivent, le substantif "métaphore" et l'adjectif "métaphorique".

---

33. Voir le titre de la thèse de BULTMANN: Der Stil der paulinischen Predigt...

34. Ainsi A. BRUNOT: *Le génie littéraire de saint Paul*, Paris 1955 (Lectio Divina 15), p. 204-210.

35. Ainsi W. STRAUB, chap. VI, p. 142-148: "Das Verhältnis zwischen Bild und Sache (das Beweisverfahren)".

36. Jugement favorable chez A. DEISSMANN: *Paulus*, Tübingen 1925, p. 245, note 2, cité par STRAUB, p. 12, note 5. Jugement défavorable, on l'a vu, chez BULTMANN, et tous ceux qui le suivent.

37. "Paul a l'imagination primesautière et rapide. Il poursuit rarement ses figures: un trait, un éclair, il les abandonne pour en prendre d'autres". Ce que BRUNOT (p. 210) présente ici comme un signe de la richesse du tempérament de Paul, STRAUB y verra, avec Bultmann, une carence (p. 154, note 1).

Cela ne devrait cependant pas nous faire oublier que la rhétorique classique ne s'en est pas tenue à cet usage. Les successeurs d'Aristote, en effet, ont analysé le langage imagé, et défini un grand nombre de tournures ou "tropes", dont la métaphore n'est qu'une variété. La tropologie s'arrêtera d'abord aux tropes tenant en un mot (métaphore, comparaison, métonymie, catachrèse, etc.). C'est dans cette ligne que s'inscrit l'article consacré par V. Heylen aux métaphores et aux métonymies des épîtres de Paul[38].

Mais on a pu montrer qu'une définition de l'image qui ne s'étendrait qu'aux mots imagés ne rendrait pas compte de toute la réalité. Cela vaut en particulier pour les épîtres de Paul: certaines images forment des ensembles dans lesquels c'est la péricope entière qui est chargée d'un sens métaphorique (sentences imagées, similitudes longues parfois de plusieurs versets). La thèse de W. Straub a, une fois de plus, le mérite de tenir compte de ce fait. Adaptant le vocabulaire déjà utilisé par Bultmann[39] aux nécessités du langage paulinien, il répartit les images en six catégories: mots-images (Bildwörter), expressions imagées (bildhafte Redewendungen), comparaisons (Vergleiche), métaphores (Metaphern), sentences imagées (Bildsprüche), et enfin similitudes (Gleichnisse)[40]. Mais Straub n'en reste pas là. Le matériel ainsi inventorié, il le regroupe ensuite selon d'autres critères: ceux que fournissent les images utilisées

---

38. V. HEYLEN: "Les métaphores et les métonymies dans les épîtres pauliniennes" in EThL 12 (1935), p. 253-290.

39. *Geschichte der synoptischen Tradition*. Göttingen, 2e éd. 1931, p. 181ss, cité par STRAUB, p. 18, note 2.

40. D'ordinaire, ce dernier terme (Gleichnisse) se traduit par "paraboles". Par là, on entend cependant un récit (anecdote) à sens imagé, que l'allemand distingue de "Gleichnis" par le terme de "Parabel". Si Paul a des "similitudes" poussées assez loin (voir aussi ALBANI, art. cité plus haut, p. 169s), il n'élabore pas, dans ses lettres, de récits imagés semblables aux paraboles des évangiles.

elles-mêmes. Il s'agit alors d'un classement thématique, analogue à celui auquel s'étaient livré déjà certains de ses prédécesseurs[41].

Il résulte d'un tel traitement, excessivement analytique[42], l'impression d'un morcellement dont Straub lui-même était conscient[43], mais auquel il n'a pas pu remédier: sa méthode même tendait à isoler l'image par rapport à son contexte, à séparer entre elles des images qui auraient dû pouvoir être examinées ensemble, de manière globale, à cause des relations qui s'établissent entre elles, dans le langage de Paul. Après la "dissection" à laquelle il s'est livré, Straub n'est plus en mesure de montrer la cohérence d'un ensemble qui ne lui apparaît plus que sous la forme de "membra disjecta".

0/3 Les images, reflet de la pensée de Paul

(a) S'il est vrai que la substitution d'un terme figuré à un terme propre (qui constitue la métaphore, selon la rhétorique classique) n'apporte en elle-même aucune nouveauté

---

41. On trouve un groupement des images par thèmes chez J.S. HOWSON: *The Metaphors of St. Paul*, London 1883 (que STRAUB semble ne pas connaître). A ses yeux, en effet, l'archéologie classique doit éclairer les images de Paul. Un classement analogue des images se trouve dans la série d'articles de J. ALBANI: "Die Metaphern des Epheserbriefes" in ZWTh 45 (NF X), 1902, p. 420-440; "Die Bildersprache der Pastoralbriefe" ZWTh 46 (NF XI), 1902, p. 40-58; "Die Parabel bei Paulus", ibid., p. 161-171 (1903). Même principe chez BULTMANN (Stil) et chez V. HEYLEN (que STRAUB ne cite pas non plus). Voir aussi, plus tard A. BRUNOT.
42. C'est déjà le jugement de J. LEVIE, dans sa recension du travail de STRAUB, NRTh 66 (1939), p. 111.
43. STRAUB, p. 14: "Es lässt sich nicht vermeiden, dass zusammengehörige Stücke auseinandergerissen und an verschiedenem Ort besprochen werden; durch Verweisungen wurde versucht, diesen Mangel in etwa auszugleichen".

sémantique[44], la métaphore n'est qu'un avatar du "comment dire"; elle ne dit rien de l'objet du discours (la "chose" dite[45]), que ne dirait aussi le terme propre que l'on pourrait restituer. Dans ces conditions, quel enseignement peut-il jaillir d'une étude des images de Paul, à supposer que l'on veuille en tirer plus que quelques données sur son style?

En premier lieu, si le style, c'est l'homme, la manière dont Paul choisit et manie ses images est révélatrice de sa personnalité. C'est sous cet angle, à proprement parler psychologique, que A. Brunot examine les images de Paul, et, en passant, il dit grand bien[46] du chapitre que, de son côté, Straub a consacré à cet aspect du problème[47]. Ainsi, à la manière dont Paul passe, extrêmement rapidement, d'une image à l'autre, on découvre un être vif d'esprit, aux intérêts multiples, mais à l'imagination ("Phantasie") peu développée. Sa nature est tournée vers l'abstrait plus que vers le concret. La fréquence des images empruntées à la famille - comme certains traits de son style, incisif, tour à tour tendre et emporté - témoigne d'un tempérament chaleureux, d'une cordialité "qui s'explique psychologiquement, peut-être précisément par le fait que l'apôtre a été privé du bonheur familial, pour autant que nous le sachions"[48]. La

---

44. "Die substituierte Bedeutung enthält keine semantische Neuerung". C'est ainsi que RICOEUR formule, dans un de ses articles en allemand, le sixième des postulats que nous avons énoncés plus haut (0/2b). *Die Metapher*, in EvTh, Sonderheft, München 1974, p. 46.

45. Dans le langage imagé, on distingue généralement l'image ("Die Bildhälfte") de la "chose" qu'elle désigne en termes figurés ("die Sachhälfte"). Logiquement, après s'être étendu sur un examen de l'image, Straub, par exemple, recensera brièvement (p.132-142) les domaines auxquels ces images s'appliquent le plus fréquemment.

46. BRUNOT, p. 214, note 2.

47. STRAUB, p. 153-158.

48. STRAUB, 156.

prédilection de Paul pour les images tirées de la vie des sports et de la guerre, est le signe d'une nature combattive, alors que d'autres images reflètent son talent d'organisateur (le corps et les membres, la maison et son fondement, etc.), ou un goût très vif pour les questions juridiques.

Une seconde perspective est apparue possible: le choix des images renseigne sur le monde dans lequel Paul et ses interlocuteurs vivaient, mais aussi sur les aspects du monde extérieur auxquels l'apôtre était le plus sensible: il est un citadin et non un campagnard; il est plus familier du stade et du prétoire que de la vie des champs et de l'agriculture. Bien plus: quand il se hasarde dans ce domaine, il rate ses images[49].

(b) Il est intéressant d'observer ce que l'on a fait, dans chacun des cas énumérés jusqu'ici, pour "faire parler" les images. On a fait comme si Paul parlait vraiment de la famille, des jeux du cirque, ou d'un rameau d'olivier à greffer, et non de l'Eglise, de la vie chrétienne ou de l'élection des païens. On a pris les images dans leur sens "propre", les saisissant comme "avant" que ne se produise le transfert de sens qui les fait signifier autre chose, par "métaphore".

Si l'on continue à appliquer logiquement les présupposés de la rhétorique, et que l'on veuille établir ce que les images de Paul peuvent nous dire de sa pensée, il serait logique que l'on procède de la même manière: les métaphores de la

---

49. L'exemple classique: l'allégorie de la greffe, Rom. 11,17-24. HAUCK (ThWNT V, 758,14) suit BULTMANN (voir plus haut note 5): cette image est ratée; c'est le citadin qui montre le bout de l'oreille. O. MICHEL: *Der Brief an die Römer*, Tübingen 1957 (MeyerK ad loc.) fait remarquer que Paul est lui-même conscient d'avoir décrit un procédé "contre nature" (v. 24). Discussion: STRAUB, p. 74s.

famille éclaireraient l'idée que Paul se fait du mariage, les images tirées des jeux et des armes nous renseigneraient sur divers aspects de son éthique sociale, etc. Cette logique, Straub l'a respectée, d'une manière assez stricte, dans le chapitre qu'il intitule: "Le langage imagé et la théologie de Paul"[50]. Effectivement, les images que Paul tire du monde naturel, permettent à Straub de suppléer à une théologie de la création sur laquelle Paul se montre peu disert, quand il s'exprime dans un langage non figuré. De même, les termes "crucifier", "stigmates", "mettre à mort" et même "malfaiteur", appliqués par extension aux souffrances de Paul, sont des échos de l'importance que Paul accorde à la Croix, dans sa théologie (Jésus n'a-t-il pas été mis à mort, à la croix, entre deux malfaiteurs?).

Ce que nous observons ici implique qu'en thèse, cela ne change rien au discours théologique, dans son contenu, qu'il soit métaphorique ou non. La métaphore n'a, dans le langage théologique, qu'une portée formelle, et un examen des rapports entre l'image (en allemand: die Bildhälfte) et son application (en allemand: die Sachhälfte) se situe, non pas au niveau du sens, mais au niveau technique de "l'argumentation" (allemand: das Beweisverfahren[51]).

(c) Nous touchons ici aux limites de la pertinence d'une vision "rhétorique" du phénomène métaphorique. La métaphore n'est pas seulement un mot revêtu de la signification d'un autre mot. Il ne suffit pas de définir la métaphore comme un phénomène de "dénomination déviante". La métaphore est, dans la phrase, un événement de "prédication impertinente"[52], qui peut avoir des répercussions, non pas seulement sur le style

---

50. STRAUB, p. 159-172.
51. Ainsi, en effet, STRAUB, chap. VI: "Das Verhältnis von Bild und Sache (Das Beweisverfahren)", p. 142-148.
52. Ces deux expressions sont de RICOEUR, Métaphore, p. 8.

(perspective de la rhétorique), mais bien sur la manière dont nous concevons la "chose" exprimée (perspective de la sémantique). C'est ce que nous découvrons dans le paragraphe que Straub consacre à l'image du corps, appliquée à l'Eglise[53]. Il montre, en effet, qu'une évolution s'est produite dans la manière dont cette image a été utilisée, dans les différentes épîtres pauliniennes.

Dans les épîtres aux Corinthiens et aux Romains, on rencontre l'image du corps (a) sous la forme d'une comparaison: l'ensemble des chrétiens (ceux qui sont "en Christ") sont comparables à un corps, dans l'unité de l'organisme qu'ils forment et la diversité des membres qu'ils sont, chacun pour soi. Le statut de l'image est formellement le même dans l'épître aux Romains que dans la première aux Corinthiens, à cette différence près que, dans les Corinthiens, cette idée du corps apparaît étroitement liée au baptême, d'une part (1 Cor.12,13), à la communion eucharistique (1 Cor.10,17) d'autre part. De l'idée du corps, un dans sa diversité, qui apparaît aussi dans les épîtres deutéro-pauliniennes (Col. 3,15; Eph.4,4), on passe (b) à l'idée du "corps du Christ", que l'on trouve déjà en 1 Cor.12,27, mais aussi en 1 Cor. 6,15, avec l'impresionnant raccourci: "vos corps sont les membres du Christ". Cette idée, elle aussi, a un écho dans les deutéro-pauliniennes (Col.1,24; Eph.1,23; 4,12; 5,30). En revanche, ce n'est que dans ce dernier groupe d'épîtres que l'on passe à (c) la métaphore (au sens étroit du terme): "le corps", appliquée à l'Eglise, sans le génitif "du Christ".

Avec raison, Straub fait remarquer que cette dernière étape de l'évolution implique des modifications, tant au niveau de l'image qu'au niveau de l'application. En effet, dans ce dernier cas, à la notion de "corps" s'ajoute toujours celle de "la tête" (le Christ); le Christ n'est plus le vis-à-vis

---

53. Op. cit. p. 163-168.

de ce corps, pris comme un tout, mais le Christ est conçu comme la tête, le "chef" de ce corps. Cela vaut aussi bien pour Col.1,18 et 2,19 que pour Eph.5,23 et 4,15s. Il n'est pas question d'entrer ici dans les détails de ce qu'ont pu être les ressorts d'une telle évolution. La question, on le sait, est extrêmement controversée[54]. Qu'il nous suffise de remarquer que, dans cette évolution, les motifs d'ordre théologique se mêlent intimement aux motifs tenant à l'image elle-même. Dans le passage de la comparaison du corps à la notion de corps du Christ, les motifs théologiques auront certainement joué un rôle non négligeable: dans le baptême, on était tout à la fois agrégé au Christ (cf. Rom.6,3) et à ce corps (cf. 1 Cor.12,13). Inversement, dans le passage de la comparaison ou de l'expression "le corps du Christ" à la métaphore "le corps" - dont le Christ est la tête - le dynamisme de l'image doit avoir joué un rôle important, pour que Straub commente: "En définitive, il faut remarquer que Paul, en rapportant l'image du corps à l'Eglise, a joué un rôle unique dans la formation d'un langage. Aucune de ses images ne s'est révélée plus apte que celle-là à saisir l'Eglise dans son essence"[55].

(d) Une telle remarque nous conduit au-delà d'une définition purement "rhétorique" de l'image, et nous fait passer du niveau du style au niveau du langage, ce qui était le but de Straub dans sa thèse, bien qu'il ne s'en soit pas toujours

54. Les notes de ce chapitre de STRAUB donnent déjà une idée de la vivacité de la discussion à ce sujet (cf. p. ex. notes 2, p. 164 et 1, p. 165). Il pouvait déjà tenir compte de l'ouvrage de E. KAESEMANN: *Leib und Leib Christi* (1933). Voir aussi J.A.T. ROBINSON: *The Body. A Study in Pauline Theology*, London 1955, et les deux articles de Ed. SCHWEIZER dans la ThLZ 86 (1961): "Die Kirche als Leib Christi in den paulinischen Homologumena" et "...in den paulinischen Antilegomena", act. in *Neotestamentica* (ges. Aufs., Zürich 1963), p. 272-316, et son article σῶμα in ThWNT VII, p. 1064-1077.

55. STRAUB, p. 168.

donné les moyens. Cela nous oblige à une réflexion plus approfondie sur le statut de l'image, et notamment à une confrontation des statuts respectifs de la comparaison et de la métaphore.

Déjà Heylen[56] l'avait vu, la métaphore ne peut pas s'expliquer comme une comparaison abrégée, ce que faisait la tropologie classique, depuis Quintilien[57]. En effet, "la comparaison se contente de mettre deux notions en face l'une de l'autre, disant: A ressemble à B, est comme B. Les deux termes gardent dans ce cas leur sens propre. Ainsi dans la proposition: 'Cet homme est brave comme un lion', les termes n'ont pas changé de signification. La métaphore au contraire fait comme si A et B devenaient équivalents. Elle prononce: 'Cet homme est un lion'. Dans ce cas-ci seulement, 'lion' a un sens figuré, métaphorique". Dans la comparaison, comme le remarque également Ricoeur[58], "aucun transfert de signification n'a lieu; tous les mots gardent leur sens et les représentations elles-mêmes restent distinctes et coexistent avec un degré presque égal d'intensité". Cela vaut notamment pour la "comparaison-similitude", dans laquelle la "raison" de la comparaison est explicitée (Jean est bête comme un âne). En tous les cas, la comparaison "est comme" n'est pas une prédication. Comme la comparaison, la métaphore saisit "une identité dans la différence de deux termes", mais "la métaphore présente en court-circuit la polarité des termes comparés"[59]. Elle établit entre eux le rapport d'identité qu'implique la prédication. Il s'ensuit que "si, formelle-

---

56. HEYLEN, p. 254.

57. Cf. BUEHLMANN et SCHERER, p. 64.

58. RICOEUR, Métaphore, p. 236, dans un exposé qui se réfère à l'étude de M. LE GUERN: *Sémantique de la métaphore et de la métonymie*, Paris 1973.

59. RICOEUR, Métaphore, p. 38. Discussion de l'ensemble du problème, dans le paragraphe intitulé "Une énigme: Métaphore et comparaison (eikôn)", p. 34-40.

ment, la métaphore est bien un écart par rapport à l'usage courant des mots, d'un point de vue dynamique, elle procède d'un rapprochement entre la chose à nommer et la chose étrangère à laquelle on emprunte le nom. La comparaison explicite ce rapprochement sous-jacent à l'emprunt et à l'écart"[60]. Par l'attribution d'un prédicat inusité, la métaphore exige donc de l'interlocuteur un effort plus grand que la comparaison. Présentant côte à côte les deux termes dans un rapport d'identité, elle ne donne pas la "raison" de leur identification métaphorique. De même que l'auteur a découvert des rapports entre les deux termes, de même le lecteur ou l'auditeur est appelé à se mettre à la recherche de la raison de la métaphore, qui lui permettra de surmonter la contradiction née de la prédication métaphorique[61].

Ainsi, l'Eglise n'est pas un corps, au sens usuel, anatomique, du terme ("propre"). Mais la comparaison: l'Eglise est comme un corps, dans l'unité de l'organisme et la diversité de ses membres, a paru si pertinente qu'elle a suscité la prédication métaphorique: l'Eglise est un corps; le corps du Christ. Cette métaphore, à son tour, s'est vu ouvrir tout un avenir, car elle se révélait éclairante. De même que la comparaison du corps en 1 Corinthiens était déjà conduite à la manière d'une allégorie, de même, on a poussé la métaphore du corps, lui rendant le statut d'une allégorie[62] et

60. RICOEUR, Métaphore, p. 35.

61. Ainsi, la métaphore n'est pas seulement "énonciation" (Aussage), mais bien aussi "interpellation" (Anrede). L'interlocuteur interpellé est entraîné dans le mouvement de découverte de la réalité qui préside à la métaphore. Voir JUENGEL, p. 92-98. Des considérations analogues chez W. HARNISCH: "Die Sprachkraft der Analogie. Zur These vom 'argumentativen Charakter' der Gleichnisse Jesu", in StTh 28 (1974), p. 1-20; notamment p. 16-18.

62. A la métaphore correspond, au niveau du récit, la parabole; l'allégorie, elle, s'apparente plutôt à la comparaison. Voir HARNISCH, p. 18. Voir aussi R.W. FUNK: op. cit., le chapitre intitulé "The Parable as Metaphor" (p.133-162), notamment p.152.

la développant dans un sens nouveau par rapport à la comparaison primitive. D'où l'identification du Christ à la tête de ce corps - identification à laquelle la théologie en usage dans la communauté juive (notamment certains aspects de la théologie sapientiale) n'aura vraisemblablement pas été étrangère[63].

(e) Cet exemple tiré de Straub nous montre avec la clarté de l'évidence les limites de la tropologie classique. Voilà infirmé l'un des postulats de la rhétorique: le "postulat de l'information nulle"[64]. En effet, nous le voyons ici, il n'est pas indifférent, non seulement du point de vue du "style", mais bien du point de vue de la théologie, que Paul et son école se soient exprimés en termes métaphoriques. En effet, la comparaison, puis la métaphore du corps ont, par leur dynamisme propre, permis à Paul et à son école de découvrir des aspects de l'ecclésiologie et de la christologie qui leur seraient peut-être restés voilés, s'ils s'étaient contentés de "termes propres" pour s'exprimer. Mais précisément, la question rebondit: où passe la frontière entre le "propre" et le "figuré"? Poser cette ques-

---

63. P. BONNARD ("L'Eglise corps de Christ dans le paulinisme", in RThPh 1958, p. 258-282) renvoie (p. 280) d'une manière générale à l'A.T. Mais on peut chercher à suivre l'histoire de ce thème dans la période intertestamentaire. Voir à ce sujet d'une part W.D. DAVIES: *Paul and Rabbinic Judaism*, London, 2e éd. 1955 et réimpressions, p. 150-152; d'autre part H. SCHLIER: art. κεφαλή in ThWNT III, p. 674 (LXX) et 679-681 (Col.-Eph.), ainsi que Ed. SCHWEIZER: art. σῶμα in ThWNT VII, p. 1051s (Philon), 1072,28-30; 1074,10-14 (Col.: théologie de l'hymne et correction de l'auteur de Col.). Ed. SCHWEIZER se livre à un nouvel examen de la question dans son commentaire aux Colossiens, ad 1,5-20 (EKK, Neukirchen et Zürich/Einsiedeln 1976). Etat de la question (1965) dans l'ouvrage de H.J. GABATHULER: *Jesus Christus - Haupt der Kirche - Haupt der Welt*, Zürich 1965, notamment p. 131-139 (Die religionsgschichtlichen Quellen...).

64. Voir plus haut 0/2(b), sixième postulat.

tion, c'est toucher aux bases mêmes de toute la théorie de la métaphore et, qui sait, du langage lui-même. Au moins brièvement, nous devons montrer quelles conséquences cela peut avoir pour notre recherche.

0/4 Discours métaphorique et langage théologique

(a) Toute l'interprétation "rhétorique" ou tropologique de l'image, et notamment de la métaphore, repose sur le premier des postulats que nous avons énoncés plus haut: le postulat de propre et de l'impropre[65]. Il présuppose que, comme par nature, les mots désignent chacun une "chose", et qu'à chaque "chose" correspond un mot pour la désigner. On sait qu'une telle adéquation du vocabulaire à la "réalité" n'existe que dans certaines langues que l'on pourrait appeler artificielles, tel le langage des définitions mathématiques. En revanche, les langues naturelles se distinguent par deux phénomènes inverses: une certaine redondance, d'une part (bien des "choses" ont plusieurs noms), une certaine pauvreté d'autre part (bien des mots désignent plusieurs "choses"[66]. Il en résulte que les langues, prises au niveau de l'analyse lexicale, sont loin de réaliser un idéal d'univocité, même si l'on fait abstraction du phénomène de l'homonymie[67]. Cela ne signifie pas que le langage courant soit incapable d'univocité. Mais l'univocité n'est pas dans les mots; elle est dans l'usage qui en est fait au sein de la phrase. En effet, la phrase n'est pas un simple assemblage de mots et l'addition de leurs significations. Car l'usage

---

65. Voir plus haut 0/2(b), premier postulat.
66. Voir JUENGEL, p. 73-74.
67. Sur le problème de la différence entre homonymie (homophonie) et polysémie, voir H. GECKELER: *Strukturelle Semantik und Wortfeldtheorie*, München 1971, p. 124-133.

des mots dans le contexte agit, tant pour le locuteur que pour l'auditeur, comme un filtre; il élimine du champ sémantique des termes utilisés les sens indésirables et crée l'univocité[68].

De même, mieux que l'interprétation rhétorique (substitution d'un terme et transfert de sens), une vision sémantique permet de rendre compte de ce qui se passe dans la métaphore. Quand je dis: "Comme de petits enfants, vous ne supportez pas encore une nourriture solide", je me livre à une comparaison: "Comme de petits enfants", en indiquant du même coup la "raison" de la comparaison (le *tertium comparationis*): "vous ne supportez pas...". Sémantiquement parlant, dans le champ sémantique de "petit enfant", je choisis, pour moi et à l'intention de mes interlocuteurs, le trait (la connotation) qui me paraît s'appliquer à la "réalité" ("vous), que je compare à "de petits enfants" (locution qui, dans la comparaison, garde son sens "propre"). En revanche, quand Paul écrit aux Galates: "Et nous, de même, quand nous étions des enfants, soumis aux éléments du monde..." (Gal.4,3), il ne se sert plus d'une comparaison, mais d'une métaphore. Nous l'avons vu[69]: la métaphore n'indique pas sa "raison". Elle est une véritable attribution de prédicat. En termes de sémantique, cela implique que le prédicat métaphorique "petits enfants" est mis en présence du sujet avec l'ensemble de ses connotations, et que ce sera au lecteur ou à l'auditeur de faire l'effort de passer mentalement en revue le champ sémantique du prédicat "petits enfants", pour y choisir les connotations qui pourront s'appliquer au sujet,

---

68. Voir P. RICOEUR: "Le problème du double-sens comme problème herméneutique et comme problème sémantique" in *Le conflit des interprétations. Essais d'herméneutique*, Paris 1969, p. 64-79, et notamment la troisième partie de cet essai, consacrée à la sémantique structurale, en référence à A.J. GREIMAS: *Sémantique structurale*, Paris 1966.

69. Voir plus haut 0/3(d).

lui permettant de surmonter la contradiction apparente née de la prédication métaphorique (nous ne sommes pas des enfants, mais des adultes). Mais que se passera-t-il, si les lecteurs de l'épître aux Galates "décodent" la métaphore autrement que Paul ne l'aurait voulu? En effet, bien plus qu'en se servant d'une comparaison, en "métaphorisant", l'auteur se livre à ses lecteurs, et les laisse réinventer la signification de la phrase comportant un énoncé métaphorique.

En termes de sémantique, "bien métaphoriser" signifiera tout autre chose encore qu'en termes de rhétorique. Cela signifiera choisir, pour servir d'image, une terminologie dont le champ sémantique ne posera pas trop de problèmes au décodage, ou, mieux encore, choisir une terminologie qui se révélera éclairante, dévoilant par son propre champ sémantique des aspects du sujet qu'une prédication "en termes propres" n'aurait pas permis d'exprimer (nous avons vu ce cas avec la comparaison et la métaphore du corps, appliquées à l'Eglise). C'est ce qui donne à la métaphore une force évocatrice incomparable.

(b) Cette force évocatrice de la métaphore n'est pas seulement au service du langage, dans l'événement du discours, ou dans cet autre acte qu'est la lecture ou l'audition du discours. Elle peut devenir un phénomène de langue. En effet, la "prédication impertinente" qu'est la métaphore peut paraître à tel point pertinente, qu'elle conduise tout un groupe de population à s'en servir de manière régulière pour désigner la "chose" que, tout d'abord, elle n'a signifiée que par métaphore. C'est ainsi qu'une métaphore "neuve" (que Ricoeur appellera "métaphore vive"), une métaphore d'auteur, créée une fois pour les besoins d'une cause précise, devient, selon les cas, métaphore d'usage, terme technique ou même "terme propre".

La tropologie opérait avec les catégories du propre et du figuré; elle décelait ici une métaphore, ailleurs une terminologie "propre". La sémantique nous permet de rendre compte du devenir de la métaphore, et du sort qui lui est réservé quand, d'événement du discours, elle devient phénomène de langue[70], suceptible d'être recensé au niveau lexical[71].

Elle nous oblige, d'une part, à constater combien sont fluides les frontières entre le "propre" et le "figuré" (au point qu'en définitive, cette distinction nous apparaît inadéquate), et d'autre part à devenir sensibles aux divers statuts que peuvent avoir les métaphores que nous rencontrons dans les textes que nous lisons: S'agit-il, pour l'auteur et pour ses lecteurs, de métaphores neuves, ou s'agit-il de métaphores d'usage, qui reprennent "vie" dans un contexte nouveau? Ou s'agit-il encore de termes à ce point techniques que le sens métaphorique n'en est plus perçu, ni par l'auteur ni par les lecteurs? Cet aspect de la question est particulièrement important dans le domaine qui est le nôtre, du fait que la théologie a souvent été obligée de se forger un vocabulaire technique en utilisant, par métaphore, des termes empruntés à d'autres domaines de l'expérience humaine.

(c) Nous venons d'utiliser plusieurs fois le terme de "contexte". Il est temps de préciser le rôle que joue le contexte, aussi bien dans la création que dans la réception de la métaphore. Nous prendrons un exemple analogue à celui qui nous a servi à illustrer le paragraphe précédent.

---

70. Ainsi RICOEUR, Métaphore, notamment dans la conclusion de sa troisième étude, p. 124-128.

71. JUENGEL mentionne (p. 77, note 7) l'opinion du poète allemand JEAN-PAUL, pour qui "toute langue est un dictionnaire de métaphores pâlies" (ein Wörterbuch erblasseter Metaphern).

Quand nous lisons une phrase comme celle-ci: "C'est du lait que je vous ai fait boire, non de la nourriture solide: vous ne l'auriez pas supportée. Mais vous ne la supporteriez pas davantage aujourd'hui..." (1 Cor.3,2), rien ne nous empêche de donner à chacun des termes son sens "propre". Seul le contexte, c'est à dire la phrase qui précède (v.1, avec la métaphore de l'enfant), et la suite de la phrase (v.3: "car vous êtes encore charnels"), nous indique que nous avons affaire ici à un langage imagé, dans lequel "lait" et "nourriture solide", ainsi que le verbe "je (vous) ai fait boire" doivent être compris dans un sens métaphorique. Le "lait" dont Paul parle ici n'est pas du lait, dans le sens ordinaire du mot, mais la nourriture spirituelle qui convient à ceux qui, dans l'ordre de la foi, sont des débutants, des "nourrissons", et non des hommes spirituels, des "adultes". Cette notion de contexte s'entend donc d'abord dans un sens littéraire: c'est la phrase, ou l'ensemble de phrases dans lequel s'insère l'image, qui nous permet de découvrir qu'il y a image, et de "décoder".

Ainsi, les mots "lait", "nourriture solide", "donner à boire", sont bien porteurs du sens métaphorique. C'est la part de pertinence que conserve la vision tropologique de la métaphore[72]. Mais il y a métaphore du fait que, dans ce contexte précis, Paul s'est servi, pour parler de "choses spirituelles", de termes empruntés à un autre domaine de l'expérience humaine. Une "méprise catégoriale"[73] n'est évitée que si le lecteur accepte d'entrer dans le jeu de la fiction métaphorique auquel l'auteur s'est livré, et de voir

---

72. Ainsi P. RICOEUR, Métaphore, p. 9, résumant dans son introduction les résultats de ses études IV et V consacrées à la sémantique du mot.

73. C'est ainsi que RICOEUR (Métaphore, p. 250ss) traduit l'anglais "category mistake", expression empruntée à G. RYLE: *The Concept of Mind*, London 1949, et dont s'inspire également C.M. TURBAYNE: *The Myth of Metaphor*, New Haven & London, 1962, p. 12 etc.

ainsi dans la prédication de Paul un "lait" ou une "nourriture", et de décrire le développement spirituel du croyant en se servant des termes qui désignent habituellement les étapes de la croissance de l'être humain.

Mais il peut arriver qu'à user d'une métaphore, on se laisse abuser par elle[74]. Dans le cas de la métaphore du "petit enfant", par exemple, le problème peut se poser: la force évocatrice de l'image conduit-elle infailliblement dans le sens que Paul désire? C'est ce que l'on est en droit de se demander, quand on voit la manière dont Paul lui-même s'en sert. En effet, le paradigme de "petit enfant" implique des traits intolérables pour Paul, du point de vue théologique. Il évoque certes les idées de dépendance, de faiblesse, ou la nécessité d'une nourriture appropriée (voir 1 Cor.3,2s), mais il évoque également l'idée d'une croissance et d'autres étapes, dans lesquelles l'enfance est dépassée: l'être humain a atteint la majorité, il est un homme fait (τέλειος ἀνήρ); il a atteint sa stature d'homme accompli (πλήρωμα)[75]. Or ces derniers traits ne s'appliquent pas sans autre à l'idée que Paul se fait de la vie chrétienne. Celle-ci est, certes, faite d'une certaine croissance dans le Christ, mais la "perfection", le but (τέλος), le croyant ne peut qu'y tendre: c'est une réalité eschatologique, comme le montrent d'autres images, notamment celle de la course (Phil.3,12-16).

De là certaines caractéristiques du langage imagé de Paul, par exemple dans l'usage qu'il fait de cette métaphore de l'enfant: il s'agit de maintenir la force évocatrice de l'image dans des limites compatibles avec ce que l'on veut

---

74. Nous transposons ici en français la terminologie de C.M. TURBAYNE (notamment chap. I, p. 11-27): "Using Metaphor" - "Being Used by Metaphor"; cf aussi p. 26: "being victimized by it" (i.e. the metaphor).

75. Voir G. DELLING, art. πλήρωμα in ThWNT VI, p. 299-309, et notamment p. 301 (Eph.4,13) et 303s (Gal.4,4).

lui faire dire, sur le plan théologique. Ainsi, à Corinthe, à tout le moins certains membres de la communauté se considéraient comme des "spirituels", des croyants arrivés à la "taille adulte" parfaite. Dans leur usage de ce complexe métaphorique "enfant/adulte", ils révélaient qu'ils avaient de la vie spirituelle une image que Paul ne pouvait pas accepter. C'est dans ce "contexte" qu'il faut comprendre la péricope de 1 Cor.3 dont il est question ici.

Dans cette dernière phrase, nous avons utilisé le terme de "contexte" dans un sens nouveau[76]. Ici, ce mot s'applique à la situation dans laquelle un texte a été écrit et a dû être lu. Que l'on se tienne à cette terminologie, qui ne manque pas d'ambiguïté, ou que l'on cherche à en adopter une autre ("la situation", p. ex.), cette remarque nous rend attentifs à un autre aspect important du phénomène métaphorique: les images dont Paul se sert dans l'exemple que nous avons choisi ne nous sont pleinement compréhensibles que si nous sommes en mesure de les replacer (et de nous replacer) dans la situation que présuppose cette lettre. Non seulement Paul se sert d'un vocabulaire (entre dans un monde de représentations) cher aux Corinthiens, mais il le retourne contre eux: Non, ils ne sont pas des "parfaits". Ils ont encore besoin de "lait". Replacés, non seulement dans le contexte de la phrase, mais dans le cadre des représentations contradictoires de Paul, d'une part, des Corinthiens d'autre part, ces mots se révèlent chargés, non seulement d'un sens métaphorique, mais encore d'une touche d'ironie à peine dissimulée.

---

76. Dans son état de la question: *"Bildgesegnet und bildverflucht". Forschungen zur Sprachlichen Metaphorik*, Darmstadt 1977, J. NIERAAD insiste sur le caractère contextuel de la métaphore. Voir notamment p. 70-77. Pour éviter une confusion entre les deux sortes de contexte, NIERAAD, avec les auteurs dont il s'inspire ici, distingue entre le "Ko-text" (ce qui, avec l'image elle-même, forme l'ensemble du texte), et le "Kontext" (la situation, le "monde" que présuppose le texte).

(d) On se rend compte dès lors qu'il est même insuffisant de décrire la métaphore à l'aide des catégories que nous fournit la sémantique. Certes, celui qui forge une métaphore opère un tri nouveau dans les connotations d'un mot, mais il ne les attribue pas simplement à un autre mot dont la métaphore serait le substitut, selon les postulats de la rhétorique classique.

Phénomène de langage, la métaphore participe de la fonction référentielle de celui-ci. Elle n'établit donc pas seulement un rapport entre l'image (en allemand, "die Bildhälfte") et l'expression "propre" dont elle tient lieu (en allemand, "die Sachhälfte"). Elle fait voir une chose comme si elle était une autre chose. Celui qui, par métaphore, nomme l'Eglise un corps, fait comme si l'Eglise était un corps. Il fait voir l'Eglise comme un corps. En nous invitant à découvrir dans les connotations du prédicat "corps" des traits pouvant s'appliquer au sujet "Eglise", il élargit notre connaissance de la "chose" nommée elle-même, au point que, dans certains cas, cette dénomination, de prime abord déviante, finit par nous paraître "propre"[77]. Le "mensonge" (l'Eglise, en effet, n'est pas un corps) devient vérité (métaphorique): l'Eglise est bel et bien désormais, pour nous, un "corps".

---

77. RICOEUR en infère que la manière dont naît et "meurt" la métaphore nous permet de deviner comment se développent les "champs sémantiques". Par le biais d'une apparente "méprise catégoriale", la métaphore nous oblige à voir en quoi se ressemblent deux choses considérées de prime abord comme différentes. De même, c'est en transcendant la différence que naît le concept de genre. "La métaphore, figure de discours, présente de manière *ouverte*, par le moyen d'un conflit *entre* identité et différence, le procès qui, de manière *couverte*, engendre les aires sémantiques par fusion des différences *dans* l'identité." (Métaphore, p. 252). Des considérations analogues chez JUENGEL, p. 100-101.

Il s'établit dès lors une relation spécifique entre la métaphore, tournure de langage, et la "réalité"[78] c'est à dire la manière dont nous apparaissent les "choses" que nous concevons ou percevons. Cette relation est réciproque: en utilisant un prédicat métaphorique, nous élargissons notre perception du réel, nous ouvrant à la possibilité d'en découvrir des aspects nouveaux. Cette fiction qu'est la métaphore reçoit de ce fait une fonction heuristique[79]. Mais inversement aussi, la perception que nous avons du réel influe sur la manière dont nous métaphorisons. Ce second aspect apparaît de manière caractéristique dans l'usage critique que Paul fait des images de l'enfant et de l'adulte, appliquées à la "croissance dans la foi".

C'est un aspect de la question auquel nous rendent particulièrement attentifs certains philosophes des sciences[80] qui ont montré le caractère métaphorique des théories scientifiques. En général, en effet, ces théories ont été élabo-

---

78. Les termes "réalité" et "réel" désignent ici les "objets" que dénotent les mots, ou les états de choses que décrit le discours, dans le même sens que les utilise p. ex. RICOEUR dans la septième étude de *La métaphore vive*: "Métaphore et référence", p. 273-321. Il ne doivent donc pas être compris dans un sens empiriste, selon lequel les choses nous seraient accessibles "directement", "dans leur nature véritable", "en soi", "indépendamment du langage" qui donne forme à notre découverte du monde. Les expressions citées ici sont empruntées à NIERAAD, p. 87.

79. Infirmer le "postulat de l'information nulle" et asseoir la thèse de la "fonction heuristique" de la métaphore paraît bien être un des buts principaux des études de RICOEUR, notamment dans la troisième étude de *La métaphore vive*: "La métaphore et la sémantique du discours" (p. 87-128) et dans son article "Stellung und Funktion der Metapher..." (cité plus haut note 26), notamment p. 46-49. Voir aussi NIERAAD, p. 80-99 ("Wissen-("Wissenschaftsmetaphorik").

80. Un collègue nous avait rendu attentif à l'étude de TURBAYNE déjà citée. RICOEUR et NIERAAD élargissent le débat et nous permettent de profiter d'autres travaux encore, de M. BLACK, Mary B. HESSE, St. TOULMIN, entre autres. Bibliographie chez NIERAAD, p. 123-133.

rées à titre d'hypothèses de travail ("tout se passe comme si..."). Parfois même, on a été particulièrement sensible à cet aspect métaphorique, estimant qu'il n'était pas du tout nécessaire que ces théories soient "vraies" - pourvu qu'elles permettent de rendre compte des phénomènes tels que nous les observons[81]. Plus tard, cependant, elles ont été reçues et leur succès a été si grand que l'on a perdu la conscience de leur caractère métaphorique - caractère que l'on ne peut démontrer qu'en remplaçant l'ancienne métaphore par une nouvelle, qui fait apparaître à son tour des aspects nouveaux de la "réalité" redécrite[82].

Dans une telle perspective, la notion de métaphore ne s'arrête plus à la figure de style que l'on connaît sous ce nom. Elle se met à désigner ce que les philosophes des sciences appellent des "modèles théoriques", qui consistent dans le "recours à un langage nouveau (...) dans lequel l'original est décrit (...)", de telle manière "que l'on puisse opérer sur un objet, d'une part mieux connu - et en ce sens plus familier - d'autre part riche en implications - et en ce sens fécond au plan de l'hypothèse"[83].

Un tel développement de la notion de métaphore a une double portée pour notre travail. D'une part, il élargit notre appréhension du phénomène métaphorique; cela nous incite à ne pas nous arrêter à des thèmes ou à des énoncés métaphoriques isolés, mais bien à nous demander s'il n'y aurait pas, en théologie aussi, des métaphores qui auraient le

---

81. Ainsi la préface d'OSIANDER à l'ouvrage de COPERNIC: *Ueber die Umläufe der Himmelskörper*" (1543), citée par NIERAAD, p. 94.

82. L'expression est de Mary B. HESSE: "The Explanatory Function of Metaphor" in *Logic, Methodology and Philosophy of Science*, éd. par BAR-HILLEL, Amsterdam 1965, citée aussi bien par NIERAAD, op. cit. p. 98 que par RICOEUR, Métaphore, p. 302.

83. RICOEUR, Métaphore, p. 303.

statut du "modèle", c'est à dire des ensembles formant chacun pour soi un "réseau métaphorique" devant être approché de manière globale: par exemple ce qu'on pourrait appeler le "modèle familial", ou, qui sait, le "modèle juridique", etc., par analogie avec les "modèles théoriques" des sciences. Il s'agirait alors d'un "langage familial", choisi pour exprimer par métaphore les relations entre Dieu et les hommes, mais aussi entre les hommes au sein de l'Eglise, si bien que nous sommes conduits à voir Dieu et les hommes comme unis dans une même famille. La question se poserait alors: dans quelle mesure ce langage a-t-il été choisi consciemment, et dans quelle mesure fait-il partie d'un langage déjà traditionnel, qui n'a plus pour ses usagers de portée à proprement parler métaphorique? Dans cette hypothèse, les usagers ne sont-ils pas dans la situation de ceux qui, selon l'expression de Turbayne, déjà citée, usant inconsciemment d'une métaphore, se laissent abuser par elle? Dans la mesure où nous serions en présence d'ensembles qui auraient un statut comparable aux "modèles" des sciences, nous pourrions nous demander également, comme le font les philosophes des sciences[84], si ces "réseaux métaphoriques" ne possèdent pas une structure telle que l'on pourrait déceler au sein d'un réseau une métaphore qui le commande, et que certains nomment "archétype", d'autres "métaphore-racine" ou métaphore radicale.

D'autre part, ce développement radical de la notion de métaphore nous rend attentifs au fait que tout langage - le langage théologique en particulier - est métaphore, au sens général de "procédé de transfert". C'est un aspect sur lequel Jüngel insiste particulièrement: le phénomène qui

84. Ainsi M. BLACK: *Models and Metaphors*, Ithaca 1962, et notamment le chapitre XIII: "Models and Archetypes", p. 219-243, cité par RICOEUR, Métaphore, p. 302-310, et NIERAAD, p. 92-94.

consiste à percevoir le monde extérieur et à exprimer cette perception dans un langage, est lui-même une "métaphore absolue"[85].

(e) Nous ne pouvons pas développer ici cette dernière thèse. Nous devrons nous borner à souligner les incidences qu'elle a sur la compréhension des rapports entre le langage métaphorique (au sens technique du terme) et le langage théologique. Quelques éléments de l'exposé de Jüngel figureront donc ici, dans la mesure où ils permettent d'éclairer notamment le contraste si souvent souligné entre les paraboles de Jésus et le langage imagé de Paul, dans le sens indiqué plus haut (0/1c, et note 22).

Jüngel part d'une théorie générale de la fonction et du fonctionnement du processus métaphorique analogue à celle que nous avons développée plus haut, quand nous avons montré la fonction référentielle de la métaphore: L'énoncé métaphorique confronte, rapproche et place deux "mondes" dans une tension caractéristique. Soit l'énoncé: "Achille est un lion"; dans un énoncé non métaphorique, le monde du lion et le monde d'Achille sont différents. C'est cette différence qui crée la tension propre à l'énoncé métaphorique. La prédication métaphorique attribue à Achille quelque chose de l'être du lion, qui permet, au plan de la connotation, de considérer l'énoncé comme vrai. Mais du même coup, le mot "lion" se trouve changé, dans son extension: la réalité (l'être) du lion ne trouve plus place dans l'énoncé métaphorique. Ainsi, "pour que l'énoncé métaphorique soit possible" - et qu'il soit compris comme tel - "il faut *raconter*: il faut rendre familières" à l'interlocuteur les choses ou personnes dont on parle[86]. Il faut que l'on sache ce qu'est

85. Sur le caractère fondamentalement métaphorique du langage, voir en particulier JUENGEL, en part. p. 104-110 et thèses de conclusion III (11-14), p. 120s.

86. JUENGEL, p. 113.

un lion, mais aussi qui est Achille. Si on ne le sait pas, il faut le présenter, dans ses qualités de guerrier intrépide (ou redoutable), pour que l'on puisse comprendre ce qu'il a de commun avec cette réalité d'un autre "monde", qu'est le lion.

La métaphore ne contient pas le récit; elle le présuppose ou le récapitule[87], et elle exige de l'auditeur qu'il entre dans le mouvement qui a produit la métaphore. De même, l'emploi de métaphores dans la prédication chrétienne ou dans le langage théologique exige qu'une familiarité soit créée avec Dieu. La métaphore, en théologie, présuppose donc premièrement que Dieu s'est fait connaître: lui qui n'est pas de ce monde rend possible tout de même l'établissement de cette familiarité avec lui, qui seule permet que l'on parle de lui; elle présuppose ensuite que l'on a raconté cette rencontre de Dieu avec notre monde, assez pour que la métaphore puisse être comprise, c'est à dire tenue pour vraie par l'interlocuteur, malgré la "transgression catégoriale" qu'elle implique. Ainsi, dans sa structure même, la métaphore est une forme d'énoncé qui se prête particulièrement bien à parler du Dieu qui "n'appartient pas à l'être de ce monde, mais qui en tant que tel (...) vient dans le monde" - en Jésus-Christ[88].

C'est ici que l'on pourrait découvrir tout à la fois une analogie et une différence caractéristiques entre les paraboles de Jésus et le langage métaphorique de Paul: La para-

---

87. Ainsi G. EICHHOLZ: *Gleichnisse der Evangelien*, Neukirchen 1971, p. 24: "Ich würde meinen, dass selbst den *Bilworten* noch der Charakter des Geschehens anhaftet (...). Meinen sie doch einen *Vorgang*".

88. JUENGEL, p. 122. Dans sa structure même, la métaphore présente une affinité avec l'incarnation. Jüngel insistera également sur une seconde affinité, à laquelle nous ne nous arrêterons pas plus longuement: le caractère d'interpellation, de "prise à partie" (Anredecharakter).

bole est elle-même récit. Elle met en scène, de manière métaphorique, l'irruption du "Tout-Autre" dans le monde, en mêlant le "sérieux" au quotidien, et des éléments de réalisme à l'extraordinaire ou à l'invraisemblable[89]. Au milieu de notre existence terre-à-terre, elles créent un espace pour l'amour du Père, pour la fête, bref, pour la rencontre de Dieu en Jésus-Christ, non pas dans un au-delà inaccessible, mais dans la vie quotidienne au sein de laquelle nous aurons à vivre notre vocation. Ainsi, les paraboles ne présupposent pas la foi[90]. Elles sont destinées au contraire à créer les conditions nécessaires à l'établissement d'une familiarité avec Dieu, cette familiarité s'exprimant dans la foi, réaction à la rencontre de Dieu.

Paul, dans ses lettres, s'adresse à des croyants, c'est à dire à des hommes et des femmes à qui Dieu est déjà "familier". Ils n'ont plus besoin qu'on leur fasse le récit qui les préparerait à la rencontre de Dieu et les ouvrirait à cette familiarité. Ce qu'ils connaissent déjà, ce qu'ils croient déjà, ils n'ont pas besoin qu'on fasse plus que de le leur rappeler[91], dans des métaphores dont le caractère narratif est implicite, ou dans l'homologie, sommaire de la foi reçue.

Si Paul ne s'exprime pas en paraboles, dans ses épîtres, ce n'est donc pas nécessairement parce que le "génie" lui en aurait fait défaut, ni non plus seulement parce que le genre

---

89. Voir notamment A.N. WILDER: *Early Christian Rhetoric*, London 1964, p. 82-85, et D.O. VIA: *Die Gleichnisse Jesu*, München 1970, p. 104s. Il souligne lui aussi, entre autres, le "principe d'incarnation" qui s'exprime dans les paraboles.

90. Ainsi D.O. VIA, op. cit., p. 39.

91. Cet aspect de la métaphore en général ("Metaphern rufen in Erinnerung indem sie Neues sagen") est souligné par E. JUENGEL, p. 113, qui s'appuie sur J.B. METZ, et notamment son art.: "Erinnerung" in *Handbuch philosophischer Grundbegriffe*, éd. par H. KRINGS etc., München 1973-1974, p. 386-396.

littéraire choisi ne s'y prête pas. C'est aussi, et peut-être surtout parce que les destinataires de ses lettres n'ont pas besoin d'être préparés à la rencontre de Dieu par le récit métaphorique[92] que constituent les paraboles. Les métaphores suffisent à remplir le but que Paul assigne à son discours.

(f) Notre projet sera donc de prendre pour hypothèse de travail les vues de Ricoeur et de Jüngel sur la métaphore, telles que nous les avons résumées plus haut, pour remettre sur le métier l'étude du langage imagé de Paul. Dans un premier temps, nous chercherons à cerner le rôle que joue l'image dans le discours de Paul. Nous envisagerons alors l'image comme un aspect du "comment dire", dans la "clôture du langage"[93]. Il s'agira de recenser les thèmes métaphoriques, de déterminer comment ils sont intégrés à leur contexte, notamment dans la perspective de la cohérence de l'énoncé. Nous tenterons également de déterminer le statut de la métaphore: métaphore vive, ou même neuve, ou au contraire métaphore d'usage: titre ou dénomination traditionnelle.

Mais un tel examen ne doit pas nous empêcher de rester sensible à la fonction référentielle de la métaphore, dans le discours de Paul. Comme l'interaction entre le langage métaphorique et l'objet du discours est réciproque, nous devrions pouvoir déterminer de quelle manière le langage

92. Voir encore récemment H. WEDER: *Die Gleichnisse Jesu als Metaphern*, Göttingen 1978 (FRLANT 120), puis W. HARNISCH: "Die Metapher als heuristisches Prinzip. Neuerscheinungen zur Hermeneutik der Gleichnisse Jesu". V.u.F. 1/1979, p. 53-89.

93. En cela, nous adoptons les distinctions de RICOEUR dès *Le conflit des interprétations*, Paris 1969, notamment dans son étude I C: "La structure, le mot, l'événement", p. 80-97: Le langage est un ensemble de signes formant un système clos, mais dont la fonction est de dire. "Par contraste à la clôture de l'univers des signes, cette fonction constitue son ouverture ou son aperture" (p. 85).

métaphorique permet à Paul de saisir et d'exprimer certains aspects de sa foi - et lesquels - mais inversement aussi, dans quelle mesure l'objet même du discours, la foi qui doit être proclamée, influe sur la manière dont Paul métaphorise, ou peut-être même, dans certains cas, ne métaphorise précisément pas.

0/5 Délimitation de notre projet

(a) Il ne peut être question pour nous, dans le cadre de la présente étude, de soumettre à un nouvel examen l'ensemble des images de Paul, à la lumière des connaissances actuelles de la linguistique, ou des théories herméneutiques modernes. Un tel projet, qui consisterait à reprendre d'un bout à l'autre tout le travail fait par Straub, dépasserait les limites que nous devons nous imposer ici.

Mais nous ne pouvons pas non plus nous borner à l'étude d'un thème métaphorique. D'une part, ce travail a été fait, plus ou moins récemment, pour la plupart des grands thèmes, comme l'adoption[94], le combat et les jeux[95], la construction[96], le

94. Après W. TWISSELMANN: *Die Gottes-Kindschaft der Christen nach dem N.T.* Gütersloh 1949, mentionnons S. ZEDDA: *L'adozione a figli di Dio e lo Spirito Santo. Storia dell'interpretazione e teologia mistica di Gal.4,6*, Roma 1952, F. LYDALL: "Roman Law in the Writings of St. Paul - Adoption" in JBL 88 (1969), p. 458-466, ou encore A. BOEHLIG: "Vom Knecht zum Sohn" in *Mysterion und Wahrheit*, Leiden 1968.
A cela s'ajoutent les articles des grandes encyclopédies, notamment le ThWNT, que nous ne signalerons pas systématiquement dans cette brève nomenclature.

95. Un auteur suédois avait entrepris une étude d'ensemble du monde des images de Paul. Il en est resté aux images du combat: E. EIDEM: *Pauli bildvärld. I. Athletae et milites Christi*, Lund 1913. Cette étude est maintenant remplacée par celle de V.C. PFITZNER: *Paul and the Agon Motif. Traditional Athletic Imagery in the Pauline Literature*, Leiden 1967.

96. La thèse de Ph. VIELHAUER demeure classique: *OIKODOME. Das Bild vom Bau in der christlichen Literatur vom N.T. bis Clemens Alexandrinus*, Diss. Heidelberg 1939. On sait que ce thème est intimement lié, chez Paul, à celui du corps.

corps[97], les images tirées du droit[98], "fils"[99], la paternité spirituelle[100], Dieu Père[101], les fiançailles et les

97. Voir plus haut, notes 54 et 63.
98. On fait souvent remarquer que Paul a une prédilection pour le vocabulaire juridique, mais dans les études consacrées à ces grands thèmes que sont la justice, la liberté ou la libération, leur caractère métaphorique est en général peu mis en relief. Il est vrai qu'il s'agit de termes techniques, dont le caractère métaphorique est pâli. Cela rendrait d'autant plus nécessaire une grande attention aux problèmes de la métaphore d'usage, pour éviter, comme le dit TURBAYNE pour les sciences, qu'à user inconsciemment d'une métaphore, on se laisse abuser par elle.
La plupart des études consacrées au droit auquel se réfère Paul dans ses épîtres datent du début du siècle. Le droit successoral, notamment, retient l'attention des chercheurs, car sur ce point il est évident que Paul se sert non seulement de métaphores, mais aussi de similitudes assez poussées. Voir ainsi M. CONRAT: "Das Erbrecht im Galaterbrief (3,15-4,7)" in ZNW 5 (1904), p. 204-227, puis O. EGER: "Rechtswörter und Rechtsbilder in den paulinischen Briefen" in ZNW 18 (1917-1918), p. 84-108.
Voir aussi les grandes études sur l'alliance, parmi lesquelles nous ne mentionnerons, à cinquante ans de distance, que E. LOHMEYER: *DIATHEKE. Ein Beitrag zur Klärung des neutestamentlichen Begriffs*, Leipzig 1913, et A. JAUBERT: *La notion d'alliance dans le Judaïsme aux abords de l'ère chrétienne*, Paris 1963, qui, pour ne pas traiter directement de ce thème dans le N.T., est indispensable à qui veut situer ce thème dans son contexte théologique historique.
99. C'est avant tout comme titre christologique, et non pas comme image, que "Fils" a été étudié, dans la mesure où ce prédicat désignait Jésus. Voir notamment: O. CULLMANN: *Die Christologie des N.T.*, Tübingen 1957 (2e éd. 1958), p. 276-313; Ferd. HAHN: *Christologische Hoheitstitel. Ihre Geschichte im frühen Christentum*, Göttingen 1963 (2e éd. 1964), p. 280-333; W. KRAMER: *Christos, Kyrios, Gottessohn. Untersuchungen zu Gebrauch und Bedeutung der christologischen Bezeichnungen bei Paulus und den vorpaulinischen Gemeinden*, Zürich 1963, p. 105-125 et 183-193. Quant à "fils" ou "enfant" appliqué aux croyants, voir plus haut note 94.
100. P. GUTIERREZ: *La paternité spirituelle selon St Paul*, Paris 1968.
101. La bibliographie de ce sujet constituerait un livre à elle seule. Mentionnons un des ouvrages les plus récents: W. MARCHEL: *ABBA, Père ! La prière du Christ et des chrétiens*. 2e éd. Rome 1971.

noces[102], la servitude[103], le vêtement[104]. D'autre part, et surtout, à n'étudier qu'un seul thème, nous ne nous donnerions pas les moyens de rendre compte clairement de la manière dont les images s'intègrent dans le discours de Paul, et notamment de ce phénomène si souvent mentionné par les critiques de Paul: rarement l'apôtre s'en tient, dans un contexte donné, à une seule image, dont il tirerait tout ce qu'elle peut rendre. Il opère par associations d'idées, qui le font passer d'un thème à l'autre selon une logique qui parfois nous échappe. Isoler un thème, pour l'étudier seul, ferait donc violence à l'objet même de notre étude, et nous condamnerait d'emblée à des erreurs dues à l'optique choisie.

Un choix dont les critères seraient d'ordre théologique ne nous paraît pas non plus s'imposer. Cela a été fait parfois; ainsi à propos des images de l'Eglise[105]. L'expérience ne nous paraît pas concluante, du point de vue du langage imagé de Paul, car elle aboutit à une vision extrêmement morcelée du champ d'investigation. Chaque image est étudiée pour elle-même, et de nombreux thèmes, qui s'appellent les uns les autres, dans les lettres de Paul, se trouvent ainsi séparés, parce que les uns se rapportent à l'Eglise, les autres non.

---

102. R.A. BATEY: *New Testament Nuptial Imagery*, Leiden 1971. J.P. SAMPLEY: *And the Two shall become One Flesh*, Cambridge 1971.

103. Les études consacrées au problème social de l'esclavage dans les épîtres de Paul peuvent nous orienter dans notre recherche du sens des images correspondantes: esclave, esclavage, servitude, service, libération, liberté. A preuve R. LEHMANN: *La liberté des esclaves selon l'apôtre Paul. Etude historique, exégétique, et théologique*, Thèse de 3e cycle, Strasbourg 1976. Etude des rapports entre réalité et métaphore chez K.C. RUSSELL: *Slavery as Reality and Metaphor in the Pauline Letters*, Rome 1968.

104. E. HAULOTTE: *La symbolique du vêtement selon la Bible*, Paris 1966.

105. P.S. MINEAR: *Images of the Church in the New Testament*, Philadelphia 1960 (trad. all. *Bilder der Gemeinde*, Kassel 1964).

Nous avons donc choisi une solution moyenne, dont nous espérons qu'elle nous permettra d'éviter au moins certains des écueils contre lesquels nos prédécesseurs sont parfois venus buter, nous semble-t-il: Nous étudierons l'ensemble des images évoquant la famille, sa structure, ses membres et les relations entre eux. Ce choix nous semble présenter quelques avantages. En premier lieu, ce groupe de thèmes est assez vaste pour ne pas imposer un morcellement trop artificiel; mais d'autre part, il est assez bien circonscrit, dans les épîtres de Paul, pour que nous n'ayons pas besoin d'opérer nous-même des délimitations qui feraient violence aux textes. Et enfin, on peut observer que, si chacun des thèmes relevant de la famille a été étudié pour lui-même, nous ne connaissons pas de travail qui les envisagerait ensemble.

(b) Le choix d'une méthode pour aborder et traiter notre sujet nous a posé des problèmes presque insolubles. Comment, en effet, éviter que la critique faite par J. Levie au travail pourtant si consciencieux de Straub[106], s'applique également à notre étude? Certes, Straub a vraisemblablement péché par excès, et peut-être n'est-il pas exclu d'être moins analytique qu'il ne l'a été dans sa thèse, et d'éviter ainsi de morceler le langage de Paul en des unités si petites que toute cohérence finisse par disparaître: les arbres cachent la forêt. Il s'agit cependant d'une question fondamentale: est-il possible, en définitive, de faire l'économie de l'analyse? La synthèse ne présuppose-t-elle pas l'analyse? Mais à l'inverse, est-il possible de reconstituer par synthèse l'organisme vivant qu'est un langage, une fois qu'on en a fait la dissection?

On voudrait bien appréhender le langage imagé de Paul de manière globale - comme un ensemble qui forme un tout. Mais la langue parlée a imposé à notre langage, même écrit, un

---

106. Voir plus haut, note 42.

caractère linéaire[107], et donc analytique, en raison duquel des phénomènes simultanés ne peuvent être décrits que successivement. La synchronie devient diachronie, dès que le langage s'en empare pour l'exprimer. Or, à la différence de l'ouïe, la vue permet une appréhension globale de phénomènes simultanés, pour autant qu'ils se présentent ensemble dans le champ visuel. Cette appréhension n'est pas en elle-même "analytico-synthétique". L'image est saisie dans son ensemble, et dans la mesure où elle s'inscrit dans la durée (soit qu'elle ait en elle-même une certaine stabilité, soit qu'elle soit fixée par la mémoire), l'esprit peut s'y appliquer, la soumettant tour à tour à des processus d'analyse et de synthèse[108].

Nous tenterons donc, dans le présent travail, de n'être pas d'abord et avant tout analytique, mais de tout faire pour conserver à notre approche un caractère global. Du point de vue méthodologique, cela implique les options suivantes:

Premièrement, nous renoncerons à étudier d'abord chacun des thèmes imagés relevant de la "famille" pour lui-même, avant de les regrouper en une étude synthétique. Nous procéderons seulement à un survol de l'ensemble du champ, à l'aide de la concordance, pour déterminer de quelle manière ces thèmes se présentent, dans les épîtres de Paul - soit seuls, soit groupés, avec quelle fréquence, dans quel genre de textes, etc. Ce bref recensement nous permettra de déterminer quelques textes sur lesquels notre attention devra se concentrer en priorité. Nous étudierons ces textes, nous attachant à

---

107. Ainsi F. FRANÇOIS: "Les caractères généraux du langage" in A. MARTINET (éd.): *Le langage*, Paris 1968 (Encyclopédie de la Pléiade), p. 20-45, et notamment p. 25s; également H. STAMMERJOHANN (éd.): *Handbuch der Linguistik*, München 1975, art. "Linearitätsprinzip", p. 256s.

108. Voir L.J. PRIETO: "La sémiologie", p. 94-144 de l'ouvrage français mentionné note précédente, et notamment p. 127.

montrer la manière dont les images s'agencent, au sein du contexte, se relaient ou s'appellent mutuellement, de manière cohérente, ou peut-être de manière incohérente, comme on l'a parfois affirmé. Le fait de suivre le fil de ces textes, et d'examiner toutes les images qui s'y présentent dans l'ordre même que leur donne le discours de Paul devrait nous permettre d'éviter d'imposer d'emblée à notre examen du langage de Paul une systématique qui lui serait étrangère.

Dans un deuxième temps seulement, nous élargirons la perspective à l'ensemble des lettres de Paul pour voir, à propos de chacun des thèmes, ce que les autres textes ajoutent aux résultats de notre étude de ces quelques textes centraux.

De plus, pour l'ensemble de ce travail, nous tirerons tout le parti possible du caractère "global" de l'appréhension visuelle, auquel nous avons fait allusion plus haut. "Voir ensemble" des textes qui présentent une certaine analogie, cela signifie les présenter de manière "synoptique", selon des principes que nous avons énoncés ailleurs[109]. Ainsi, le survol du champ couvert par les images de la famille, nous le ferons au moyen de "concordances synoptiques" permettant de visualiser le passage d'un thème à un autre, au sein d'un seul et même contexte, ou, selon les cas, de constater l'absence de liens contextuels entre les thèmes. De même, dans notre étude des textes pauliniens, nous présenterons de manière synoptique tous les textes qui nous paraîtront se prêter à une telle présentation. Une telle méthode permet de saisir de manière globale certains phénomènes qu'il est difficile d'appréhender clairement, quand on en est réduit à les décrire de manière discursive: le fait qu'il y ait des synopses des Evangiles a certainement permis de constater dans ces écrits des analogies et différences que l'on avait

---

109. "Pour une synopse paulinienne" in *Biblica* 57 (1976), p. 74-104.

bien devinées jusque là, mais que l'on n'a saisies dans toute leur ampleur que depuis le moment où on a pu les voir. Il est clair cependant qu'une telle méthode, "visuelle", et qui exige beaucoup du lecteur, doit toujours être complétée par l'exposé discursif de ce que la présentation synoptique permet de discerner. D'autre part, il est bien évident que nous nous condamnerions à la stérilité, si nous prétendions faire table rase des résultats obtenus jusqu'ici par une recherche analytique. La présente étude ne serait pas possible sans ces résultats, que nous retrouverons en cours de route. Bien plus, nous ne pourrons pas, sous prétexte de "globalisme", nous dispenser de soumettre les textes que nous rencontrerons à une étude analytique. A cet égard, les aspects visuels de la méthode synoptique que nous tenterons d'appliquer de manière systématique n'ont qu'un caractère subsidiaire par rapport aux méthodes classiques de l'exégèse, qui demeurent irremplaçables.

0/6 Paul et le paulinisme
Les incidences de la critique historique

(a) Notre objectif est une étude du langage imagé, tel qu'on le rencontre dans les lettres qui se réclament de l'apôtre Paul, dans le Nouveau Testament. Il ne s'agit donc pas à proprement parler d'une recherche de nature historique. Si la visée n'est pas diachronique, on ne saurait imaginer d'étudier ce sujet dans une synchronie totale, en prenant en bloc, pour lui-même, et indépendamment de son devenir, le "corpus" des épîtres, tel qu'il se présente à nous aujourd'hui. Il nous faut donc situer notre travail par rapport à la critique historique et à ses résultats les mieux établis, et montrer ce qu'implique pour notre étude le fait que les épîtres pauliniennes ne sont pas nées d'un seul jet mais s'inscrivent dans une histoire qui doit avoir eu des incidences sur le langage qu'elles utilisent.

(b) Du point de vue de l'authenticité littéraire, le corpus paulinien n'est pas homogène[110]. Une étude strictement historique dont le but serait de déterminer la pensée ou le langage de Saul de Tarse devrait s'en tenir aux seules épîtres dont l'authenticité paraît assurée, soit les épîtres aux Romains, aux Corinthiens, aux Galates, aux Philippiens, à Philémon et la première aux Thessaloniciens. L'authenticité de la seconde aux Thessaloniciens demeure contestée. Du point de vue du langage, cependant, la parenté entre les deux épîtres aux Thessaloniciens est si grande qu'il n'y aurait aucun inconvénient à prendre en compte également la seconde. N'a-t-on pas pu dire que l'authenticité de la seconde épître ne fait problème que parce qu'il y en a une première, qu'elle paraît tout à la fois démarquer et corriger?[111]

Les épîtres aux Colossiens et aux Ephésiens forment un second groupe d'écrits dont l'authenticité est à tout le moins contestée. Nous aurions tendance à considérer déjà l'épître aux Colossiens comme l'oeuvre d'un disciple; a fortiori Ephésiens, dont on peut démontrer qu'elle dépend littérairement de Colossiens[112]. Malgré les différences

---

110. Nous trouvons une excellente vue d'ensemble des problèmes qui se posent, ainsi que des solutions qui nous paraissent équilibrées, dans l'introduction au N.T. de Ph. VIELHAUER: *Geschichte der urchristlichen Literatur*, Berlin 1975.

111. Ainsi O. KUSS: *Paulus - Die Rolle des Apostels in der theologischen Entwicklung der Urkirche*, Regensburg 1971, p. 105. Voir aussi p. 28, notes 1 et 2 et tout le contexte p. 101-107.

112. Pourtant Markus BARTH défend encore vigoureusement l'authenticité d'Ephésiens, dans l'introduction à son grand commentaire, New York 1974 (Anchor Bible 34-34A), vol. I, p. 36-50.
Qu'il ne faille pas voir dans ces écrits l'oeuvre de "faussaires" devrait être clair, à la lumière de ce que nous savons des habitudes littéraires de l'antiquité. Voir à ce propos N. BROX (éd.): *Pseudepigraphie in der heidnischen und jüdisch-christlichen Antike*, Darmstadt 1977 (Wege der Forschung CDLXXXIV), qui relance la discussion sans laisser apparaître une conclusion très satisfaisante à nos yeux.

importantes que l'on peut déceler entre ces deux épîtres et les lettres dites authentiques, il y a tant de parenté entre ces deux groupes d'épîtres, qu'on est amené à souligner la cohésion qui caractérise ce qu'on appellera dès lors "l'école paulinienne"[113]. Nous aurons donc avantage à ne pas exclure de notre enquête ces deux épîtres.

Quant aux épîtres pastorales, il n'y a plus beaucoup d'exégètes qui croient sérieusement qu'elles ont pu être écrites par le même auteur que la lettre aux Philippiens ou aux Galates. Nous ne les tiendrons cependant pas totalement en-dehors de notre champ de vision. En effet, ces épîtres se recommandent de Paul, et veulent donc appartenir à la même tradition que les premières épîtres. Il peut être intéressant de voir dans quelle mesure cette prétention se trouve confirmée par le langage qu'elles parlent. Cependant, les images de la famille y jouent un rôle si effacé que nous devrions nous garder de tirer des conclusions, qui risqueraient d'être hâtives.

---

113. Cette idée, déjà émise par J. WEISS: *Das Urchristentum*, Göttingen 1917, p. 241, en référence à Actes 19,9-10, H. CONZELMANN la relance dans son article "Paulus und die Weisheit", in NTSt 12 (1966), p. 231-244. De plus en plus, on s'accorde pour admettre l'existence d'une telle école, que postule l'existence de lettres "pauliniennes" qui n'auraient pas Paul pour auteur. Voir Ed. LOHSE: *Die Entstehung des N.T.*, Stuttgart 1972, p. 56-57 et 63-64 (à propos du lieu de composition des Pastorales: "vermutlich in Ephsesus, wo die paulinische Schultradition weiterentwickelt wurde"); ou G. IBER et H. TIMM: *Das Buch der Bücher - Neues Testament*, München 1972, p. 329. Certains accorderaient même à CONZELMANN que les premières épîtres de Paul contiennent des traces d'un "Schulbetrieb": des morceaux élaborés par Paul à l'usage de ses disciples, et qu'il aurait inclus dans le cours de ses lettres, ou même des échos de "discussions d'école". Voir VIELHAUER, Urchristliche Literatur, p. 69-70.

(c) La question de l'intégrité des épîtres a été passablement débattue, ces dernières années[114], tant au sujet de la première aux Thessaloniciens[115] ou de l'épître aux Philippiens[116], qu'à propos de la correspondance avec l'Eglise de Corinthe[117]. Il s'agit là de questions importantes pour l'exégèse; mais dans la mesure où nous examinons le langage de ces épîtres, il nous importe peu que l'on puisse ou non démontrer que l'ordre des péricopes ou des chapitres doit être revu - à moins, évidemment, qu'un déplacement ait eu pour conséquence de rendre le langage lui-même incohérent, et qu'il faille par exemple postuler un autre contexte pour rendre compréhensible une image qui demeurerait obscure dans son contexte actuel.

(d) Enfin l'apôtre Paul et ses disciples n'ont pas seulement créé une histoire, qui est celle des lettres qu'ils ont écrites. Ils se sont intégrés à une histoire, se faisant les porteurs d'une tradition que l'on nomme donc "prépaulinienne", bien que cette expression ne soit pas sans problèmes[118].

---

114. A. SUHL: *Paulus und seine Briefe*, Gütersloh 1974. L'auteur essaie de reconstituer la chronologie des lettres de Paul, à la lumière des nombreuses hypothèses émises au sujet de la composition des diverses épîtres. Au sujet de Rom.16, dont l'appartenance au corps de l'épître est mise en doute depuis si longtemps qu'elle ne fait plus l'objet de recherches récentes, voir les introductions. Par ex. VIELHAUER, Urchristliche Literatur, p. 187-190.

115. W. SCHMITHALS: "Die Thessalonicherbriefe als Briefkomposition" in *Zeit und Geschichte* (Dankesgabe an R. Bultmann), Tübingen 1964, p. 295-315.

116. G. BORNKAMM: "Der Philipperbrief als paulinische Briefsammlung" in *Geschichte und Glaube* II (Ges. Aufs. IV), München 1971, p. 195-205.

117. Sur 1 Corinthiens: W. SCHENK: "Der erste Korintherbrief als Briefsammlung" in ZNW 60 (1969), p. 219-243.
Sur 2 Corinthiens: G. BORNKAMM: "Die Vorgeschichte des sogenannten zweiten Korintherbriefes" in *Geschichte und Glaube* II, p. 162-194.

118. Page suivante.

Du point de vue de la critique des formes littéraires, il est parfois difficile de déterminer ce qui est paulinien et ce qui est citation d'un morceau prépaulinien (confession de foi, hymne, etc.). Mais les emprunts à la tradition ne se limitent pas à des citations d'ordre littéraire. Le langage est par excellence le bien d'une communauté qui s'inscrit dans l'histoire; ainsi, dans le langage de Paul, on peut s'attendre à trouver non seulement un vocabulaire technique, mais aussi un certain nombre d'images véhiculées par la tradition.

Si la perspective que nous avons choisie est relativement "synchronique", en ceci qu'elle est d'abord centrée sur les épîtres telles que nous les possédons, et non sur la préhistoire des thèmes imagés dans le monde ambiant ou dans la tradition prépaulinienne, nous ne pourrons nous passer d'avoir recours occasionnellement à une perspective plus diachronique: Une fois de plus, l'expérience des linguistes peut nous servir: pour les lexicographes de la langue moderne, l'étymologie est une science annexe, à laquelle ils recourent pour expliquer un état de langue par sa préhistoire, et débrouiller ainsi l'écheveau de la synchronie[119]; de même, nous ferons appel à la perspective diachronique, et

---

118. Si l'on admet par exemple que Col. est une épître deutéropaulinienne, il n'est pas exclu que certains éléments "prépauliniens" par rapport à la rédaction de l'épître fassent déjà partie de l'héritage spirituel de l'apôtre (plus ou moins bien compris). Ainsi peut-être la théologie de l'hymne cité en Col.1,15-20. Voir à ce sujet notre article: "Réconciliation du monde et christologie cosmique" in RHPhR 48 (1968), p. 32-45.

119. Voir à ce sujet P. RICOEUR: "Le problème du double sens..." in *Le conflit des interprétations*, Paris 1969, notamment p. 69-70, rejoignant ainsi les recherches de J. TRIER sur les "champs sémantiques". Cf. à ce sujet L. SCHMIDT (éd.): *Wortfeldforschung. Zur Geschichte und Theorie des sprachlichen Feldes*, Darmstadt 1973 (Wege der Forschung CCL).

notamment à l'histoire des traditions prépauliniennes[120], dans la mesure où nous nous heurterons à des problèmes que la perspective synchronique ne peut résoudre à elle seule. Par exemple, un tel recours sera indispensable pour déterminer le statut d'une expression imagée: métaphore neuve ou métaphore d'usage, pour reprendre la terminologie proposée par P. Ricoeur.

120. Après un foisonnement d'études issues de cette branche de la "Formgeschichte", inaugurée par les travaux de C.H. DODD: *The Apostolic Preaching and its Development* (permière édition, Londres 1936) et O. CULLMANN: *Les premières confessions de foi chrétiennes* (2e éd. Paris 1948), on voit paraître maintenant des travaux d'ensemble consacrés à ces morceaux traditionnels véhiculés par le texte des épîtres. Pour les hymnes: R. DEICHGRAEBER: *Gotteshymnus und Christushymnus in der frühen Christenheit*, Göttingen 1967; pour l'homologie: V. NEUFELD: *The Earliest Christian Confessions*, Leiden 1963; pour les "formules christologiques", à quelque forme qu'elles recourent: K. WENGST: *Christologische Formeln und Lieder des Urchristentums*, Gütersloh 1972. Voir aussi K. WEGENAST: *Das Verständnis der Tradition bei Paulus und in den Deuteropaulinen*, Neukirchen 1962.

CHAPITRE PREMIER

LES IMAGES DE LA FAMILLE DANS LE PAULINISME

I/7 La famille et les thèmes apparentés

(a) Le concept de famille, tel que nous le trouvons dans de nombreuses langues modernes telles que le français, n'existe pas dans le grec du N.T. A lui seul, ce constat d'absence doit nous rendre circonspects dans la délimitation d'un champ d'expérience.
En effet, πατριά, que parfois on traduit par famille, et qui par son étymologie s'apparente à πατήρ, le père, ne dénote en général pas le même corps social que notre mot "famille" dans la société occidentale moderne. Πατριά désigne en effet ce que nous appellerions une tribu, ou à tout le moins un clan, c'est à dire un groupement de familles pouvant en appeler à un ancêtre commun, plutôt qu'une communauté groupée autour d'un père, le géniteur et le chef du groupe[1].
Dans le paulinisme, on ne rencontre ce mot qu'une fois, en Eph.3,15 - un texte sur lequel nous devrons revenir, puisqu'il y est question de Dieu, "le Père, de qui toute tribu (TOB: famille) tient son nom".
Un autre vocable encore peut désigner la famille: γένος. Mais de manière peut-être encore plus nette que πατριά, il est utilisé pour désigner un ensemble très large. Dans le paulinisme: la "race" d'Israël, et jamais la "famille" de Dieu, puisque nous ne pouvons pas ici tenir compte du discours de Paul à l'Aréopage, dans lequel, à l'occasion d'une citation d'Aratos, l'humanité est appelée la race de Dieu.

1. Voir G. SCHRENK, ThWNT V, art. πατριά, p. 1017-1021.

Quant au dérivé συγγενής, le frère, le parent, que l'on trouve quatre fois dans les épîtres pauliniennes, toujours dans l'épître aux Romains, une fois il s'entend clairement des frères de race de Paul, les Juifs. Quant aux trois usages de Rom.16 (v. 7, 11 et 21), ils marquent un lien particulièrement étroit, certes, mais pas celui de la race (d'autres judéo-chrétiens sont nommés dans ce chapitre de salutations), ni simplement celui de la foi (comme le ferait ἀδελφός)[2].

De fait, pour nommer ce que nous appelons "famille", le grec a été plus sensible au côté sociologique ("communauté d'habitation") qu'à l'aspect biologique exprimé par le terme de πατριά ou celui de γένος, puisque le vocable le plus usité pour désigner la famille est οἶκος, suivi de près par le féminin dérivé οἰκία. Pour parler en termes de tropologie: En l'absence d'un mot "propre", le grec se sert, par catachrèse, d'une métonymie: le contenant (la "maison") pour le contenu (la "maisonnée"). Ces deux termes, dans l'ensemble de leurs acceptions, sont cependant rares dans les premières épîtres de Paul, un peu plus fréquents dans les Pastorales[3]. Mis en rapport avec Dieu, ils sont susceptibles de prendre deux sens. En premier lieu, ils peuvent désigner la "résidence" de Dieu; dans ce cas, Paul parlera du temple de Dieu (que sont les croyants), mais dans ce contexte, on rencontrera souvent le verbe "habiter", dérivé du substantif οἶκος : κατοικέω.

---

2. Voir W. MICHAELIS, ThWNT VII, art. συγγενής, p. 736-742 (pour Rom.: 741-742).

3. R. MORGENTHALER (*Statistik des neutestamentlichen Wortschatzes*, Zürich 1958) aussi bien que K. ALAND (*Vollständige Konkordanz zum N.T.*, vol. II, Berlin 1978) ont les chiffres suivants: οἶκος etc.: 15 usages pauliniens dont 8 dans les Pastorales, et un en Col., sur un total de 112 usages dans le N.T. (ALAND: 114). οἰκία: 8 usages pauliniens, dont 3 dans les Pastorales sur un total de 94 dans le N.T.
O. MICHEL, ThWNT V, art. οἶκος etc. p. 122-137, ne traite pas les usages pauliniens de cette image pour eux-mêmes.

L'adjectif οἰκεῖος signifie en premier lieu "qui appartient à quelqu'un de la maison", et son antonyme serait ἀλλότριος: "qui appartient à quelqu'un d'autre". Le sens "appartenant à la maison", membre de la famille, doit être considéré comme secondaire[4]. C'est donc déjà trop dire, que de faire aboutir ou remonter tout usage de cet adjectif à l'idée que l'Eglise primitive se faisait d'elle-même, en se désignant comme la "famille de Dieu"[5]. En Gal.6,10, par exemple, il n'y a pas de doute: cet adjectif ne joue aucunement sur le sens "membre de la maison (de Dieu)": si les chrétiens doivent travailler pour le bien de tous, à combien plus forte raison pour le bien de ceux qui leur sont "proches" (TOB) dans la foi. Ailleurs encore (Eph.2,19), cet adjectif sera choisi pour relayer un antonyme: ἀπηλλοτριωμένοι (2,12), et sera opposé, dans son contexte direct, à ξένοι καὶ πάροικοι - deux termes presque synonymes: "étrangers, émigrés" (TOB); et c'est le jeu de ces deux mots, πάροικοι - οἰκεῖοι, étymologiquement apparentés, qui va évoquer la "maison" (l'habitation, plus que ses habitants[6]), et donner l'occasion d'un développement consacré à la manière dont se construit cette maison, ce temple, dans lequel Dieu habite[7]. Ainsi, il faudra attendre les épîtres Pastorales pour voir l'Eglise désignée clairement, mais implicitement, comme la "famille" (maison) de Dieu: "quelqu'un, en effet, qui ne saurait gouverner sa propre maison, comment prendrait-il soin d'une église de Dieu?" (1 Tim.3,5).

4. Ainsi O. MICHEL, ThWNT V, art. οἰκεῖος, p. 137(s).

5. Contre MICHEL, art. cit., p. 137,1-3, qui se réfère notamment à Hb.3,16.

6. A notre avis, c'est donc forcer l'image que de traduire, comme la TOB: "vous êtes de la famille de Dieu".

7. On conteste aujourd'hui que le "mur de séparation" (μεσότοιχον τοῦ φραγμοῦ, 2,14), ait pu, par image, évoquer le mur du Temple de Jérusalem, séparant le parvis des Gentils du sanctuaire dans lequel seuls les Juifs de sexe masculin étaient admis. Voir à ce propos J. GNILKA, *Der Epheserbrief*, Freiburg i.Br. 1971 (HThK X/2) ad loc., et notamment p. 140, note 5; cf. aussi C. SCHNEIDER, ThWNT IV, art. μεσότοιχον, p. 629.

Une dernière acception de οἰκία doit être relevée ici, qui a son importance dans la détermination de ce qui constituait la "famille" au temps de l'apôtre Paul: en Phil.4,22, Paul transmet à la communauté de Philippes les salutations de "tous les saints (...), surtout ceux de la maison de César". Cette expression ne comporte aucune allusion à des membres de la famille impériale (au sens moderne de la "parenté" de l'Empereur) qui se seraient convertis. On a pu montrer, en effet, qu'il s'agit ici d'esclaves, d'affranchis ou de fonctionnaires de l'Empereur: une catégorie ayant pu englober plusieurs milliers de personnes, non seulement à Rome, mais un peu partout dans l'empire[8]. Qu'une telle expression ait pu exister est le signe pour nous que la "famille", dans l'antiquité, ce n'était pas seulement un groupe défini par des relations de parenté, mais une entité sociale qui s'étendait à tout le moins aux personnes qui habitaient sous le même toit ou, de manière plus large encore, qui étaient au service d'un même maître: ses esclaves (δοῦλοι ou οἰκέται). Dans l'A.T., et notamment dans la Bible grecque, l'une des sources de l'inspiration paulinienne, l'esclave est également lié à la maison, et inversement, le concept de "maison" et le concept d'"esclavage" apparaissent liés l'un à l'autre: un esclave est toujours attaché à une maison. D'où par exemple la locution, désignant l'Egypte comme la "maison de servitude" (οἶκος δουλείας, Ex. 13,3.14, etc.[9]). La législation rabbinique, tenant compte notamment des prescriptions vétérotestamentaires concernant l'année sabbatique, fait des différences considérables entre l'esclave

8. Voir J.-F. COLLANGE: *L'épître aux Philippiens*, Neuchâtel 1978 (CNT 10A), ad loc., (p. 134s) qui suit presque mot à mot le commentaire de son prédécesseur (P. BONNARD), ajoutant cependant la citation d'une inscription d'Ephèse connue depuis la fin du XIXe siècle. Voir aussi O. MICHEL, ThWNT V, art. οἰκία, p. 136 et note 12, et déjà A. DEISSMANN, *Licht vom Osten*, 4e éd. Tübingen 1923, p. 127, 202 (note 3) et 380.

9. Cf. O. MICHEL, ThWNT V, art. οἶκος, p. 123,37.

juif (condition relativement humaine: l'esclave juif avait la même condition juridique que le fils majeur de la famille[10]) et l'esclave païen[11]. Mais l'un et l'autre appartenaient, pour la durée de leur service (six ans, ou à vie) à leur maître et à sa "maison". Si telle était l'idée que l'on se faisait de la famille dans l'antiquité, elle se sera nécessairement reflétée dans le langage de Paul; nous devrons donc ouvrir assez largement l'éventail des thèmes sur lesquels portera notre enquête, pour éviter d'omettre des éléments importants de ce qui pouvait constituer la famille, à ses yeux.

(b) Les quelques observations qui précèdent nous aideront à nous retrouver dans la profusion des thèmes imagés qui touchent à l'homme et à sa vie et donc, de manière plus ou moins directe, à la vie familiale. D'autres ont essayé de le faire, et nous avons comparé trois classifications différentes des thèmes imagés de Paul (PLANCHE 1).

D'emblée, on remarque des analogies et des différences entre ces trois essais. Straub suit Bultmann, en ceci qu'il classe dans la "vie de famille" les images relevant des divers âges de l'homme, alors que Brunot distingue: sous la rubrique générale "l'homme", il traite successivement du corps (une rubrique autonome chez Straub comme chez Bultmann), puis des "âges de la vie", de la "vie familiale" et enfin de la "vie sociale". C'est dans cette dernière rubrique qu'il rangera les thèmes "liberté, esclavage", aussi bien que "citoyens, concitoyens". En cela, il se rapproche de Straub, qui classe non seulement "administrateur" et "affranchi", mais aussi

10. J. JEREMIAS: *Jérusalem au temps de Jésus*. Paris 1967, p. 414, et pour l'ensemble du sujet (esclaves juifs), p. 160s et 410-415. Cf. aussi (H. STRACK u.) P. BILLERBECK: *Kommentar zum N.T. aus Talmud und Midrasch*, München 1926ss et rééd., vol. IV/2, p. 698-716.

11. JEREMIAS, Jérusalem, p. 651-659; BILLERBECK, vol. IV, p. 716-744.

"esclave" et "serviteur" parmi les "professions diverses". Bultmann, lui, à juste titre nous semble-t-il, à la lumière de ce qui précède, considère manifestement que les relations entre maître et esclave font encore partie de la "vie familiale", au moins au sens large ("und dergleichen"). Il faut cependant noter un certain flou dans ces trois classifications, en ce sens que certains thèmes sont mentionnés plus d'une fois, soit au titre de la famille, soit à d'autres titres. Ainsi, le mariage apparaît tout à la fois comme un thème familial (Straub, Brunot) et comme un thème relevant du droit (les trois auteurs). Même constatation pour l'esclavage, qui figure deux fois dans ce tableau: parmi les réalités de la vie sociale (Brunot) ou professionnelle (Straub), et parmi les thèmes juridiques, en tout ou en partie (Bultmann: le rachat de l'esclave est un thème juridique, alors que l'esclavage est un thème familial). On peut noter encore que, pour les trois auteurs, les thèmes de l'héritage et de l'héritier relèvent du monde juridique et non pas du monde familial.

(c) Cette brève étude comparative de trois propositions de classement des images pauliniennes touchant à la famille nous permet de tirer quelques conclusions qui seront déterminantes pour le choix d'une méthode de travail:

Si nous nous représentons les divers ensembles d'images que l'on rencontre dans les épîtres de Paul comme des cercles (des cycles d'images), nous devons ajouter que ces cercles ou cycles correspondent plus à des perspectives différentes qu'à des groupes de thèmes qui pourraient être définis par les mots qui font image (père, fils, esclave, etc.). Il peut donc y avoir des recoupements d'un cycle à l'autre, un seul et même thème pouvant être vu dans une perspective comme dans l'autre.
Certains thèmes font partie du cycle familial, sans hésitation possible et sans partage. Ce sont les substantifs père,

mère, fils, fille, enfant, frère, soeur, ainsi que les adjectifs qui en sont dérivés et les verbes qui marquent leurs relations (aimer, engendrer, enfanter, etc.). Nous serions enclin à ajouter à ces thèmes celui des fiançailles et des noces, mais les hésitations de nos prédécesseurs sont significatives: ce thème peut être envisagé dans une double perspective, soit dans le cadre des relations familiales, soit sous un angle juridique, dès le moment en particulier où l'élément prépondérant qui entre en jeu est celui du lien conjugal, de son indissolubilité ou des conditions d'une rupture.

De manière analogue, le thème de l'esclave est à la frontière entre ces deux mêmes domaines, selon que l'esclave est envisagé dans une perspective ou dans l'autre. De fait, nous devrons aussi laisser ouverte la question posée par le thème de l'héritage; dans ce cas également, il peut être question du statut juridique d'un membre de la famille, et à ce titre, le thème de l'héritage appartient aux deux cycles, familial et juridique.

Enfin, nous l'avons vu, une certaine hésitation règne à propos des images tirées des "âges de la vie" (Brunot). De fait, c'est bien dans la famille que se passe normalement la croissance de l'enfant jusqu'à l'âge adulte, et l'on peut donc s'attendre à ce que le thème de la croissance de l'homme apparaisse, occasionnellement au moins, au milieu d'images familiales.

En conséquence, notre étude se concentrera sur les thèmes dont le rapport avec la famille est constant, mais abordera d'autres thèmes, d'ordre juridique ou organique par exemple, dans la mesure où ceux-ci apparaissent dans un contexte "familial" - même si les aspects juridiques ou organiques ne sont pas estompés par cette application particulière de l'image.

I/8 Les liens contextuels entre les thèmes métaphoriques

(a) Nous l'avons vu dans notre introduction, la frontière entre le "propre" et le "figuré" n'est pas aussi nette que ne le laissait croire la rhétorique classique. En effet, une métaphore ou une métonymie (terme "figuré") peut être consacrée par l'usage et devenir, dans telle acception, terme "propre", notamment par catachrèse (le pied de la table).

Ainsi, il ne suffit pas qu'un terme soit dévié de son sens premier pour que nous puissions conclure automatiquement à une métaphore vive. Rien ne nous assure, par exemple, que chaque fois qu'il a utilisé le mot "Père" pour nommer Dieu, Paul a été conscient de se servir d'une métaphore, bien qu'il n'ait assurément jamais considéré Dieu comme son "géniteur", au sens généalogique du terme. On le sait, dans le Nouveau Testament, le mot "Père" peut être rangé au nombre des mots d'usage courant: il désigne par convention le Dieu des chrétiens. Cela implique que ce terme ne faisait pas nécessairement image. Mais pouvons-nous en conclure qu'il ne faisait jamais image? Nous pourrions poser une question identique à propos de presque tous les termes "figurés" qui, chez Paul, évoquent la famille. Du seul fait qu'ils apparaissent dans un texte, nous ne pouvons pas conclure que nous sommes en présence d'une métaphore du cycle familial. Mais inversement, du fait que nombre d'entre eux font l'objet d'un usage stéréotypé, nous ne pouvons pas inférer qu'ils n'ont jamais un sens métaphorique.

En effet, nous l'avons vu également, la métaphore est un phénomène contextuel. Le même terme, dans la même acception "figurée", peut faire image (constituer une métaphore vive) dans un contexte donné, et non dans un autre. Seul le jeu des mots dans la phrase nous permettra d'en décider. Ainsi, quand un mot évoquant la famille, même pris en un sens "figuré", se trouve isolé dans une phrase dont aucun autre élément ne relève de ce "cycle", ni au propre, ni au figuré, il y a de fortes chances pour que ce terme ne constitue pas une métaphore vive, une "image du cycle familial". En revanche, dès le moment où se produit dans un texte une certaine accumulation de termes de la famille, soit au sens propre, soit au sens figuré, il est plus vraisemblable que les mots pris en un sens figuré aient le statut d'une image.

Cela n'aurait donc guère de sens que nous fassions de manière systématique l'inventaire de tous les termes "imagés" évoquant la famille, et que nous analysions longuement les contextes dans lesquels ils apparaissent, pour constater ensuite que peu d'entre eux font à proprement parler image. Méthodologiquement, nous aurons avantage à déterminer d'emblée quels textes présentent une certaine concentration de termes évoquant la famille, en un sens "figuré". Dans un premier temps, notre étude portera sur ces textes; et les résultats de cette première enquête ou les questions qu'elle aura laissées ouvertes nous permettront de mieux préciser dans quelle perspective nous devons examiner les autres textes dans lesquels apparaissent ces mêmes thèmes, quoique dans une concentration moindre ou dans un isolement total.

(b) La Concordance étant l'instrument qui permet de recenser facilement tous les textes dans lesquels figure un mot, on peut imaginer qu'une concordance synoptique permettrait de montrer dans quels textes les mots sur lesquels porte notre enquête se rencontrent, soit seuls, soit ensemble.

Ainsi, au début de notre recherche, nous avons établi, sous forme manuscrite, une concordance synoptique de tous les principaux thèmes imagés du cycle familial:

- Dieu Père (pris absolument, ou Père de Jésus-Christ)
- Dieu notre (votre) Père
- Jésus, Fils de Dieu

- Les croyants, enfants ou fils de Dieu
- Les croyants, héritiers (hériter, héritage)
- Les croyants, frères entre eux
- Les croyants, esclaves ou serviteurs
- Paul, "géniteur" (paternité ou maternité spirituelle)
- Les croyants, fils spirituels de Paul
- Les fiançailles ou les noces.

Il était techniquement impossible de reproduire typographiquement une telle concordance synoptique dans toute son ampleur. Elle aurait compté neuf à dix colonnes parallèles; c'est dire qu'elle aurait été trop large; mais elle aurait aussi été trop longue: en effet, dans une vraie synopse, à chaque texte de chaque colonne, correspond dans les autres colonnes un "blanc" qui marque l'absence de lien contextuel, si bien que la présence parallèle de textes à un même niveau, dans diverses colonnes, signale automatiquement un lien contextuel entre divers thèmes.

Nous avons donc divisé cette concordance synoptique en plusieurs tableaux qui sont autant de synopses partielles, réunissant les concordances relatives à des thèmes choisis pour les affinités qui s'étaient révélées à un premier examen. Ces tableaux demeureront des instruments de travail auxquels nous pourrons nous référer tout au long de notre étude. Nous nous bornons ici à les décrire brièvement et à indiquer les éléments qu'ils nous fournissent dans notre recherche de liens entre les divers thèmes du cycle familial, au sein d'un même contexte ("liens contextuels").

(c) Dans un PREMIER TABLEAU, (PLANCHE 2), nous confrontons deux thèmes logiquement connexes: DIEU, PERE et JESUS, FILS. A titre expérimental, nous avons divisé en deux colonnes la concordance portant sur "Dieu, Père". Dans une colonne nous avons recensé les textes parlant de Dieu, Père des croyants (notre Père, votre Père, ou "Père", dans un rapport direct avec les croyants), et dans une autre colonne, nous groupons les autres textes, soit ceux qui présentent Dieu comme le Père de Jésus-Christ, soit ceux dans lesquels "Père" est pris absolument. Ce tableau nous permet de faire une double constatation, quant aux liens contextuels entre les thèmes du Père et du Fils. En premier lieu, extrêmement rares sont les textes dans lesquels le thème du Père et le thème du Fils apparaissent ensemble. Notre synopse fait apparaître trois textes qui mériteront un examen attentif: 1 Cor.15,24-28; Gal.4,4-6; Col.1,12-13. En second lieu, phénomène frappant en regard de ce constat d'absence de lien, plus de vingt-cinq fois, (Dieu) "le Père" ou "notre Père" apparaît lié au titre de Seigneur (Jésus-Christ), au sein d'une même formule.

Le DEUXIEME TABLEAU (PLANCHE 3) est centré sur le thème: "LES CROYANTS, ENFANTS de Dieu" (fils, fille, enfant, premier-né, thèmes auxquels nous ajoutons, en fonction de certains contextes, quelques autres mots apparentés: adoption, héritier, frère). Il sert à mettre en lumière les liens contextuels de ce thème avec deux autres thèmes connexes: DIEU, PERE (des croyants) et JESUS, FILS. Ici également, nous sommes amenés à deux constatations. Les rapports entre le thème de Dieu, le Père et le thème des croyants, enfants, sont extrêmement rares: Rom.8,15 et le texte parallèle de Gal.4,6 forment un seul cas, qui se présente deux fois. A cela s'ajoute la citation modifiée de 2 Sam.7,14 en 2 Cor. 6,18. Par acquit de conscience nous avons également signalé par des flèches Gal.4,2: un texte qui unit également le thème du père et celui du fils, dans une longue comparaison dont nous devrons déterminer le statut. Quant au lien entre les thèmes "croyants, fils" et "Jésus, Fils", il est réalisé de plusieurs manières dans deux contextes: Gal.3,26-4,6 et Rom.8,3ss. (cf. v.29).

Le TROISIEME TABLEAU (PLANCHE 4) est destiné à poursuivre l'étude du thème "LES CROYANTS, ENFANTS de Dieu", en montrant les liens qui peuvent l'unir à d'autres thèmes apparentés: celui de L'ESCLAVE (esclave, serviteur, servir, être asservi, esclavage) et celui de L'HERITIER (héritier, hériter, testament, héritage, descendance). Nous constatons que les liens entre le thème de l'HERITAGE et celui des "croyants, enfants de Dieu" se limitent à deux contextes qui sont déjà apparus l'un et l'autre dans les deux tableaux précédents: Gal.4,2-7 et Rom.8,14-17. Le thème de l'ESCLAVAGE est très fréquent, mais nous constatons qu'il n'est mis que très rarement en rapport direct avec celui de la filiation, sous quelque forme que ce soit (fils, enfant, mais aussi frère et héritier). Parmi les textes dans lesquels se présentent de tels liens contextuels, nous retrouvons Gal.4 (notamment v.2 et 7) et Rom.8 (v.15, mais aussi 21). A cela s'ajoutent Phm 16 et Col.4,7, ainsi que, peut-être, Col.3,24.

Un QUATRIEME TABLEAU (PLANCHE 5) est consacré exclusivement au thème du FRERE. Nous avons renoncé à inclure dans une concordance synoptique, en une colonne propre, l'ensemble des textes dans lesquels "frère" est employé pour désigner les chrétiens. En lieu et place d'une concordance, nous avons établi un tableau statistique des emplois des mots "frère", "soeur", "faux-frère" et "amour fraternel" dans le paulinisme. Un examen même rapide de ce tableau fait apparaître immédiatement la raison de cette substitution. En effet, on rencontre 133 fois le mot "frère", et 6 fois le mot "soeur" dans les épîtres pauliniennes, presque toujours dans le sens "figuré" de frère (soeur) dans la foi. Dans plus de la moitié des cas, le mot est au vocatif (toujours masculin), ce qui indique un usage habituel, stéréotypé[12]. Cette constation est confirmée par le fait que les liens

---

12. Dans toutes les épîtres de Paul, ce vocatif ἀδελφοί (μου) est fréquent. Or on ne le trouve pas dans les épîtres aux Colossiens et aux Ephésiens, pas plus que dans les Pastorales. Aux yeux de Ed. SCHWEIZER: "Zur Frage der Echtheit des Kol.- und des Eph.briefes" in *Neotestamentica*, Zürich 1963, p. 429, c'est un indice qui s'ajoute à toutes les raisons que l'on a de douter que les épîtres aux Colossiens et aux Ephésiens soient dues à Paul lui-même.

contextuels sont extrêmement rares entre "frère" et d'autres thèmes du cycle familial. Nous avons signalé ces cas en incluant ces quelques usages du mot "frère" dans la colonne "fils" de nos planches 3 et 4: à ce titre, il nous faudra retenir les textes de Rom.8,29, de Col.4,7 et de Phm.16, qui établissent des liens avec "fils" et "premier-né", pour le premier, avec le thème de l'esclavage ou du service, pour les deux autres. A ces deux textes il faut en ajouter deux autres, analogues du fait qu'ils traitent du même problème: Rom.14,13-20 et 1 Cor.8,9-13.
Un CINQUIEME TABLEAU enfin (PLANCHE 6) rassemble quelques thèmes moins fréquents: la PATERNITE SPIRITUELLE (Paul et ses "enfants" spirituels) et LES NOCES. Une troisième colonne est destinée à recevoir des textes dans lesquels des liens contextuels apparaîtraient avec d'autres thèmes. On note un seul rapport d'une colonne à l'autre (filialité spirituelle - service... de l'Evangile), en Phil.2,22. On aurait pu, dans le cas de la "paternité spirituelle" faire figurer dans des colonnes séparées les divers termes: père (ou mère) et fils (ou enfant), comme aussi engendrer et souffrir les douleurs (de l'enfantement). Mais d'une manière ou d'une autre, on peut constater que, dans ce cas, Paul n'hésite pas à accumuler dans un même contexte les mots faisant image.

(d) En deux tableaux récapitulatifs, nous rassemblons les résultats de notre étude synoptique de la concordance. Ils suppléent partiellement à la grande concordance synoptique à laquelle nous avons renoncé, en présentant schématiquement les neuf groupements de thèmes que nous avons étudiés dans nos diverses concordances synoptiques partielles:

- la paternité spirituelle
- Dieu, Père du Christ
- Dieu, Père des croyants
- Jésus, Fils
- Les croyants, enfants
- Héritier etc.
- Esclavage
- Les croyants, frères et soeurs
- Les noces.

Le PREMIER TABLEAU RECAPITULATIF (PLANCHE 7) a pour but de donner une idée de l'importance relative des thèmes envisagés, dans le paulinisme. La place accordée à chacune des épîtres dans la hauteur de la page est proportionnelle à sa longueur[13]: 5 mm pour 700 mots environ (minimum, pour les petites épîtres: 10 mm). De même, la place accordée à chaque thème, au niveau de chacune des épîtres, et marquée par un champ pointillé, est proportionnelle à la fréquence de ce thème dans l'épître: 1 mm pour une attestation de ce thème. De plus, nous y signalons schématiquement les liens contextuels que nous avons décelés, au moyen de bandes striées; des croix servent à marquer le lieu, et parfois la fréquence de ces liens contextuels; tous les "champs" coupés par la bande striée ne sont en effet pas nécessairement concernés par ce lien contextuel. Il est frappant que ces liens contextuels déterminent à peine plus de dix contextes, parfois assez larges cependant, au sein desquels deux ou plusieurs thèmes du "cycle familial" se trouvent liés. Cela nous permet de circonscrire notre champ d'investigation, du moins en première analyse.

Le SECOND TABLEAU RECAPITULATIF (PLANCHE 8) sert à rassembler en une seule page les références aux divers liens contextuels que nous avons décelés. On y trouvera également quelques autres indications: Un champ pointillé, correspondant à un thème, dans une épître donnée, indique l'absence de ce thème dans cette épître. Il faut noter ici que ce constat d'absence ne peut pas être retourné en un constat inverse: le fait que ce thème soit "présent" dans telle

---

13. Les nombres nous sont fournis par R. MORGENTHALER, Statistik, p. 164. Ils se basent sur la 21e éd. du N.T. grec de NESTLE. D'un point de vue statistique, les quelques modifications qui peuvent être intervenues entretemps dans le choix des variantes retenues ne jouent aucun rôle.
Les mesures indiquées dans le texte s'entendent de notre manuscrit original (A4) avant réduction.

épître indique simplement que l'on trouve dans cette épître les mots qui correspondent à ce thème, pris dans un sens "figuré". Cela ne signifie pas encore qu'il s'agisse d'un jeu métaphorique conscient (métaphore vive). Dans la colonne "esclavage" nous avons signalé par un (-) les textes dans lesquels Paul parle de l'esclavage dans un sens négatif (il faut en être libéré); inversement, le signe (+) indique un usage positif de ce terme, pour désigner la condition actuelle du croyant à l'égard de Dieu, du Christ ou de l'Evangile (dans ce cas, nos traductions parlent plutôt de "service" que d'esclavage). Enfin, dans certains cas, des flèches indiquent dans quel ordre les thèmes se suivent, dans un même contexte. Les schémas qui en résultent illustrent bien la parenté et les différences entre deux textes que nous avons rencontrés tout au long de ce recensement: Rom.8,3-17 et Gal.3,26-4,7.

(e) Au terme de ce rapide survol, une marche à suivre nous semble s'imposer. Parmi tous les textes qui présentent une certaine concentration de thèmes du cycle familial, deux larges péricopes se détachent nettement: Gal.3,26-4,7 d'une part, le début de Rom.8 d'autre part. C'est à ces deux textes, envisagés dans leur contexte le plus large, que nous consacrerons la première partie de notre enquête. Puis nous compléterons les résultats de cette première approche par une étude consacrée, non seulement aux autres textes mis en évidence par les concordances synoptiques, mais bien à chacun des thèmes du cycle familial, dans toute la largeur du corpus paulinien.

CHAPITRE DEUXIEME

FAMILLE D'ABRAHAM ET FAMILLE DE DIEU

Gal.3,26-4,7,et ses parallèles en Romains

II/9 Les affinités entre Galates et Romains

(voir appendice: PLANCHES 27/1-12)

(a) Le recensement des images du cycle familial, auquel nous nous sommes livrés à l'aide de concordances synoptiques et de deux tableaux récapitulatifs, a établi une concentration maximum d'images de ce type dans deux textes: Gal.3,26-4,7 et Rom.8,3-17. Le diagramme montrant la succession de ces images en Rom.8 et en Gal.3-4 (PLANCHE 8) mettait par ailleurs en lumière un certain parallélisme entre ces deux péricopes.

D'autres auteurs déjà ont montré ces analogies; certains ont même illustré leurs propos par une présentation synoptique des passages les plus clairement parallèles[1]. Les uns se sont limités à Gal.4,6-7, dont le parallélisme avec Rom. 8,14-17 saute aux yeux[2]. D'autres cependant ont élargi la perspective, et ont montré que le mouvement de la pensée est

---

1. G. BORNKAMM: "Der Römerbrief als Testament des Paulus", in *Geschichte und Glaube* II, München 1971, p. 133, note 37.

2. Ainsi U. LUZ: *Das Geschichtsverständnis des Paulus*, München 1968, p. 282. Comme BORNKAMM dans la note mentionnée plus haut, il ne fait allusion au parallélisme entre Gal.4,4 et Rom.8,3s qu'en passant (ibid. note 64).
Mais déjà H. LIETZMANN: *An die Galater*, Tübingen 1910 (HNT), note à propos de 4,6 le parallèle que constitue Rom.8,15-16, "welche Stelle den authentischen Kommentar der unsrigen bietet" - une phrase de l'édition de 1910 qui a disparu plus tard (p.ex. 4e éd. 1932). E. KUEHL: *Der Brief des Paulus an die Römer*, Leipzig 1913 (ad Rom. 8,14ss) pose la thèse inverse. Voir plus bas note 49.

le même en Gal.4,4-7 et Rom.8,3s.14-17[3]. Mais Gal.4,1-7 ne peut se comprendre que dans son contexte: les versets 1-3 reprennent en effet un thème déjà introduit à la fin du chap. 3. C'est alors que la question se pose: ces parallélismes, évidents au niveau de Gal.4,6-7, frappants encore entre Gal.4,4 et Rom.8,3s s'étendent-ils au-delà des frontières de cette péricope?[4] Et si c'est le cas, comment ces parallélismes sont-ils répartis? Nous tenterons de répondre à ces questions, dans la mesure du moins où elles ont des incidences sur notre recherche.

(b) Le recensement des images du cycle familial a déjà montré que le "fils" et "l'héritier", en Gal.4,1-2 sont des reprises de thèmes apparaissant déjà en 3,26 et 3,29. Mais l'idée de l'héritier, à son tour, n'est pas isolée dans ce contexte. Elle est un écho de toute une chaîne de termes apparentés, jalonnant le chapitre 3, au moins depuis le verset 15: le testament (3,15.17), la promesse (8 fois, de 3,16 à 3,29), la descendance d'Abraham (3 fois au v.16, puis deux fois encore, aux v.19 et 29), l'héritage enfin (v.18). Et de fait, il s'agit là de termes qui prennent place dans une discussion consacrée à la valeur respective de la loi et de la foi, pour recevoir la justice. Cela nous ramène au début de ce chapitre 3: Paul reproche aux Galates (v.1-5) de faire fi du "message de la foi", pour retomber dans l'esclavage de la loi. C'est en fonction même de cette déviation, qu'il se lance dans une longue démonstration: la vraie descendance d'Abraham, elle est en ceux qui croient en la promesse faite à Abraham et réalisée en Christ.

---

3. Par ex. Ed. SCHWEIZER, ThWNT VIII, art. υἱός, p. 394, suivi notamment par P. VON DER OSTEN-SACKEN: *Römer 8 als Beispiel paulinischer Soteriologie*, Göttingen 1975, p. 129, et plus généralement son paragraphe consacré à ce parallélisme: "Röm.8,14-17 und Gal. 4,1-7", p. 129-134.

4. Ainsi, SCHWEIZER, loc. cit. note précédente, met en parallèle Gal. 3,28ss et Rom. 4,16ss.

On peut montrer que ces mêmes thèmes se rencontrent également dans l'épître aux Romains (voir PLANCHE 9): la promesse (4,13.14.16), la descendance d'Abraham (4,13.16), l'héritier (4,13.14; puis 8,17). Or, dans l'épître aux Romains, le raisonnement suit les mêmes étapes que dans l'épître aux Galates: la présence parallèle de termes identiques n'est que l'indice d'une affinité beaucoup plus profonde entre l'épître aux Galates et l'épître aux Romains[5].

(c) Cette affinité ne se situe pas seulement au niveau de la pensée théologique. On peut montrer qu'elle se concrétise dans les textes, sous la forme d'une argumentation qui suit, en Galates et en Romains, des cours parallèles.
Certes, l'épître aux Galates a un accent polémique: "Paul met en garde ses correspondants contre l'hérésie légaliste"[6], alors que le ton de l'épître aux Romains est plus serein. Au moment de faire une avancée missionnaire vers l'ouest, dont Rome devrait être la tête de pont, Paul fait le point et livre aux Romains, qu'il ne connaît pas encore personnellement, ses méditations, qui prennent la forme d'une sorte de "testament spirituel"[7], d'une "réflexion essentiellement apostolique ou missionnaire sur la possibilité historique donnée 'maintenant' à tous les hommes (...) de croire et d'être justifiés"[8]. Ces différences d'orientation des deux épîtres impliquent évidemment que Paul ne reprend pas mot pour mot dans l'épître aux Romains ce qu'il a dit aux Galates. Ainsi notamment, les passages dans lesquels Paul prend directement à partie les Galates

---

5. P. BONNARD, dans son commentaire de *L'épître aux Galates* (Neuchâtel, 2e éd. 1972), consacre son EXCURSUS III à ces affinités, sur le plan théologique plus que sur le plan textuel: "De l'épître aux Galates à l'épître aux Romains", p. 79-82.

6. P. BONNARD, Comm. Gal., p. 80.

7. Voir le titre de l'article de G. BORNKAMM, déjà mentionné note 1: "Der Römerbrief als Testament des Paulus".

8. P. BONNARD, loc. cit.

n'ont aucun parallèle direct dans la lettre aux Romains. Cela implique également que Paul pourra reprendre en Romains des sujets qu'il a déjà traités ailleurs que dans sa lettre aux Galates: dans la correspondance corinthienne, par exemple. Mais une fois que l'on a fait la part de ce qui est différent, dans l'angle d'attaque et dans le contenu des deux épîtres, on n'est que plus frappé par les analogies qui demeurent. De fait, le parallélisme commence bien avant le passage qui nous occupe.

En Gal.2, Paul rapporte le différend qui l'a opposé à Pierre à Antioche, malgré l'accord conclu à Jérusalem (v.1-14). Mais il ne s'en tient pas à un compte-rendu historique. Il élève le débat et conclut le chapitre par des considérations générales sur la justification, par la foi et non par les oeuvres de la loi (v.15ss). Or ces considérations, dont le centre est une citation du Psaume 143,2 ("personne ne sera justifié"), nous les retrouvons dans l'épître aux Romains; en effet, au moyen d'un appareil de preuves scripturaires beaucoup plus large, Paul développe en Rom.3,9-31 la thèse qu'il a posée en Gal.2,15-16, et déjà développée une fois, plus brièvement, en Gal.2,17-21: "l'homme n'est pas justifié par les oeuvres de la loi, mais seulement par la foi en Jésus-Christ".

Après un passage dans lequel Paul s'en prend aux Galates et les soupçonne d'avoir oublié l'essentiel de sa prédication (Gal.3,1-5), le cours de l'argumentation théologique reprend, et l'on retrouve le texte de l'épître aux Romains. En effet, Rom.4 est une variation sur une thèse que Gal.3,6ss pose et développe en trois vagues successives: La promesse est pour ceux qui croient, comme Abraham (3,6-9). La loi ne sert de rien: bien plus, ceux qui se placent sous son régime sont soumis à une malédiction, que seul le Christ a levée (10-14); le rôle de la loi a donc été de faire se multiplier les transgressions, en attendant que vienne celui qui accomplirait la promesse faite à Abraham, le croyant (15-22).

Ces trois éléments, que l'épître aux Galates traite successivement, on les trouve intégrés en un seul long développement, en Rom.4, avec quelques différences typiques:

En Gal.3,6-9, Paul s'appuie sur deux textes bibliques: Gen.15,6 (v.6: "Abraham eut foi en Dieu et cela lui fut compté comme justice") et Gen.12,3 (v.8: "Toutes les nations seront bénies en toi"). Le texte de Romains fonde également cette partie du raisonnement sur deux témoignages scripturaires: le premier est celui même que nous avons rencontré en Gal.3,6 (Gen.15,6 en Rom. 4,3), quant au second, Paul l'a choisi dans un autre récit de la conclusion de l'alliance avec Abraham: Gen.17,5 (v.17: "J'ai fait de toi le père d'un grand nombre de peuples").

La deuxième partie de l'argumentation (Gal.3,10-14) est essentiellement négative. L'épître aux Romains est encore une fois parallèle, mais ce parallélisme est ici antithétique; on peut le montrer à nouveau dans les preuves scripturaires choisies de part et d'autre. Face aux Galates, qui sont tentés de faire confiance aux oeuvres de la loi, Paul brandit la menace: comme nul ne peut accomplir parfaitement la loi, et parvenir à la vie (Lév.18,5, cité au v.12: "celui qui accomplira les prescriptions de cette loi en vivra"), la loi est malédiction pour l'homme pécheur: "Maudit soit quiconque ne persévère pas dans l'accomplissement de tout ce qui est écrit dans le livre de la loi" (Deut.27,26, cité au v.10). Plus serein dans sa lettre aux Romains, Paul choisit une béatitude pour remplacer la malédiction: "Heureux ceux dont les offenses ont été pardonnées..." (Ps.31,1-2, cité en Rom.4,7-8). En d'autres termes: en Romains, Paul proclame la bonne nouvelle du pardon avant de rappeler que la promesse est attachée à la foi, et non aux oeuvres de la loi (v.15: "Car la loi produit la colère..."), alors qu'en Galates, cette promesse ne résonnera qu'après la malédiction: le

Christ "a été fait malédiction pour nous", affirmation que Paul étaie d'une nouvelle preuve scripturaire: "Maudit quiconque est pendu au bois" (Deut.21,23, cité en Gal.3,13).

De même, de nombreux éléments de la troisième partie de ce raisonnement (Gal.3,15-20) se retrouvent en Rom.4, notamment dans les versets 13 à 16, à commencer par la promesse faite à Abraham "et à sa descendance", par allusion aux oracles de salut[9] dont Abraham bénéficie, selon Gen.13,15; 17,7, etc. - allusion que Rom. 4,13 précise: il s'agit ici manifestement de la promesse de "la terre", interprétée à la lumière de l'exégèse juive traditionnelle qui se fait jour déjà en Sir.44,21: Abraham et sa descendance ne posséderont pas seulement la terre de Canaan, mais bien "le monde"[10]. D'autre part, Rom.4,14 reprend la thèse de Gal.3,17s: si l'héritage était attaché à la loi, la promesse serait "annulée"; la fonction de la loi est donc ailleurs: elle doit rendre manifeste la révolte de l'homme, dans la transgression.

(d) A première vue, le parallélisme entre Galates et Romains s'arrête là, pour ne reprendre qu'en Rom.8. On aurait donc dans l'épître aux Romains une grande incise, dans laquelle Paul développerait d'autres sujets, avant de reprendre le fil de l'exposé de Galates. Cela n'est que partiellement vrai. En effet, en Rom.5, Paul développe des thèmes déjà esquissés dans la correspondance avec la communauté de Corinthe: nous ne pouvons pas placer notre orgueil (καύχημα) en nous-mêmes, mais seulement dans la victoire du Christ (voir 2 Cor.12,1-10 etc.), puis la typologie Adam -

---

9. Voir à ce sujet A. de PURY: *Promesse divine et légende cultuelle dans le cycle de Jacob*, Paris 1975, troisième partie: "Promesse et oracle de salut" (p. 211-344).

10. Parmi les commentaires, voir en particulier H. SCHLIER: *Der Römerbrief*, Freiburg 1977 (HThK VI), p. 129, qui cite le texte de Sir., et BILLERBECK, vol. III, p. 209.

le Christ (voir 1 Cor.15,22s.45ss[11]). En revanche, on peut se demander si Rom.6 n'est pas un long commentaire de Gal. 3,26-27: les chrétiens sont morts au péché, par union au Christ mort et ressuscité (6,1-14), ils passent de l'esclavage de la loi au service du Christ (6,15-23). A propos du début de Rom.7, nous montrerons qu'il est parallèle au début de Gal.4[12]. Enfin, en Rom.7,13-25, le chrétien que Paul est devenu voit dans la foi la condition de l'homme "sous la loi". On peut considérer cette péricope comme un développement de 1 Cor.15,56-57, mais on ne peut s'empêcher d'y voir également un écho de Gal. 3,22-25[13].

En Rom. 8, le cours de l'argumentation renoue donc avec le plan de Galates. Gal. 4,1-2 est une similitude introduisant la suite du discours. Ces deux versets n'ont pas d'équivalent en Rom. 8, car les chap. 7 et 8 forment un tout, introduit par une autre similitude en 7,1-3[14]. Le parallélisme ne commence donc qu'au niveau de l'application de la similitude en Gal. 4,3-5. Mais ici à nouveau, le modèle[15] de Galates a

---

11. Traitement synoptique (successif) de ces deux textes dans notre étude: *L'Evangile de Jésus-Christ - Naissance de la théologie dans le N.T.*, Yaoundé 1972, p. 337s.

12. Voir plus bas, II/13 (d).

13. Pour P. BONNARD (excursus cité plus haut note 5), "le vrai parallèle de Gal. 3,22 est Rom. 11,32" (p. 81). Nous nous demandons s'il ne faut pas voir, dans l'épître aux Romains, deux parallèles à ce verset, ou plutôt deux développements du thème ainsi exposé: l'un en Rom. 7, d'un point de vue général (la condition de tout homme, prisonnier puis libéré de la loi), et l'autre en Rom. 9-11, du point de vue de l'histoire du salut, et notamment des rapports entre Israël et l'Eglise.

14. Sur le rôle de 7,1-6 dans le plan de Romains, nous suivons ici E. KAESEMANN dans son commentaire (Handbuch zum N.T. 8a, Tübingen 1973), p. 181s.

15. Dans le paragraphe déjà cité (plus haut note 3) de sa thèse sur Rom. 8, P. VON DER OSTEN-SACKEN parle de manière semblable des rapports entre Rom. et Gal.: "Ein Vergleich der Verse aus Röm. 8 mit dem in gewissem Sinne 'vorgegebenen' Text Gal. 4,1-7 etc." (p. 129).

dû s'imposer de manière particulièrement forte, pour que ce parallélisme, amorcé en Rom. 8,3-4 (analogue à Gal. 4,4-5), se maintienne sans rupture par delà les v. 5-13, un morceau qui, de ce point de vue, fait figure d'incise. En effet, Rom. 8,14-17 correspond à nouveau point par point à Gal. 4,6-7.

En Gal.4,7, Paul a atteint le but qu'il s'est fixé dans ce passage de sa lettre: il a démontré que l'héritage ne s'obtient pas par une obéissance à la loi, mais par la foi en la promesse. Il revient donc à la situation concrète des Galates (4,8-20), et leur dit son souci de les voir s'abandonner à la servitude des "éléments du monde", dont ils étaient libérés (cf. v.3), ce qui est une sorte de conversion à rebours (v.9: "retourner", grec: ἐπιστρέφετε πάλιν). Avec les Galates, Paul doit tout reprendre à la base: "dans la douleur", il "les enfante à nouveau" (v.19); avec la communauté de Rome, il n'a pas les mêmes problèmes; en Rom.8, la pensée paulinienne suit son cours: l'adoption reçue implique une "souffrance avec" le Christ (8,17), car nous attendons encore la pleine révélation des "fils de Dieu" (8,18ss).

(e) Quoi qu'il en soit du statut de Rom. 5 à 7 par rapport à l'épître aux Galates, cette brève comparaison des plans de Galates et de Romains nous a permis d'établir un parallélisme très large entre Rom. 4 et 8 d'une part, Gal. 3,6-4,7 d'autre part.
On voit se dessiner deux chaînes de thèmes qui sont séparées en Romains, mais qui se rattachent l'une à l'autre dans l'épître aux Galates[16] (voir PLANCHE 10[17]).

---

16. Déjà M. CONRAT: "Das Erbrecht im Galaterbrief (3,15-4,7)", in ZNW 5 (1904), p. 204-227, voit dans ce passage deux chaînes d'images ("Gedankenreihen"), qu'il définit cependant autrement: la première se référerait à la succession par disposition testamentaire (Gal.3), la seconde à la succession par nature (le fils-héritier,
(fin de la note 16 et note 17: page suivante)

La première chaîne couvre Gal. 3,6-29 d'une part, Romains 4 d'autre part.
En Galates, les croyants sont d'emblée nommés "les fils d'Abraham" (3,7), puis sa descendance (v.16), bénéficiaire de la promesse consignée dans un "testament" (v.15.17), en vertu duquel ceux qui croient dans le Christ, la vraie descendance d'Abraham (v.16) - et non ceux qui sont sous le régime de la loi - seront bénéficiaires de l'héritage (v.18), ils seront donc héritiers en tant que postérité d'Abraham (v.29).
Même tableau en Romains où, d'entrée de jeu, Abraham est appelé "notre ancêtre" (4,1), le père des croyants (v.11), qu'ils soient circoncis ou non (v.12), le "père d'un grand nombre de peuples" (v.17, citant Gen. 17,5). Ce sont eux sa postérité, héritière du monde (v.13s.16), selon la promesse. En Romains comme en Galates, on peut intituler cette première chaîne LA FAMILLE D'ABRAHAM.

Quant à la deuxième chaîne, de manière analogue, on peut lui donner pour titre LA FAMILLE DE DIEU: les croyants sont appelés fils (Gal. 3,26; 4,6.7; Rom. 8,19) ou enfants (Rom. 8,16s.21) de Dieu, par adoption (Gal. 3,5; Rom. 8,15), en conformité avec Jésus, le Fils (Gal. 3,26; 4,4; Rom. 8,3.14, mais aussi 29), et Dieu, finalement, est appelé Abba, Père (Gal. 4,6; Rom. 8,15).

Si les limites de cette chaîne sont claires dans l'épître aux Romains (chap. 8), elles le sont moins en Galates,

---

(suite de la note 16)
Gal.4). Cette distinction est intéressante, du point de vue de la description de l'image. En revanche, il n'est pas sûr qu'elle puisse s'appliquer mécaniquement au plan de la péricope; en effet, la deuxième notion semble jouer déjà un rôle dans ce qui serait, selon CONRAT, la première partie.

17. La manière dont nous découpons ici Rom.4 est conforme aux propositions de U. LUZ, Geschichtsverständnis, p. 173-177.

puisque le thème des "enfants de Dieu" fait sa première apparition en Gal. 3,26, soit avant la fin de la première chaîne, dite de la famille d'Abraham.

Le but de notre recherche dans les paragraphes qui suivent sera donc de montrer de quelle manière les divers thèmes se suivent ou s'appellent les uns les autres, dans chacune de ces deux chaînes, mais aussi, en Galates, quelle logique a présidé au passage d'une chaîne (la famille d'Abraham) à l'autre (la famille de Dieu). D'où le plan de ce chapitre: Deux paragraphes seront consacrés à la FAMILLE D'ABRAHAM en GALATES 3 (II/10) et en ROMAINS 4 (II/11). Nous nous livrerons ensuite à un examen de la manière dont Paul passe, en Galates, DE LA FAMILLE D'ABRAHAM A LA FAMILLE DE DIEU (II/12). Nous étudierons alors Gal. 4,1-5: LA PARABOLE ("similitude") DE L'HERITIER MINEUR (II/13). En raison du parallélisme très étroit que nous avons reconnu entre Gal. 4,4-7 et Rom.8,3s.14-17, nous étudierons enfin ces deux textes ensemble, dans un dernier paragraphe de ce chapitre: LA FAMILLE DE DIEU EN GALATES 4,4-7 ET ROMAINS 8,3-17 (II/14).

II/10 La famille d'Abraham en Galates 3,6-29

(a) Dans l'analyse rapide que nous venons de faire de Gal. 2,11-4,11, nous avons vu se dégager les articulations principales de la péricope qui nous occupe (3,6-29). D'un bout à l'autre de ce texte, Paul s'attache à démontrer que Juifs et païens sont soumis au même régime: ils ne peuvent être justifiés que par (l'obéissance de) la foi, et non par les oeuvres de la loi (2,16; 3,2.5).

Dans le raisonnement de Paul, nous pensons pouvoir déceler trois étapes majeures. Au cours de la première (3,6-9), Paul pose la thèse qu'il démontrera négativement (le régime de la loi est un régime de malédiction, et non de bénédiction: 3,1-14), puis positivement (la vraie descendance d'Abraham: 3,15-20); mais le résultat auquel il parvient (la paire antithétique promesse - loi: 3,17-20) nécessite une sorte d'excursus consacré à la fonction positive de la loi dans le plan de Dieu (3,21-25). En foi de quoi il pourra dire à tous, Juifs et païens: "vous êtes, en Jésus-Christ, la descendance d'Abraham" (3,28-29).

(b) La thèse que Paul pose en 3,6-9, nous la trouvons formulée positivement en 3,7: Les fils d'Abraham, ce sont les croyants[18]. Nous sommes en présence d'un énoncé métaphorique, et dans ce contexte, il prend l'allure d'un programme.

En premier lieu, il y a tension entre la thèse de Paul et la théologie que recouvrait d'ordinaire cette expression: "fils d'Abraham". En effet, les Juifs ou les judaïsants (cf. 2,14!) auraient tenu la thèse: Abraham est le père des Juifs[19], et seuls les Juifs de stricte observance ont le droit de dire "Abraham notre père". A cette thèse, Paul oppose un premier élément de preuve scripturaire: ce n'est

---

18. Ces deux expressions: οἱ ἐκ πίστεως - οἱ ἐξ ἔργων νόμου ne s'expliquent pas seulement par le contexte, dans lequel elles sont utilisées comme régimes de verbes (2,16; 3,2.5), mais aussi par une habitude linguistique, fréquente notamment chez Paul: οἱ ἐκ... désigne les tenants d'une opinion, d'un parti, comme le ferait en français notre suffixe -iste. Voir M. ZERWICK: *Graecitas biblica*, Roma 5e éd. augm. 1966, p. 46; N. TURNER, in J.H. MOULTON (fondateur): *A Grammar of New Testament Greek*, Vol. III: Syntax, Edinburgh 1963, p. 260.

19. Voir F. MUSSNER: *Der Galaterbrief*, Freiburg 1974 (HThK IX), ad loc. (p. 217), et J. JEREMIAS in ThWNT I, art. Ἀβραάμ, p. 7-9.

pas comme Juif, mais comme croyant[20], qu'Abraham a été justifié (v. 6, citation de Gen. 15,6).

Bien plus: à l'exclusivisme particulariste juif, Paul oppose, par sa thèse, une autre définition exclusive de l'expression "fils d'Abraham": "Ce sont les croyants qui sont les fils d'Abraham" (TOB). Le démonstratif grec (οὗτοι), par sa position même dans la phrase, est accentué; il prend un sens restrictif, nettement polémique[21].

Enfin, l'expression "fils d'Abraham" doit être prise métaphoriquement, au sens tropologique du terme. En effet, dans le sens "descendants d'Abraham", l'expression est déjà une extension du sens "propre" (qui s'entendrait exclusivement de la progéniture directe du patriarche); or il aurait pu se faire que Paul désire entendre cette expression dans le sens restrictif suivant: parmi les Juifs, seuls les croyants sont "fils d'Abraham". La communauté chrétienne aurait été une secte juive, rassemblée autour de Jésus, comme d'autres étaient rassemblées autour d'un maître, ou de celui que l'on nommait le Maître, le vrai, tel le "Maître de Justice" de Qumran. Par rapport à un tel sens restrictif de l'expression, la manière dont Paul la conçoit est nettement extensive; cela apparaît clairement dans la deuxième citation biblique: les païens qui, avec Abraham, seront les bénéficiaires de la bénédiction de Gen. 12,3, ne sont pas fils d'Abraham, selon les lois de la généalogie. Par rapport au sens propre de

---

20. De toute évidence, ce passage de la Genèse était un classique de la tradition juive antique, puis judéo-chrétienne. Voir Jq 2,21-24 et, pour les références rabbiniques, BILLERBECK, III, p. 186-201. Les textes de Philon, dans le commentaire de J.B. LIGHTFOOT (1900) ad loc., cité ici d'après B. LINDARS: *New Testament Apologetic. The Doctrinal Significance of the Old Testament Quotations*, London 1961, p. 225.

21. P. BONNARD (ad loc.) parle du sens restrictif de l'expression; MUSSNER en souligne le caractère polémique.

l'expression "fils d'Abraham", il y a donc transfert de sens: sont fils d'Abraham, non pas les seuls Juifs (qui se distinguent des païens par leur observation de la loi[22]), mais les croyants de "toutes les nations"[23].

L'emploi de la preuve scripturaire dans le cadre de toute cette démonstration ajoute une dernière touche à la thèse de Paul: ce qu'il affirme là n'est pas une nouveauté; c'est le sens même, jusqu'ici méconnu, de la promesse prophétique (v.8: προευηγγελίσατο) de Dieu au patriarche. Le raisonnement qui va suivre aura pour seul but d'établir que ce transfert est légitime, bien plus: qu'il est conforme à la volonté première de Dieu, manifestée dans l'Ecriture, et qu'il rétablit le vrai sens de l'expression. Le "sens propre" (généalogique) de l'expression "fils d'Abraham", on n'a pu le tenir qu'en vertu d'une déviation particulariste, qui revit dans les "judaïsants" de Galatie comme elle menaçait déjà la communauté de Jérusalem (2,1-14).

(c) La deuxième étape de l'argumentation (3,10-14) sert à montrer que la loi n'a pas pu apporter la bénédiction annoncée à Abraham et aux nations; cette bénédiction, on ne la trouve que dans la foi en Jésus-Christ, qui a "été fait

---

22. Ainsi la loi constitue un mur, ou une barrière autour d'Israël, protégeant le peuple de Dieu, mais le distinguant aussi des païens. Sur le "mur" de la loi, voir BILLERBECK, III, p. 587-591 (ad Eph. 2,14s).

23. On peut voir dans cette citation une allusion à Gen. 18,18 modifiée à la lumière de Gen. 12,3 (MUSSNER) ou l'inverse (SCHLIER), ou encore une libre combinaison de l'un et de l'autre (BONNARD). Nous partons, avec H. SCHLIER: *Der Brief an die Galater*, Göttingen 1951 (MeyerK), de Gen. 12, car c'est la première des promesses de Dieu, celle qui précéda toute action, toute "oeuvre" d'Abraham. C'est bien cet aspect que Paul voulait souligner. Nous suivons ici notamment LINDARS, p. 225.

malédiction pour nous", sur la croix[24]. Nous ne nous y arrêterons pas longuement, car les thèmes familiaux n'y jouent aucun rôle. Notons seulement quelques éléments importants pour la suite de la péricope.

Avant tout, c'est dans ce passage que Paul introduit pour la première fois dans l'épître la notion de promesse (ἐπαγγελία), qui va jouer un grand rôle par la suite. Déjà le passage précédent y préparait, par deux autres concepts proches, soit du point de vue sémantique, soit également du point de vue étymologique: le verbe "annoncer d'avance une bonne nouvelle" (grec προευαγγελίζομαι[25], v.8), puis le substantif "bénédiction" (εὐλογία), qui évoque la citation, au v.8, de Gen. 12,3: "Toutes les nations seront bénies en toi".
En second lieu, sur le plan théologique, Paul pose une fois déjà l'axiome selon lequel on ne peut avoir accès à la bénédiction, désormais appelée "la promesse", qu'en union avec le Christ, mort et ressuscité.

---

24. Sur l'usage de la preuve scripturaire dans ce passage et dans le judaïsme (notamment dans les textes de Qumran, pour Hab. 2,4), voir LINDARS, p. 228-237. Etude comparative du texte même de la citation avec 1QpHab: J. de WAARD: *A Comparative Study of the Old Testament Text in the Dead Sea Scrolls and in the New Testament*, Leiden 1965, p. 20.

25. La plupart des auteurs comprennent le préfixe προ- de ce verbe dans le même sens, théologiquement hautement significatif, que dans d'autres verbes tels que προγινώσκω, προγράφω, προεπαγγέλλω, προετοιμάζω etc. (BONNARD ad loc.), et, dans ce même verset: προϊδοῦσα. LINDARS (loc. cit.) semble le comprendre dans un sens différent: au moment où se déroule l'épisode dont fait partie la citation du v.6 (Gen. 15,6), Dieu avait déjà béni Abraham, lui annonçant ce que d'aucuns appellent "un Evangile avant l'Evangile" (SIEFFERT, cité par SCHLIER ad loc.). On aurait alors un simple προ- d'antériorité, comme au v. 17 προκεκυρωμένη διαθήκη. Bibliographie récente de la question chez MUSSNER, ad loc. (p. 220, note 41). Voir en outre, dans le même sens théologique du préfixe: U. LUZ, Geschichtsverständnis, p. 111s, 279-281 et les notes correspondantes.

(d) La troisième étape du raisonnement (3,15-20) présente une structure un peu compliquée, du fait que Paul y examine parallèlement deux questions qui se posent à propos de la promesse faite à Abraham: la question de sa validité, dans ses rapports à la loi, et la question de ses destinataires. L'examen de ces questions détermine deux lignes différentes, qui s'entrecroisent, dans le texte: le v.15 est consacré à la première ligne, de même que les v. 17-18; en revanche le v.16 traite de la deuxième question et appartient donc à la deuxième ligne. Enfin, les v. 19-20 présentent ensemble les deux perspectives: "la loi vient s'ajouter... en attendant la venue de la descendance promise". Pour la clarté de notre propos, nous suivrons successivement ces deux lignes qui, dans le texte, s'enchevêtrent.

La première ligne commence par ce que Straub appelle "ein Gleichnis"[26], ce qui n'est ni une comparaison (Vergleich) ni une parabole (Parabel), genre étranger aux épîtres de Paul. Nous traduisons: une similitude. La similitude ne doit pas être traitée comme une comparaison développée point par point (allégorie), mais comme une parabole[27], bien que le récit (anecdote) qui est constitutif de ce genre soit absent. Nous trouvons dans ces versets un très bon exemple de la manière dont Paul manie le dicours métaphorique, faisant un

---

26. STRAUB, p. 70-97. Il compte, dans les épîtres de Paul, 28 "Gleichnisse". Notre péricope est recensée sous le No 27 (p. 95s).

27. Le fait que l'allégorie implique un rapport de terme à terme entre l'image et la "réalité" qu'elle désigne, comme d'ailleurs le fait qu'elle implique une clé de décodage, soit explicite, soit implicite et connue des lecteurs, l'apparente à nos yeux plus à la comparaison qu'à la métaphore, bien qu'on l'ait souvent définie comme une chaîne de métaphores (ainsi aussi STRAUB, p. 19). Discussion de ces distinctions entre parabole et allégorie, de JUELICHER à nos jours chez H. WEDER: *Die Gleichnisse Jesu als Metaphern*, Zürich 1978, p. 11-98, et en part. 11-15 (Jülicher), 38 (Fuchs), 49 (Via), 69-75 (conclusions propres).

usage alterné de termes "propres" et de termes "figurés"[28], et jouant sur le double-sens, ceci tout au long du texte, aussi bien dans ce que Straub appelle l'image (Bildhälfte, v.1-16) que dans ce qu'il appelle l'application (Anwendung, dès le v. 17).

Cette alternance est caractérisée à son tour par un chassé-croisé de deux termes, qui semblent bien être équivalents dans ce contexte, l'un dans l'ordre du "propre", l'autre dans l'ordre du "figuré": l'alliance (διαθήκη) et la promesse (ἐπαγγελία), comme on le voit dans le tableau qui suit:

L'ALLIANCE COMME TESTAMENT ET COMME PROMESSE
en Galates 3,15-18

	TESTAMENT	PROMESSE
15	(...) κατὰ ἄνθρωπον λέγω· ὅμως ἀνθρώπου κεκυρωμένη διαθήκη οὐδεὶς ἀθετεῖ ἢ ἐπιδιατάσσεται.	
16		τῷ δὲ Ἀβραὰμ ἐρρέθησαν αἱ ἐπαγγελίαι καὶ τῷ σπέρματι αὐτοῦ. (...)
17		τοῦτο δὲ λέγω·
	διαθήκην προκεκυρωμένην ὑπὸ τοῦ θεοῦ ὁ (...) νόμος οὐκ ἀκυροῖ,	εἰς τὸ καταργῆσαι τὴν ἐπαγγελίαν.
18	εἰ γὰρ ἐκ νόμου ἡ κληρονομία,	οὐκέτι ἐξ ἐπαγγελίας (...)

28. Pour P. RICOEUR, Métaphore, p. 110s, la métaphore se définit précisément et se distingue de l'allégorie, du proverbe ou de l'énigme par cette alternance de mots employés métaphoriquement et d'autres qui sont pris non métaphoriquement.

D'emblée, Paul avertit ses lecteurs: il va expliquer sa conception des rapports entre la loi et la promesse en utilisant un vocabulaire (juridique) servant à décrire les relations entre les hommes: "parlons des usages humains" (v.15). Ce qui suit sera donc, de propos délibéré, "langage figuré". La similitude est centrée sur le terme de διαθηκη, qui, dans ce contexte, signifie "testament". Mais ce n'est pas un hasard si Paul s'en sert, à ce point de son argumentation. En effet, il vient de faire allusion à la bénédiction (v.14) de Dieu à Abraham; il en a cité les termes (v.8). Or il sait que ces promesses (v.14) sont les paroles mêmes que Dieu a prononcées, selon l'Ecriture, au moment où, en diverses occasions, il a fait "alliance" avec Abraham (Gen. 15,18; 17,2.4). Dans le grec de la Septante (LXX), le terme hébreu ברית (BERITH) que nous rendons par "alliance" est traduit, presque sans exception[29] par ce mot διαθήκη

29. A elle seule, l'image rendue par les listes de la concordance est parlante. Ainsi E. HATCH & H.A. REDPATH: *A Concordance to the Septuagint*, Oxford 1897 (réimpr. Graz 1954), vol. I, p. 300-302. Résumé de cet état de choses par G. QUELL, ThWNT II, art. διαθήκη, p. 106s.
Partant de l'idée que le terme de BERITH impliquait en hébreu la même réciprocité que notre concept d'alliance (Bund), on a mis en doute la pertinence de ce choix par les traducteurs de la LXX. Συνθήκη aurait, p.ex. mieux convenu. Paul n'a-t-il pas été victime de ce choix des Alexandrins? Voir à ce sujet H.J. SCHOEPS: *Paulus. Die Theologie des Apostels im Lichte der jüdischen Religionsgeschichte*, Tübingen 1959, "Das grundlegende paulinische Missverständnis" (p. 224-232, et notamment, concernant la notion d'alliance, 228ss). Réfutation et autres indications bibliographiques chez MUSSNER, "Exkurs 4: Hat Paulus das Gesetz 'missverstanden'?" (p. 188-204). La recherche récente a plutôt tendance à réaffirmer que la BERITH hébraïque n'équivaut pas à un traité bilatéral, dans lequel les parties ont un poids égal; si διαθήκη n'est pas un équivalent exact, ce n'est pas un mauvais choix: ce mot souligne que "l'alliance" repose sur la volonté première de Dieu, qui s'engage lui-même à l'égard de son peuple. Voir E. KUTSCH, ThHAT I, art. ברית - Verpflichtung, col. 339-352; A. JAUBERT: *La notion d'alliance dans le Judaïsme aux abords de l'ère chrétienne*, Paris 1963, p. 311-315.

précisément. C'est dire que dès l'abord, en se servant de l'image du "testament" pour parler de la promesse faite à Abraham, Paul joue sur un double-sens: le terme technique, courant dans l'Ancien Testament pour désigner l'alliance dont Dieu prend l'initiative à l'égard des hommes, Paul l'utilise ici dans une autre signification, théologiquement "impropre": celle de "testament". Mais il est conscient que ce jeu sur le double-sens du mot "testament/alliance" l'expose à être mal compris, s'il se met à l'employer dans le même contexte, parfois au sens d'alliance, parfois au sens de testament. C'est la raison pour laquelle, chaque fois qu'il passe à l'application de l'image, et qu'il parle en termes "propres", il renonce au mot διαθήκη, que pourtant il utilise parfois, ailleurs, dans le sens de "l'alliance"[30], et le remplace régulièrement par ἐπαγγελία[31].

En première analyse, cette constatation est exacte. En effet, dans l'ensemble du verset 15, dans lequel Paul développe la similitude du "testament", il s'en tient rigoureusement à la signification juridique de ce terme en droit successoral. Le vocabulaire est entièrement de ce type[32]: κυρόω (établir en bonne et due forme), ἀθετέω (annuler), ἐπιδιατάσσεσθαι (compléter un testament, en y ajoutant des clauses nouvelles). De même, quand, abandonnant la similitude, Paul parle de l'alliance que Dieu a faite avec Abraham

30. Rom. 9,4 (plur.); Gal. 4,24 (plur.); 2 Cor. 3,6. Sens technique, correspondant à "Ancien Testament" en 2 Cor. 3,14. Intéressante pour l'évolution de la notion dans l'école paulinienne la plérophorie d'Eph. 2,12: αἱ διαθῆκαι τῆς ἐπαγγελίας. Voir J. BEHM, ThWNT II, art. διαθήκη, p. 132s.

31. Ainsi E. LOHMEYER: *DIATHEKE. Ein Beitrag zur Erklärung des neutestamentlichen Begriffs*, Leipzig 1913, p. 137s.

32. Voir M. CONRAT: "Das Erbrecht im Galaterbrief (3,15-4,7)" in ZNW 5 (1904), p. 204-227 (ici plus particulièrement 209-219); O. EGER: "Rechtswörter und Rechtsbilder in den paulinischen Briefen" in ZNW 18 (1917-18), p. 84-108 (ici: 100s).

(v.16), il change bel et bien de registre, et écrit αἱ ἐπαγγελίαι: les promesses[33].
Mais la deuxième fois que le terme apparaît, c'est dans ce que Straub appelle l'application[34] (v.17: "voici donc ma pensée"). Il s'agit cette fois bel et bien de la διαθήκη/BERITH promulguée par Dieu. Nous aurions tendance à traduire "une alliance". Mais ce sens ne se prête pas au contexte. En effet, dans ce verset également, Paul reste dans le domaine du droit successoral, comme l'atteste une fois de plus le vocabulaire choisi: προκυρόω (établir dans des formes valables, "en règle", verbe ici précédé d'une particule exprimant l'antériorité de l'action par rapport à une autre action mentionnée dans le contexte[35]), ἀκυρόω (invalider, abroger). Cela signifie que pour désigner l'alliance de Dieu, Paul se sert encore une fois du terme διαθήκη pris dans son sens de "testament", c'est à dire dans un sens "métaphorique", par rapport au sens que l'on aurait attendu dans ce contexte. La διαθήκη/BERITH, il accepte de la "voir comme" une διαθήκη/testament. Ici encore, il y a donc jeu du double-sens. Cependant il faut préciser que Paul demeure, ici aussi, conscient du fait qu'il s'exprime encore en termes métaphoriques: en effet, à la fin du verset, il "traduit" tout de même en termes théologiques ce qu'il vient de dire métaphoriquement: "ce qui rendrait vaine la PROMESSE".

Avec Straub, nous avons appelé ce passage une "similitude". La manière dont elle est traitée dans ce contexte le montre

---

33. La Genèse "relate plusieurs récits de la promesse faite à Abraham" (BONNARD ad loc.). Il est donc inutile de chercher à savoir à quel épisode Paul fait ici allusion (SCHLIER: "Vor allem kommt der Text von Gen. 17,1ff in Frage...", ad loc. - p. 99).

34. STRAUB, p. 95s.

35. Sur ce préfixe: J.H. MOULTON & W.F. HOWARD: *A Grammar of N.T. Greek*, Vol. II, p. 322. Ce verbe est un hapax dans le N.T. Cf. W. BAUER: *Griechisch-Deutsches Wörterbuch zu den Schriften des N.T.* (...), 5e éd. rev. 1958/1963, col. 1404.

bien, cette similitude n'a qu'une seule "pointe", un seul point de contact avec le message que Paul veut lui faire porter: comme un testament humain, dans quelque droit que ce soit[36], la promesse de Dieu est immuable. Personne (d'autre que le testateur, cela va de soi[37]) ne peut rien y changer. Cette similitude, Paul l'applique strictement aux rapports entre la promesse et la loi: la promesse, "c'est" le testament, promulgué valablement par Dieu, 430 ans avant que la loi fût donnée à Moïse. Or la loi, selon la tradition tenue par Paul, a été transmise à Israël par des anges (δι'ἀγγέλων), représentés par un médiateur, ou porte-parole (μεσίτης), auprès du porte-parole d'Israël - Moïse[38]. Aucun autre

---

36. Ainsi STRAUB, p. 95(s), note 3. En tous les cas, rien n'indique dans le contexte que Paul se soit référé spécifiquement au droit romain (LOHMEYER, DIATHEKE p. 137, note 2, contre CONRAT, art. cit. passim). De même, il paraît difficile de voir ici une allusion technique à une institution précise du droit juif (la MATTHANA BARI ou disposition testamentaire d'un homme sain d'esprit), comme le fait E. BAMMEL: "Gottes ΔΙΑΘΗΚΗ (Gal. III.15-17) und das jüdische Rechtsdenken", in NTSt 6 (1959/60), p. 313-319, suivi par MUSSNER ad loc.

37. Ainsi LIETZMANN et SCHLIER ad loc. Dans le cas envisagé par BAMMEL et MUSSNER (note précédente), le testateur lui-même serait inclus dans ce "personne" (cf. MUSSNER ad loc., p. 236, note 124).

38. Qui est le "médiateur"? Cette question a intrigué et divisé les exégètes. On compte plus de 400 interprétations de ces deux versets. Bibliographie dans le commentaire de A. OEPKE: *Der Brief an die Galater*, Berlin, 2e éd. 1957 (ThHK), ad loc., compléments chez MUSSNER ad loc. Notre explication présuppose que nous acceptons l'interprétation de A. VANHOYE: "Un médiateur des anges en Ga 3,19-20" in *Biblica* 59 (1978), p. 403-411: Comme l'a fait remarquer OEPKE, le "médiateur" est celui par qui les anges ont donné la loi. Est-ce possible que ce médiateur soit Moïse? Après avoir rendu attentif à 2 Sam. 17,4.23, épisode dans lequel Goliath est le "médiateur" des Philistins (étant entendu qu'il défie les Israélites de lui opposer leur médiateur), A. VANHOYE établit le parallélisme entre notre texte et le discours d'Etienne en Actes 7. Les Israélites ont reçu la loi "promulguée par des anges" (v.53). Quand il est (fin de la note, p. suivante)

élément de la similitude n'est exploité: Paul n'allégorise pas, et il n'y a donc pas de raison d'affirmer que la comparaison est boiteuse, parce que tous les éléments ne se laissent pas appliquer à la "réalité" que Paul veut exprimer[39], comme par exemple le fait que le testateur doit mourir pour que sa promesse se réalise, et que l'héritage soit attribué à ses héritiers.

Dans ce contexte, Paul utilise encore un autre terme tiré du droit successoral: l'héritage. Une fois de plus, il y a jeu sur un double-sens d'un mot. En effet, κληρονομία, l'héritage, était un terme technique désignant couramment, et sans que l'on soit particulièrement sensible à cette connotation "successorale", les biens du siècle à venir[40]. Ce n'est

(suite de la note 38)
question, non plus des collectivités (les anges, le peuple), mais de médiation, le discours d'Etienne met en scène deux personnages: Moïse d'une part, "l'ange" d'autre part (v.38); l'article défini montre que l'ange est une grandeur bien connue, que VANHOYE, d'ailleurs retrouve dans les Jubilés, dans le Test. de Dan (VI,2) et chez Philon (voir ses notes 10 à 13).
Notre texte ne parle donc que de ce qui s'est passé du côté de Dieu, dans le don de la loi (ce n'est pas Dieu qui a promulgué la loi, mais les anges, par l'entremise d'un ange-médiateur); le côté humain (la réception, par Moïse, au nom du peuple d'Israël) demeure implicite (voir schémas p. 407s, corrigeant le schéma de MUSSNER ad loc., p. 249).

39. STRAUB (p. 96) contre LIETZMANN ad loc. Cette remarque vaudrait également contre SCHOEPS, op. cit. p. 230 ("schiefes Bild").

40. La LXX traduit par κληρονομία - κληρονομέω des mots hébreux de deux racines: ירש - נחל. Dans la première racine, il semble que la connotation "hériter" soit originelle, bien qu'elle ait disparu dans de nombreux cas (cf. H.H. SCHMID ad voc. in ThHAT I, col. 778-781), alors que la signification première de נחל doit être vue dans la cession de propriété, quelle qu'elle soit. "La terre" (Canaan) est un don promis à Abraham et à sa descendance; elle ne deviendra "héritage" qui se transmet de génération en génération que quand Israël sera entré en possession du pays de la promesse (Cf. J.
(fin de la note, p. suivante)

guère que dans ce contexte, et du fait de l'accumulation des termes de droit successoral, qu'il retrouve cette coloration et qu'il fait image, pour désigner le contenu de la promesse[41].

(e) Mais cette promesse est faite à Abraham "et à sa descendance" (v.16). Cette notation détermine la seconde ligne qui court tout au long de ce passage. Nous devons donc maintenant nous arrêter à cette deuxième perspective, celle de la "descendance" d'Abraham.

Nous l'avons vu, Paul a posé la thèse: les croyants, fussent-ils païens, sont fils d'Abraham (v.7), et dans cette phrase, "fils" a évidemment le sens extensif (mais pas "figuré") de "descendance". Ici, Paul entre dans les détails, et pose

---

(suite de la note 40)
HERRMANN in ThWNT III, art. κλῆρος etc. AT: p. 768-775). C'est cette seconde racine que traduisent les mots de la famille de κληρονομέω dans la plupart des cas. C'est dire que la traduction grecque a introduit implicitement le trait de la "succession" dans des contextes où il était absent de l'hébreu, mais qu'inversement un usage répété des termes de cette famille grecque a eu pour effet d'élargir la compréhension de ces concepts à des connotations de type non successoral. Voir W. FOERSTER in ThWNT III ad voc., notamment p. 776 et note 17, de même que G. WANKE in ThHAT II ad voc., col. 55-59.
Quant à notre contexte, on remarquera que les textes de la Genèse, dans leur traduction grecque, ont contribué à la concrétisation de l'image du "testament": ces textes font largement usage du terme διαθήκη; ils incluent la "descendance d'Abraham" dans la promesse, et ils contiennent même parfois le verbe κληρονομεῖν (Gen.22,17); cf. MUSSNER ad 3,16 (p. 237s) et déjà L. CERFAUX: *L'itinéraire spirituel de Saint Paul*, Paris 1966, p. 97s et *Le chrétien dans la théologie paulinienne*, Paris 1962, p. 395-406.

41. Dans notre contexte, Paul utilise ἐπαγγελία dans deux sens: la promesse (3,16.17.18.21.29) et ce qui a été promis (v.14.22). Dans ce dernier cas, BAUER (Wörterbuch... col. 555) considère l'attribution à l'une ou à l'autre de ces catégories comme incertaine, ce qui nous paraît peu compréhensible, en fonction du contexte (ἵνα ἡ ἐπαγγελία ... δοθῇ). Voir aussi J. SCHNIEWIND & G. FRIEDRICH in ThWNT II, art. ἐπαγγέλλω etc., p. 573-583 et notamment 573,20ss et 580,10-25.

implicitement la question: Pour qui vaut la promesse (v.16), ce "testament" de Dieu (v.15) ? Les promesses - car Dieu s'est exprimé plusieurs fois, et il serait vain de chercher à savoir à quel épisode Paul fait allusion ici - Dieu les a faites à Abraham, mais régulièrement, la réalisation de la promesse était future; elle s'attachait à la descendance d'Abraham.

Aussi bien que l'hébreu זרע, le grec σπέρμα signifie "semence", et par extension, ce qui est issu de la semence humaine: la descendance - en général dans un sens collectif[42], qui est de règle également quand Paul se sert de ce mot, tant en Gal. (3,29) qu'ailleurs (p. ex.: Rom. 4,16; 2 Cor. 11,22). Pour mener à bien sa démonstration, il prend appui sur cette particularité grammaticale et, recourant à une méthode familière aux rabbins[43], il spécule sur ce singulier: Dieu n'a pas dit: "...et à tes descendants" (litt.: "tes semences"), "comme s'il s'agissait de plusieurs", "mais c'est d'une seule qu'il s'agit: 'et à ta descendance'..." (Gen.13,15; 17,7; cf. 12,7; 24,7). Dans son argumentation, Paul ne se conduit pas de manière purement arbitraire. Avant tout, on notera que la descendance d'Abraham, c'est d'abord un seul homme, Isaac, et à sa naissance, Abraham doit chasser Ismaël car, dit Sara, "il ne doit pas hériter avec mon fils Isaac" (Gen. 21,10). Exigence que Dieu confirme (v.12s). C'est Isaac qui "portera le nom" d'Abraham, et c'est donc

---

42. Voir G. QUELL et S. SCHULZ in ThWNT VII ad voc., p. 537-547.

43. Exemples d'exégèses rabbiniques tenant compte littéralement du nombre (gramm.) d'un mot: J. BONSIRVEN: *Textes rabbiniques des deux premiers siècles...*, Rome 1954, cf. Index ad "Exégèses" - "littérales" - "(tenant compte) du nombre" (p. 728). Traitement détaillé de notre contexte chez D. DAUBE: *The New Testament and Rabbinic Judaism*, London 1956, p. 438-444 ("The Interpretation of a Generic Singular"); voir également Chr. DIETZFELBINGER: *Paulus und das A.T.*, München 1961 (ThEx 95), p. 23 et note 65.

par lui que la bénédiction se transmettra (cf. Gen. 12,2-3). On ne s'étonne donc pas de voir un théologien comme Philon attacher à la figure d'Isaac tout un ensemble de spéculations que nous appellerions "eschatologiques", si elles n'étaient pas transposées dans l'intemporalité de l'idéalisme platonicien propre à la théologie de ce contemporain de Paul[44]. On ne trouve pas trace de ce genre précis de spéculations chez Paul (au point que l'on puisse dire qu'il "démarque" Philon). En revanche, il est évident qu'à la racine de ce raisonnement sur l'unicité du "descendant", il y a une conception messianique dont Paul n'a pas l'exclusivité: c'est le Messie qui apportera la réalisation de la promesse. Ainsi, déjà Jérémie avait transposé la promesse à Abraham sur la descendance de David (33,22, avec une allusion claire à Gen. 15,5; 22,17), et les cantiques du Serviteur en faisaient autant au profit de cette figure eschatologique (Es. 53,10)[45]. Ainsi pour Paul, cet "un" sur qui se concentre la promesse, c'est le Christ (v.16), c'est lui, cette descendance (ou ce descendant) qui devait venir (v.19).

Mais Paul ne joue pas le sens singulier du terme "descendance" contre son sens collectif. Si le Messie est "la" descendance promise, la promesse divine qui se réalise en lui n'en reste pas moins destinée au peuple messianique. C'est la raison pour laquelle, après ce rétrécissement de la "descendance" sur la seule personne du Christ, Paul revient à la signification collective de σπέρμα (v.29). Mais il ne le fait pas n'importe comment: il est important à ses yeux que l'unicité soit sauvegardée: il y a un seul Dieu, auteur de la promesse (v.20); de même, il n'y aura qu'une descendance, et on ne peut en faire partie qu'en union avec cet

44. A. JAUBERT, p. 419-425.
45. MUSSNER, ad loc. (p. 239).

"un" qu'est le Christ (ἐν Χριστῷ[46]). D'où l'expression frappante: "car tous, vous n'êtes qu'un (masc. sgl.) en Jésus-Christ" (v.28)[47].

En première analyse, nous nous sommes servi des expressions "terme propre", "terme figuré". Nous découvrons qu'une catégorie nouvelle vient transcender ces catégories portant uniquement sur l'usage commun des termes: Du point de vue théologique, Jésus, le Christ, est celui à qui s'applique à proprement parler (ou "par excellence") la désignation "descendance d'Abraham". Dès lors, il n'y a de vraie descendance d'Abraham qu'en Christ. Ce sont les croyants qui sont, "en Christ", descendance d'Abraham. Mais ils le sont en un sens "dérivé", fussent-ils par nature d'ascendance juive, et donc, "selon la chair", descendants d'Abraham.

(f) "Testament", "héritage", "descendance": ces termes appartiennent tous à la catégorie des images tirées du droit successoral. Cette constatation ne doit cependant pas nous égarer: les deux "lignes" que nous avons distinguées dans ce texte, et que nous avons traitées dans deux subdivisions séparées, se situent sur deux plans différents. En effet, la première ligne, celle de la promesse-testament qui donne accès à l'héritage, a Dieu pour sujet: c'est Dieu qui est le "testateur". En revanche, en suivant la deuxième ligne, on découvre que la promesse/testament a été "libellée" en

---

46. Dans l'abondante littérature consacrée à l'expression ἐν Χριστῷ, depuis A. DEISSMANN (Marburg 1892), voir F. NEUGEBAUER: *In Christus* -'Εν Χριστῷ, Göttingen 1961, p. 172s, M. BOUTTIER: *En Christ*, Paris 1962, p. 36, 94, 139, et, du même: *La condition chrétienne selon saint Paul* Genève 1964, p. 38-40. W. KRAMER: *Christos - Kyrios - Gottessohn*, Zürich 1963 est ici (p. 139-144) largement dépendant de NEUGEBAUER.

47. La notion d'unicité joue donc un rôle tout au long de la péricope, comme le montre V. STOLLE: "Die Eins in Gal. 3,15-29" in *Theokratia*, Mélanges K.H. RENGSTORF, vol. II, Leiden 1973, p. 204-213.

faveur de la descendance... d'Abraham: un thème qui n'a pas été suscité par l'image du "testament", mais qui est né, hors de tout contexte métaphorique, de la méditation de l'Ecriture (Abraham et sa descendance), écho logique du thème-programme de cette péricope, tel qu'il est formulé au v. 7: "les fils d'Abraham". Ainsi, seule cette "deuxième ligne" s'inscrit à proprement parler dans la chaîne de la "famille d'Abraham". La première constitue déjà une préparation à la deuxième chaîne: "la famille de Dieu".
Ces deux lignes convergent dans le v.29:
"et si vous appartenez au Christ, c'est donc que vous êtes
la descendance d'Abraham;
selon la promesse, vous êtes *héritiers*".

La fine pointe de l'ensemble du raisonnement que constituent ces versets 15-29 consiste précisément dans cette convergence, qui permet d'établir la pertinence d'un mot dont Paul va pouvoir se servir dès le début du chap. 4: κληρονόμος, l'héritier (de Dieu).

Dans la littérature[48], il semble que l'on n'est pas toujours assez sensible au fait que ce thème de "l'héritier" n'a pas le même statut que le verbe "hériter" ou le substantif "héritage". En effet, nous constatons que c'est la première fois que Paul se sert du mot κληρονόμος, non seulement dans l'épître aux Galates, mais bien dans l'ensemble de sa corres-

48. P. ex. LOHMEYER, Diatheke, p. 140; et surtout O. MICHEL, comm. ad Rom. 4,13 (p. 105): "Pls spricht in Röm 4,13 von der Verheissung, dass Abraham Erbe der Welt wird (Sir 44,21)". En Sir. 44,21, la promesse est précisément formulée de manière verbale: κατακληρονομῆσαι. Par rapport à la LXX et à la littérature antérieure à Paul, l'usage du substantif κληρονόμος dans ce contexte eschatologique est une nouveauté. Voir également plus bas: II/11 (d).

pondance[49]. De plus, si l'on fait abstraction de la parabole des vignerons homicides (Mc 12,1-12 et par.[50]: les vignerons appellent le fils du propriétaire: "l'héritier"), dont on a fait parfois dépendre toute la théologie néotestamentaire de l'héritage[51], la métaphore de "l'héritier" est totalement absente de la littérature juive et chrétienne antique, dans le sens que nous rencontrons ici[52]. Une seule exception: Philon, qui applique ce titre à Isaac, figure du sage par excellence. Il faudrait postuler une dépendance entre Philon et Paul, pour affirmer que Paul ne se sert pas, ici, d'une métaphore neuve[53], en désignant les croyants comme les "héritiers" des biens eschatologiques, selon la promesse.

---

49. A moins que l'on postule l'antériorité de Rom. par rapport à Gal., ce qu'aucun auteur ne propose, à notre connaissance. Voir pourtant cette formulation de KUEHL ad Rom 8,12-17: "...so haben wir uns an V. 14 zu halten, wozu wiederum Gal. 4,6 einen authentischen Kommentar liefert, dessen wir uns umso sicherer bedienen dürfen, als auch Gal. 4,7 mit Röm. 8,16.17. parallel läuft" (comm., 1913, p. 282). Le parallélisme antithétique avec la phrase de LIETZMANN, citée plus haut note 2 est-il voulu ou fortuit?

50. Voir récemment: M. HUBAUT: *La parabole des vignerons homicides*, Paris 1976. Pour le trait de l'héritier: p. 46-50.

51. Ainsi W. FOERSTER in ThWNT III, p. 781.

52. Pour l'A.T. et la LXX, cf. FOERSTER, art. cit. p. 776. Dans les écrits retenus par J.B. BAUER: *Index verborum in libris Pseudepigraphis usurpatorum* (appendice à la réédition de C.A. WAHL: *Clavis librorum Veteris Testamenti Apocryphorum philologica*, Leipzig 1853), Graz 1972, seuls deux textes pourraient entrer en ligne de compte: Ps. Sal. 8,11(12) - une variante dont le sens est peu clair (voir R.H. CHARLES: *Pseudepigrapha*, Oxford 1913, ad loc.) - et Apoc. Sedrach 6,2 (Adam, héritier de la terre). Ce mot est totalement absent des Testaments des 12 Patriarches (cf. Index de l'édition de R.H. CHARLES, Oxford 1908, rééd. Darmstadt 1966), comme aussi de la Lettre d'Aristée (Index dans l'édition de A. PELLETIER, Paris 1962) et du roman alexandrin "Joseph et Aseneth" (Index dans l'édition de M. PHILONENKO, Leiden 1968).

53. Note 53: page suivante

II/11 La famille d'Abraham en Romains 4

(a) En Gal. 3,6-7, Paul pose d'emblée la thèse-programme, qui donnera le ton à l'ensemble du passage: les fils d'Abraham, ce sont les croyants. De même, en Rom. 4, le thème est indiqué dès le premier verset, et l'ensemble du chapitre le développera sous ses divers aspects: Abraham, notre père.

Ce qui était implicite en Gal. 3, par le jeu du double-sens, devient explicite en Rom. 4; ce qui était esquissé, dans le transfert métaphorique, en Gal. 3, est développé théologiquement en Rom. 4, et Paul y montre comment il se fait qu'Abraham ne soit pas seulement le père des Juifs, mais aussi le "père" de tous les croyants.

---

53. Pour PHILON, en particulier dans son traité de *L'Héritier des choses divines*, l'héritier, c'est le sage, dont Isaac est la personnification parfaite. Cf. A. JAUBERT, op. cit., p. 414-425. On est assez loin de Paul et de sa théologie. Il y a certes de nombreux parallélismes entre Paul et son contemporain alexandrin, et de grandes analogies, en particulier, dans leurs méthodes exégétiques. Il faut les expliquer par une dépendance commune de traditions antérieures, rabbiniques ou hellénistiques.
Les tentatives qui ont été entreprises pour établir qu'il y aurait eu des rapports plus étroits entre Paul et Philon sont peu convaincantes (p. ex. H. VOLLMER: *Die alttestamentlichen Citate bei Paulus*, Freiburg i.Br. 1895, p. 84-98; ou O. MICHEL: *Paulus und seine Bibel*, Gütersloh 1929, p. 103-111 - moins péremptoire que VOLLMER; cf. à ce sujet SCHOEPS, op. cit. p. 21). Voir aussi Ed. MEYER: *Ursprung und Anfänge des Christentums*, vol. II, 4e-5e éd., Stuttgart 1925 (rééd. Darmstadt 1962), p. 346-349. De même, dans les pages qu'il consacre aux deux Adam, W.D. DAVIES explique les affinités entre Philon et Paul par une chaîne de tradition (les Corinthiens avaient-ils parmi eux des Philoniens, à qui Paul fait une sorte de concession, dans l'ordre du vocabulaire?) plutôt que par une influence directe (*Paul and Rabbinic Judaism*, London 1965, p. 52).

(b) En Rom. 4, les versets 1-8 jouent le même rôle qu'en Gal. 3, les versets 6-9: ils introduisent le sujet qui, en une série de variations, sera développé tout au long de la péricope. Dans l'expression "les croyants, fils d'Abraham", nous avons découvert toute la tension due à l'emprunt d'un titre que les Juifs s'attribuaient en exclusivité, pour l'appliquer, non plus aux seuls Juifs, mais à tous les croyants (fussent-ils païens). La polémique attachée à la revendication de ce titre était implicite: elle résidait avant tout dans l'emprunt lui-même. En Rom. 4, Paul affronte le problème directement, en se plaçant lui-même dans la position du Juif qui se considère comme un bon fils d'Abraham: "Que dirons-nous donc d'Abraham, notre ancêtre[54] selon la chair? qu'a-t-il obtenu?"[55] C'est en vertu de sa foi

54. Le texte de ce verset présente plusieurs problèmes importants de critique textuelle (voir aussi note suivante). Est-ce à dire qu'il soit irrémédiablement corrompu, comme F.J. LEENHARDT (*L'Epître de St Paul aux Romains*, Neuchâtel 1957 - CNT VI - ad loc., p. 67, note 3) l'accorde à R. BULTMANN (ThWNT III, art. καυχάομαι, p. 649, note 36) ?
Certains manuscrits tardifs ont πατέρα et non προπάτορα. On peut considérer comme plus vraisemblable une substitution du premier au second que l'inverse. En effet, προπάτωρ ne se trouve nulle part ailleurs dans le N.T., et une seule fois dans la LXX (III Macc. 2,21). Il est logique que certains copistes l'aient remplacé par πατήρ, qui désigne traditionnellement Abraham, dans le N.T. comme dans le judaïsme contemporain du N.T. (ainsi B.M. METZGER: *A textual commentary on the Greek New Testament*, London, New York 1971, p. 510).
55. La place de εὑρηκέναι n'est pas constante dans la tradition textuelle. Avec F.J. LEENHARDT (commentaire, dans sa traduction, p. 67 - mais plus nuancé dans sa note 3), on pourrait être tenté de considérer que le verbe est une adjonction postérieure (il manque chez Origène et quelques autres témoins). Mais sans verbe, la phrase est tout à fait compréhensible. On se demande donc pourquoi on aurait ajouté ce verbe (toujours le même!) à deux ou trois endroits différents, alors que la chute de εὑρηκέναι après ἐροῦμεν s'explique du fait de leur ressemblance formelle. Aussi bien la qualité des témoins du texte que la logique interne du passage recommande la leçon qu'avec METZGER (p. 509) nous avons retenue: τί οὖν ἐροῦμεν εὑρηκέναι 'Αβρ.

(v.3, citant Gen. 15,6, comme Gal. 3,6), et non en vertu de ses oeuvres (v.4), qu'il a été justifié par le Dieu qui justifie l'impie (v.5) et qui n'impute[56] pas sa faute au pécheur (v. 6-8, citant Ps. 32,1-2).

En deux phases distinctes, mais qui s'enchaînent l'une à l'autre, Paul va montrer les conséquences qu'il tire de cette thèse, tout d'abord à la lumière de la distinction juive entre circoncis et incirconcis, déjà introduite en 3,30 (v. 9-12), puis dans sa terminologie théologique propre (v. 13-17a)[57] - le couple antithétique "promesse/loi".

(c) Quand on regarde le texte sous l'angle des thèmes de la famille, on constate que Paul procède par étapes clairement définies. Dans ce que nous avons appelé la première phase de son raisonnement, il introduit et développe la notion de "père". Plus précisément, il répond à la question: De qui Abraham est-il le père?

Pour les Juifs, nous y avons fait allusion plus haut dans notre explication de Gal. 3,6-9[58], la réponse était claire: Ce sont les Juifs, les circoncis, qui ont le droit de dire: "Abraham, notre père"[59]. Tout au plus peut-on avancer qu'Abraham, choisi et appelé par Dieu (Gen. 12) avant sa circoncision (Gen. 17,9ss) est le prototype, le "père" des prosé-

56. Ne pas imputer (λογίζεσθαι) sa faute au pécheur, cela revient à lui "imputer" la justice: Paul a choisi ces versets du Ps.32 pour ce verbe, qui fait écho au verbe de la citation de Gen. 15,6: ἐλογίσθη αὐτῷ εἰς δικαιοσύνην.

57. En cela nous suivons U. LUZ, Geschichtsverständnis, p. 176 et note 157.

58. Supra, II/10 (b).

59. Références rabbiniques chez BILLERBECK ad Mt 3,9(A): vol. I, p. 116-121.

lytes[60]. Paul est beaucoup plus radical: Abraham est le père des croyants, même incirconcis (v. 11), car la circoncision n'est que le signe d'une justice qu'il avait reçue par la foi, alors qu'il était encore incirconcis; et père des circoncis, il l'est, bien sûr, mais pas en vertu de la seule circoncision, car pour pouvoir revendiquer Abraham pour son père, il faut encore (v. 12) "marcher sur les traces" d'Abraham, c'est à dire croire, comme Abraham dès "avant sa circoncision". Ainsi donc, Abraham est bien le père "de tous les croyants" (v. 11).

Du point de vue de la symbolique familiale, l'expression "Abraham, père de..." doit être prise dans le sens le plus large possible: non pas seulement "par extension", dans le sens de "ancêtre", mais dans une acception nettement métaphorique, dans la tension typique à la métaphore: Abraham est le "père" de tous les croyants - même de ceux dont il n'est pas le père (l'ancêtre). Dans l'expression "Abraham, père de tous les croyants", Paul retient de l'idée de "père" ("par extension", c'est à dire "ancêtre") le trait "premier d'une lignée"; mais cette lignée est "spirituelle": pour lui appartenir, il n'est pas nécessaire (v. 11) mais il ne suffit pas non plus (v. 12) d'appartenir à la descendance d'Abraham, ni même de porter dans son corps la marque de l'alliance d'Abraham, la circoncision; la condition nécessaire et suffisante, pour appartenir à cette "lignée", c'est la foi. Mais de fait, formuler ainsi ce critère nouveau, c'est procéder à un raccourci, par rapport à l'expression paulinienne. En effet Paul écrit, nous l'avons vu: ceux "qui marchent aussi sur les traces de la foi de notre père Abraham" (v. 12). Le critère nouveau est un trait que nous

---

60. Voir BILLERBECK, III, p. 203 (ad Rom. 4,11) et p. 195 (rem. λ ad Rom. 4,2s). Voir aussi son excursus 3: "Das Beschneidungsgebot", Vol. IV/1, p. 22-40, en part. p. 32s (litt. c - d).

rencontrerons encore plusieurs fois dans les relations entre père et fils: le fils fait ce qu'il voit faire à son père (cf. Jn 5,19 - à propos de Jésus, le Fils), il calque ses actes sur ceux de son père (cf. Jn 8,39 - à propos des Juifs qui se targuent d'avoir Abraham pour père); c'est dire que l'expression "marcher sur les traces d'Abraham" est ici un équivalent du thème de "l'imitation"[61].

(d) Dans la deuxième phase de l'argumentation (v. 13-17a), Paul reprend alors le problème par l'autre bout. Si Abraham est le père de tous les croyants, cela implique une vision nouvelle de la "descendance" d'Abraham, en faveur de qui doit se réaliser la promesse, selon les textes de la Genèse. Nous retrouvons ici le terme σπέρμα, dans son sens collectif et, comme en Gal. 3,7 à propos des "fils d'Abraham"[62], dans l'acception la plus large possible du terme. L'enjeu ne s'exprime plus dans l'alternative "circoncision/incirconcision", mais, comme en Gal. 3,17-25, dans le couple antithétique "loi/promesse", et dans cet autre, qui est son pendant,

---

61. Références judaïques chez BILLERBECK, III, p. 204 et II, p. 524 (ad Jn 8,39). C'est dire que la rupture entre le motif de la "Nachfolge" et celui de l'imitation n'est pas aussi totale qu'on l'a parfois prétendu. Voir H.D. BETZ: *Nachfolge und Nachahmung Jesu Christi im Neuen Testament*, Tübingen 1967 (insiste sur la discontinuité, au niveau de la terminologie), mais aussi A. SCHULZ: *Suivre et imiter le Christ selon le N.T.* Paris 1966. Mais c'est dire aussi que l'on aurait tort de confiner ces notions dans l'étroit domaine des rapports entre maître et disciples. Elles ont aussi, et peut-être d'abord leur place dans le cadre des rapports entre père et fils. Dans son art. du ThWNT (IV, p.661-678), W. MICHAELIS est trop soucieux de prouver que, dans le N.T., la μίμησις n'est pas imitation mais obéissance, pour observer le contexte dans lequel il y est fait allusion. Sa remarque sur Eph. 5,1 (p. 674,23: "Befolgung des väterlichen Willens") ne mène donc à rien!

62. Cf. supra, II/10 (b).

"loi/foi": (οἱ) ἐκ νόμου/(ὁ/οἱ) ἐκ πίστεως (cf. Gal. 3,7ss[63]). La descendance d'Abraham ne peut se définir par (l'obéissance à) la loi, et ceci pour deux raisons, l'une qualitative, et l'autre quantitative.

La raison qualitative découle immédiatement des conclusions de la phase précédente: Abraham est le père des croyants. C'est à cause de sa foi, et non à cause de son obéissance à une loi que la promesse a été faite à Abraham - et à sa descendance (v. 13). Stipuler que l'on peut recevoir ce qui a été promis par un autre moyen que par la foi, ce serait invalider la promesse (v. 14); or la promesse est inébranlable, et elle ne saurait être supplantée par la loi, ni mise en cause par le fait qu'aucun homme n'est capable d'accomplir cette loi (v. 15, écho de Gal. 3,10.19). La promesse, dans son accomplissement comme quand elle fut prononcée, demeure un acte de pure grâce (v. 16).

Quant à la raison "quantitative" pour laquelle l'accomplissement de la promesse n'est pas lié à la loi, elle apparaît dans les versets 16-17. Par rapport au v. 13, qui contient la première allusion à la descendance d'Abraham, le v. 16 livre un élément nouveau, qui tient dans un mot: *toute* sa descendance": il s'agit que rien ne vienne limiter l'extension de ce terme. Ainsi le cercle des bénéficiaires de la promesse ne saurait être restreint à ceux qui ont reçu la loi et qui s'y tiennent (à supposer que cela soit possible: voir v. 15!). En effet, en mettant les choses au mieux, cela réduirait la postérité d'Abraham à un seul peuple: Israël, alors que, selon la promesse, Abraham devait être "le père

---

63. Cf. supra, II/10 (b) et note 18. Dans son commentaire à Rom. 4,14, E. KAESEMANN définit cette expression de manière analogue: "...bestimmt (...) vom Ursprung her die Zugehörigkeit zu einem Herrschaftsbereich" (p. 113).

d'un grand nombre de nations"[64] (Gen. 17,5; cf. Gal. 3,8.14, citant Gen. 12,3).
Ainsi, par le biais de la preuve scripturaire, Paul revient du thème de la "postérité" au thème premier de ce chapitre: le "père" (Abraham). En bonne logique, la notion de "descendance" a la même nature (métaphorique) et la même extension que celle de "paternité".

A ce niveau de l'argumentation, nous avions trouvé, dans l'épître aux Galates, deux "lignes" enchevêtrées; l'une développait, comme ici, la notion de "descendance d'Abraham", et l'autre, partant du double-sens de διαθήκη (alliance/testament), aboutissait à l'idée de "l'héritier" (3,29), qui faisait écho à la notion d'héritage (3,18), déjà traditionnelle. Si notre thèse du parallélisme des épîtres aux Galates et aux Romains est vraie, nous devons trouver ici une allusion à ce deuxième thème.
Notons tout d'abord que la notion d'alliance a disparu - et avec elle le jeu de mot et la comparaison du testament. Paul s'en tient ici à son vocabulaire théologique propre: il parle de la promesse (toujours au singulier), qu'il oppose à la loi.

En revanche on trouve dans ce passage des traces du thème de l'héritage. Il vaut la peine de montrer ici comment elles se présentent. Le substantif "héritage" (κληρονομία) n'apparaît plus, comme en Gal. 3,18. A sa place, Paul utilise deux fois κληρονόμος (héritier): en Rom. 4,13 et 14. Plus précisément, la périphrase τὸ κληρονόμον (...) εἶναι (κόσμου), qui signifie littéralement ..."d'être l'héritier du monde", (Rom.

---

64. TOB traduit par "peuples", alors que le grec a ἔθνη, terme technique désignant les peuples autres qu'Israël: les Gentils, les "païens". Nous conservons le terme "nations", réservant "peuple" à Israël (le λαός, selon un usage généralisé dans le N.T.). L'accent n'est donc pas sur πολλῶν, comme LEENHARDT semble l'indiquer, mais aussi et surtout sur ἔθνων.

4,13) est parallèle à (et prend la place de) κληρονομία en Gal. 3,18, comme on peut le montrer facilement:

Rom. 4,13	Rom. 4,14	Gal. 3,18
οὐ γὰρ διὰ νόμου	εἰ γὰρ οἱ ἐκ νόμου	εἰ γὰρ ἐκ νόμου
ἡ ἐπαγγελία		
τῷ 'Αβραὰμ		
ἢ τῷ σπέρματι		
αὐτοῦ,		
τὸ		
κληρονόμον	κληρονόμοι,	ἡ κληρονομία,
εἶναι κόσμου,		
ἀλλὰ διὰ	κεκένωται	οὐκέτι ἐξ
δικαιοσύνης		
πίστεως·	ἡ πίστις	
	καὶ κατήργηται	(cf. v. 17)
	ἡ ἐπαγγελία·	ἐπαγγελίας·

En Gal. 3,17-18, Paul base tout son raisonnement sur les actes de Dieu: le "testament/alliance", établi... la promesse, qui ne peut être abrogée par la loi... l'héritage, enfin, qui ne vient pas de la loi mais de la promesse. Des personnes (Abraham et sa descendance) il a déjà été question (v. 16), mais elles ne sont plus au premier plan. Le mouvement du discours est différent en Rom. 4,13: après deux substantifs désignant des personnes, Abraham et sa descendance, Paul est entraîné à demeurer dans cette perspective dans la suite de la phrase, et à envisager "l'héritage" sous l'angle de la personne qui le reçoit, alors même qu'il fait de toute évidence allusion aux textes de la Genèse (p. ex. 15,7: τὴν γῆν ταύτην κληρονομῆσαι) ou aux traditions qui l'interprètent (par ex. Sir.44,21: κατακληρονομῆσαι), textes dans lesquels la promesse est toujours formulée de manière verbale; ce qui l'amène à rester dans le même registre au v. 14: "si l'héritage vient de la loi..." (Gal. 3,18) devient "si ce sont les 'gens de la loi' qui sont héritiers..." (Rom. 4,14). Mais le sens est le même, et avec E. LOHMEYER[65] on se rend à l'évidence: ici comme dans la plupart des cas où les mots de la famille de κληρονομεῖν sont utilisés dans le Nouveau Testament comme dans la Septante, on chercherait en vain une connotation relevant du droit successoral. Comme κληρονομία et κληρονομεῖν, κληρονόμος a simplement le sens de "celui qui entrera en possession des biens eschatologiques promis". Il se range désormais dans la catégorie des termes techniques de l'eschatologie paulinienne[66], alors qu'à notre connaissance il n'en faisait pas partie avant l'épître aux Galates, nous l'avons vu[67].

(e) La dernière partie de Rom. 4 n'a plus grande importance pour notre propos. Revenant à son point de départ (4,3: la citation de Gen. 15,6), Paul tient à montrer encore qu'en croyant contre toute espérance à la promesse de Dieu, Abraham a eu la foi, dans le sens plein du terme, c'est à dire que l'on peut retrouver dans sa foi les traits constitutifs de la foi chrétienne (v. 18-19). Il est assurément le père des croyants, "devant (...) le Dieu qui fait vivre les morts et qui appelle à l'existence ce qui n'existe pas" (v. 17b); il est notre père à nous, qui croyons en "celui qui a ressuscité des morts Jésus notre Seigneur" (v. 24s)[68].

65. DIATHEKE... (supra, note 31), p. 140.

66. LOHMEYER l'a bien vu (loc. cit. supra), mais il fausse partiellement la perspective, en traitant d'abord de Rom. 4, puis seulement de Gal. 3-4. En renversant, dans l'examen des textes, l'ordre chronologique, il se prive de la perspective diachronique, qui lui permettrait d'être sensible, non seulement au caractère imagé des termes, mais aussi au devenir - et à la "mort" - de la métaphore.

67. Cf. supra, II/10 (f).

68. On a pu montrer en effet que ces versets contiennent des échos de confessions de la foi reçue par Paul ou les communautés pauliniennes. Voir K. WENGST: *Christologische Formeln und Lieder des Urchristentums*, Gütersloh 1972, p. 30s (Rom. 4,24) et 101-103 (Rom. 4,25).

La manière dont nous venons de paraphraser ces versets constitue cependant presque une surinterprétation, du point de vue de notre thème: "la famille d'Abraham". En effet, Paul s'exprime ici dans un vocabulaire théologique (à nouveau, la "promesse" joue un grand rôle, à côté de notions telles que la foi, l'incrédulité, la conviction absolue, l'espérance...). Les termes de "père" et de "descendance" n'apparaissent plus qu'une fois chacun, dans un rappel de citations de la Genèse, comme pour rassembler dans un "*finale*" tous les thèmes qui sont apparus au cours de l'exposé.

II/12 De la famille d'Abraham à la famille de Dieu en Gal. 3,6-29

(a) Gal. 3,6-29 a pour thème "les croyants, fils d'Abraham". Cela ne fait pour nous aucun doute. Mais, nous l'avons vu, on assiste en cours d'exposé à un déplacement du centre d'intérêt, et dès le v. 26, Paul pose la thèse: "Car tous, vous êtes, par la foi, fils de Dieu, en Jésus-Christ". Cela ne signifie pas que l'on ait abandonné la "chaîne" de la "famille d'Abraham" pour autant: la conclusion de la péricope n'intervient qu'au v. 29, et elle comporte ces deux notions corrélatives: la "descendance" (d'Abraham) et les "héritiers" (de la promesse faite à Abraham, présentée comme un "testament" de Dieu). Nous devons montrer quels facteurs se sont conjugués pour que Paul puisse introduire la notion de "croyants fils de Dieu", au sein même de cette péricope consacrée au thème des "fils d'Abraham".

(b) Nous avons traité séparément les deux lignes que nous avons distinguées en Gal. 3,15ss: le testament (de Dieu, qui fonde un "héritage"), et la "descendance" (d'Abraham, qui se trouve être bénéficiaire de cet héritage). Cette distinction nous a paru nécessaire pour la clarté de notre exposé; elle met en lumière la différence de statut de ces deux "lignes": d'un côté langage métaphorique et jeu sur le double-sens de διαθήκη (alliance/testament), et de l'autre spéculations théologiques sur une expression puisée à la tradition scripturaire (la descendance d'Abraham). Mais de fait, dans notre texte, Paul ne distingue ces deux lignes que pour mieux les faire converger. En effet, au seuil même de notre péricope, elles sont encore confondues, dans le v. 14, verset dans lequel Paul annonce d'emblée la couleur: ce n'est qu'en Jésus-Christ que les païens (14a) - que nous (14b) recevrons ce que Dieu avait promis à Abraham:

A ἵνα εἰς τὰ ἔθνη
B ἡ εὐλογία τοῦ Ἀβραὰμ γένηται
ἐν Χριστῷ Ἰησοῦ,
B' ἵνα τὴν ἐπαγγελίαν τοῦ πνεύματος
A' λάβωμεν διὰ τῆς πίστεως.

La promesse se concentre sur cet UNIQUE, le Christ, Jésus, pour mieux s'étendre à toutes les nations. D'où une double perspective: la perspective des destinataires de la bénédiction d'Abraham: la descendance, unique, Jésus-Christ[69], en qui les croyants peuvent être appelés "descendance d'Abraham", qu'ils soient Juifs ou non; et la perspective de la promesse, illustrée par l'exemple du testament, auquel répond la notion traditionnelle d'héritage; cette seconde

69. A notre sens, LIETZMANN (ad Gal. 3,16) exagère à tout le moins, quand il dépeint Paul dictant ses lettres dans la hâte causée par les idées qui se pressent et s'appellent mutuellement, dans une sorte de cataclysme indomptable ("stürmisch drängen und überstürzen sich die Gedanken, und nur mit Mühe kann der Apostel sie formen"). L'idée de la "descendance" UNE et non PLURIELLE ne lui vient pas tout à coup, comme un trait qu'il faut vite noter avant qu'il ne soit oublié. Elle fait partie d'un plan bien orchestré dès le v. 14. Voir également l'article de V. STOLLE, cité plus haut note 47.

perspective aboutit, nous l'avons vu, à l'introduction de la notion d'héritier. En bonne logique, la concentration christologique annoncée au v. 14 devrait conduire à la conclusion: l'héritier, c'est Jésus-Christ, et en lui seul tous les croyants. En raison du chassé-croisé des deux lignes (testament et descendance), la première partie de cette conclusion demeure implicite. Au moment où elle pourrait être exprimée, c'est σπέρμα (la descendance) qui a pris le relai, mais du fait que, selon la logique du texte, l'héritage est promis AU descendant d'Abraham qu'est le Christ, on n'aurait pas été étonné de voir Paul écrire, au v. 19, en termes métaphoriques: "en attendant la venue de l'HERITIER", au lieu de la périphrase théologique: "la descendance à laquelle était destinée la promesse". Cette idée est bel et bien sous-jacente au raisonnement de Paul dans ce texte; cela se trouve confirmé par la conclusion de la péricope: Ceux qui sont "à Christ" sont tout à la fois DESCENDANCE d'Abraham ET HERITIERS (v. 29). Ils le sont en Christ (cf. v. 26), ou avec lui, c'est à dire qu'ils sont "cohéritiers du Christ" (συγκληρονόμοι Χριστοῦ) - idée qui deviendra explicite en Rom. 8,17.

(c) Mais de quel droit Jésus est-il l'héritier? A lire les explications données par Paul, il l'est "par disposition testamentaire": c'est lui, le Christ, qui est le vrai, l'unique descendant d'Abraham, le bénéficiaire de la promesse, "l'héritier". Mais ici, à nouveau, des éléments implicites nous semblent avoir joué un rôle important: Jésus, le Christ, aux yeux de Paul, n'est pas seulement "fils d'Abraham". Il est aussi et avant tout le Fils de Dieu. En droit successoral, sans même qu'un testament ne soit nécessaire, le fils est l'héritier ("naturel") des biens de son père[70]. Paul doit avoir tenu un raisonnement

70. Cette distinction chez CONRAT, art. cit., p. 207s (voir plus haut note 16).

implicite de cet ordre, pour pouvoir affirmer à brûle-pourpoint: "vous êtes fils de Dieu, EN CHRIST" (v. 26), "Oui, vous tous qui avez été baptisés en Christ, vous avez revêtu Christ" (v. 27)[71]. Cette thèse, en effet, présuppose, comme une chose connue et admise, que le Christ est le Fils de Dieu, et enseigne que les croyants (les baptisés: cela revient au même!) sont à ce point unis au Christ que les attributs du Christ peuvent leur être appliqués:

26	A	πάντες γὰρ υἱοὶ θεοῦ ἐστε
	B	διὰ τῆς πίστεως
	Γ	ἐν Χριστῷ Ἰησοῦ.
27	Γ'	ὅσοι γὰρ εἰς Χριστὸν
	B'	ἐβαπτίσθητε,
	A'	Χριστὸν ἐνεδύσασθε·

---

71. Sur l'expression "revêtir le Christ", dans ce contexte, voir E. HAULOTTE: *Symbolique du vêtement selon la Bible*, Paris 1966, p. 213-221.
Le baptême et tout ce qu'il évoque pour Paul et la communauté primitive continuera de jouer un rôle dans l'ensemble de la péricope. Voir à ce sujet A. GRAIL: "Le baptême dans l'épître aux Galates (III,26-IV,7)" in RB 58 (1951), p. 503-520. Nous sommes ici vraisemblablement en présence d'un motif traditionnel de la parénèse baptismale, unissant divers aspects: être "en Christ", la foi, le don de l'Esprit, la qualité de "fils de Dieu". On en retrouve divers éléments en 1 Cor. 12,13, puis en Col. 3,9-11 et Eph. 6,8. Voir à ce sujet M. BOUTTIER: *La condition chrétienne...* (cité plus haut note 46), p. 52s; de même K. NIEDERWIMMER: *Der Begriff der Freiheit im N.T.*, Berlin 1966, p. 70, et déjà G. BRAUMANN: *Vorpaulinische christliche Taufverkündigung bei Paulus*, Stuttgart 1961, p. 24-25 et 64-65. Ainsi, la recherche récente prouve le bien-fondé de certaines intuitions de Alfred SEEBERG: *Der Katechismus der Urchristenheit*, Leipzig 1903, rééd. München 1966 (avec une introduction de Ferd. HAHN), notamment p. 176-178 (le "Sitz im Leben" du "catéchisme": le baptême).

Cette constatation nous conduit à préciser ce que nous esquissions dans la conclusion du paragraphe consacré à la "famille d'Abraham" en Gal. 3[72]. Le thème de l'héritage aurait pu être compris comme partie intégrante de la "chaîne" de la "famille d'Abraham". En effet, ce thème se rapporte bien à la promesse faite à Abraham et à sa descendance. Dans cette perspective, les croyants, Juifs ou païens seraient "héritiers" (de Dieu) en vertu du testament/alliance, et c'est bien ce que Paul ECRIT au v. 29: "héritiers, selon la promesse". Mais les versets 26-27 introduisent une nouvelle perspective. Les croyants ne sont pas seulement héritiers parce que leur foi au Christ, LA VRAIE descendance d'Abraham, les greffe sur l'arbre généalogique d'Abraham (cf. Rom. 11,16-24!), et fait d'eux des descendants "par extension" du patriarche; ils le sont aussi parce que leur union au Christ, le Fils de Dieu, fait d'eux des fils de Dieu[73], des "héritiers". Cette idée va être développée au chap. 4, mais elle est sous-jacente, à tout le moins à ces deux versets, 26 et 27. Dans ces deux versets, nous sommes déjà dans la chaîne de la "famille de Dieu".

(d) Nous venons d'écrire: "à tout le moins". En effet, dans ces deux versets, le titre de "fils de Dieu" est exprimé, et nous sommes donc obligés de les ranger dans la "chaîne" de la famille de Dieu. Mais nous devons être attentifs à la manière dont ils débutent: "Car tous, vous êtes, par la foi, fils de Dieu" (v. 26). En toute logique, cette phrase expli-

72. Voir plus haut II/10 (f).

73. Pour les rapports syntaxiques et théologiques entre "croire" et "en Christ", voir BONNARD ad loc. et note additionnelle, 2e éd., p. 153: notre analyse formelle du passage nous semble confirmer ses choix: conserver l'expression "dans le Christ Jésus", et lui donner une certaine autonomie grammaticale par rapport à "par la foi".
Sur l'attribution du titre de "fils de Dieu" en vertu de cette union au Christ, voir en part. MUSSNER ad 3,26.

que et fonde une affirmation qui l'a précédée: "nous ne sommes plus soumis à ce surveillant - car vous êtes tous fils de Dieu...". Selon les commentaires, cette conjonction établit une opposition entre "être soumis au surveillant" et "être fils", ce qui implique qu'il faut comprendre "fils" à la lumière de 4,1ss, comme le fils "majeur", par opposition au fils "mineur" (νήπιος), soumis à des esclaves et donc réduit à une condition qui le rend en tous points semblable à un esclave. Cette explication nous paraît juste, mais insuffisante. Elle ne tient pas assez compte du fait, parfois signalé, qu'il y a changement de la personne du verbe, entre les versets 25 et 26, c'est à dire une rupture, un arrêt dans la dictée, et comme un coup d'oeil rétrospectif; comme si Paul disait: "cela, je peux le dire parce que vous êtes tous fils de Dieu". On peut montrer que ce coup d'oeil en arrière englobe non seulement le v. 25, qu'il fonde logiquement, mais l'ensemble de l'image du "surveillant" (παιδαγωγός, v. 24-25).

Cela nous amène à nous arrêter aux versets 21 à 25, qui étaient jusqu'ici restés en-dehors de notre champ de vision. Au v. 21, Paul se demandait si la loi avait un rôle à ce point "positif", qu'elle "irait à l'encontre" des promesses ou leur ferait en quelque sorte concurrence (cf. Rom.4,13-15). La réponse était négative; mais cela aurait été le cas si la loi avait été à proprement parler une voie de salut, qui aurait eu "le pouvoir de faire vivre", de communiquer la "justice" (v. 21b). Mais la question demeure: Quel fut donc le rôle effectif de la loi? Paul ne la pose pas à nouveau, mais il y répond par une série d'images diverses, mais convergentes:

Le v. 22 évoque l'image d'une captivité; mais dans ce verset, seul un verbe est chargé d'un certain sens métaphorique: συνέκλεισεν ("l'Ecriture a tout soumis (...) dans une commune captivité"), verbe qui évoque l'idée de "fermer",

"enfermer" (dans un filet, une salle, une prison)[74].
Au v. 23, Paul se saisit de l'image et commence à la développer: "Avant la venue de la foi, nous étions gardés en captivité sous la loi...". Ces expressions impliquent (a) une reprise du thème "enfermer", ici sous la forme d'un participe: συγκλειόμενοι, puis (b) l'idée d'une garde, ou d'un geôlier surveillant les prisonniers (ἐφρουρούμεθα), et enfin (c) l'affirmation: ce surveillant, c'est la loi, qui de ce fait a acquis un pouvoir sur "nous" (en grec, cette relation de sujétion est exprimée par la préposition "sous": ὑπό). Mais ces deux versets semblent bien n'avoir constitué que les deux étapes d'une marche d'approche, préparant l'image plus développée que Paul introduit aux v. 24-25: l'image du "pédagogue". En effet, Paul commence le v. 24 par la locution "ainsi donc" (ὥστε), conjonction de conséquence, bien apte à annoncer la conclusion logique d'un développement[75]. Cela implique que, dans les v. 22-23, Paul livrait par avance à ses lecteurs la "raison" de l'image du "pédagogue", ou, parmi les connotations de ce mot, le trait qui lui paraît central: en se servant de la métaphore[76] du "pédagogue",

74. Voir LIDDELL & SCOTT ad voc. - Comp. également κλείω: fermer, et κλείς: la porte, puis: la clé.

75. Paul a-t-il jusqu'ici tâtonné, pour enfin trouver, au v. 24, une image apte à "exprimer sa pensée sur le rôle historique de la loi" (BONNARD)? Nous serions tenté de dire qu'aux v. 22-23, il a préparé ses lecteurs à l'image des v. 24-25.

76. STRAUB (op. cit. p. 55) présente l'image du "pédagogue" dans notre contexte comme une comparaison sans particule ("Vergleich ohne Partikel"). En effet, il considère comme comparaison tout énoncé dans lequel "das Bild neben die Sache tritt", alors que la métaphore est une comparaison abrégée ("abgekürzter Vergleich"), c'est à dire une expression dans laquelle "das Bild (...) kurzerhand an die Stelle des sachlichen Ausdrucks (tritt)" (p. 18). En cela il se met, au nom de critères formels, en désaccord même avec la rhétorique classique, pour laquelle "Achille est un lion" était une métaphore (par prédication), la comparaison comportant obligatoirement la particule. Voir encore récemment W. BUEHLMANN et K. SCHERER: *Stilfiguren der Bibel*, Freiburg (Schweiz) 1973, p. 64 et 65.

Paul invite ses lecteurs à voir la loi comme un surveillant intraitable, qui les tient dans une sorte de prison, les empêchant certes de faire trop de mal, mais supprimant du même coup leur liberté. N'être plus soumis au pédagogue, comme un enfant émancipé (image que Paul développera en 4,1-2), c'est être libre. L'image du "pédagogue" annonce donc les développements du chap. 4, notamment aux v. 3-5 (dans l'explication de la similitude des versets 1-2), et 7 (où la liberté que nous avons reçue comme "fils" est explicitement mise en contraste avec la servitude qui caractérisait notre état passé).

Implicitement, donc, la métaphore du "pédagogue" nous introduit dans un cycle d'images qui n'est plus celui de la "famille d'Abraham". Les notions qu'il évoque (les traits de son paradigme) font partie de la famille de Dieu: même si Paul n'allégorise pas, il peut être conscient du fait que, dans l'image, il doit y avoir un père de famille, qui a confié ses fils à un "pédagogue", pour les surveiller. - Ces fils sont actuellement dans une condition d'esclaves, mais le jour viendra où ils ne "seront plus soumis à ce surveillant"[77]: ils seront libres. A notre sens, c'est précisément la fonction logique de la conjonction "car", au v. 26, jointe au changement de la personne du verbe, que de rendre les lecteurs attentifs à ce qui s'est passé: depuis le moment où Paul se sert de la métaphore du "pédagogue", il est entré dans un nouveau cycle d'images (il a inauguré la seconde "chaîne"): le cycle de la "famille de Dieu", conformément auquel les lecteurs sont appelés à se "voir comme" des "fils de Dieu".

---

77. Certes, de nos jours, le mot "pédagogue" n'évoque plus le garde-chiourme un peu brutal qu'il était aux yeux des anciens, et peut-être aussi dans la réalité (voir les dictionnaires ad voc. et notamment le commentaire de OEPKE et ROHDE in ThHK ad loc.), mais au contraire, un maître d'école avisé. Mais traduire ce mot par "surveillant" (TOB) équivaut à accepter une perte sémantique qui nous paraît en définitive grave: le surveillant n'est pas un personnage du monde familial.

On objectera que, selon les v. 26-27, seule la foi (dont le baptême est le sceau) introduit dans la dignité de "fils de Dieu". Cet argument vaut pour la théologie (v.26s; cf. 4,5: υἱοθεσία! - adoption). Il ne vaut pas pour l'image: c'est "le fils" (mineur), l'héritier (4,1), qui est confié au "pédagogue". Même s'il est, concrètement, esclave, il est le fils, l'héritier.

II/13 La parabole de l'héritier mineur en Galates 4,1-5

La similitude (v. 1-2) et son application (v. 3-5)

(a) Paul reprend et développe[78] dans une "similitude"[79] quelques points déjà esquissés plus haut. Le mot-crochet est de toute évidence κληρονόμος (l'héritier), mais d'autres idées qui sont déjà apparues au chap. 3, dès le v. 22, vont être mises en valeur dans cette brève esquisse de l'histoire du salut[80].

---

78. La tournure λέγω δέ n'est pas adversative, comme le serait, p. ex. ἐγὼ δὲ λέγω; elle annonce bien plutôt une répétition de ce qui précède (BONNARD, cité également par MUSSNER ad loc.). A notre sens, il n'y a certes pas une "affirmation nouvelle" (BONNARD ad loc.), mais tout de même un développement plus ample des affirmations antérieures. Avec LIETZMANN, on pourra donc dire "erklärend und (...) weiterführend" ou, avec MUSSNER: "vertieft". C'est donc à juste titre que l'on se servira de 4,1-7 pour expliquer 3,23ss ou vice-versa (SCHLIER ad 4,1-7, p. 131).

79. Pour STRAUB, notre texte est le "Gleichnis Nr 28", traité en p. 96s.

80. Le caractère "historique" du passage est garanti par des expressions telles que ἐφ'ὅσον χρόνον, ὅτε, ὅτε δέ. L'expression "histoire du salut" appliquée à ce texte est empruntée à J.D. HESTER: "The 'Heir' and Heilsgeschichte: A Study of Galatians 4:1ff." in *OIKONOMIA - Heilsgeschichte als Thema der Theologie* (Festschrift CULLMANN), Hamburg 1967, p. 118-125. Nous mentionnerons ici également, du même auteur: *Paul's Concept of Inheritance. A Contribution to the Understanding of Heilsgeschichte*, Edinburgh 1968.

La similitude des v. 1-2 semble claire et parlante, au premier regard, et pourtant elle pose plusieurs problèmes qui demeurent controversés. Pour essayer de débrouiller ces questions, nous nous proposons de nous appuyer sur une présentation synoptique de la similitude et de son application (PLANCHE 11).

Formellement, nous constatons que Paul distingue très clairement l'image de son application: l'image occupe les deux premiers versets, et l'application commence au v. 3, par la formule οὕτως καὶ ἡμεῖς (ainsi, nous aussi). Cependant on peut montrer qu'au moment de passer à l'application, Paul ne s'est pas mis brusquement à adopter un "langage propre", spécifiquement théologique. Il a repris dans son discours "en termes propres" certains éléments de la similitude, qui reçoivent un statut de métaphores[81] (c'est pourquoi nous avons réparti le texte des versets 3-5 sur deux colonnes distinctes). Cela vaut en tous cas pour le terme de νήπιος (l'enfant mineur), mais cela peut être vrai aussi d'autres expressions, à un degré ou à un autre.

Inversement, on s'est demandé dans quelle mesure les besoins de la "chose à exprimer" s'étaient reflétés dans l'image, pour lui donner sa tournure définitive[82]. Le seul fait de parallélismes entre l'image et l'application ne suffit pas à prouver que l'image est artificiellement construite. Seule la manière dont s'agencent ces parallélismes, jointe à

81. Nous avons donc ici le même phénomène qu'en 3,17, où, dans l'application de la similitude, διαθήκη était repris en un sens métaphorique (testament), et non pas dans le sens théologique classique (alliance). Voir plus haut II/10 (d).

82. Ainsi SCHLIER ad 4,1: "Freilich ist auch er (sc. dieser Vergleich) wie der von 3,15ff. schon von dem zu erläuternden Sachverhalt konstruiert". En note (1, p. 132), il montre les éléments parallèles entre l'image et son application.

l'existence, dans l'application, de "trous" ou d'éléments nouveaux par rapport à la similitude, nous permettra de trancher de cette question.

(b) Nous sommes ici en présence d'une nouvelle image tirée du droit successoral. Si la note dominante de la similitude de 3,15ss était la succession par testament, ici, cette idée passe à tout le moins au second plan. L'héritier, c'est le fils, au point que l'on a pu dire que, pour Paul, ces deux notions apparaissent synonymes[83].

L'héritier, c'est "celui qui, après la mort d'un propriétaire, entre en possession de ses biens, appelés alors 'héritage'..."[84]. C'est pourquoi on postule que, dans cette image, le père est mort (élément qui ne se laisse guère appliquer à la "réalité" théologique que l'on veut exprimer). Mais les arguments que l'on avance pour étayer cette thèse ne nous paraissent pas tous probants. En soi, la définition que nous venons de citer est valable, mais seulement dans l'instant même où, le père étant mort, son fils entre en possession de ses biens. Ensuite, il devient à son tour propriétaire. Dans tous les autres cas, il faut choisir une autre définition de "l'héritier": c'est celui dont on sait que, soit par disposition testamentaire, soit, en l'absence d'un testament, "par nature", il héritera, après la mort de la personne dont il est question[85]. C'est ainsi que, dans le langage courant, même avant la mort de son père, un enfant

83. Ainsi W. KRAMER, Christos, p. 187. Récemment, A. SCHENKER a consacré un long article à cette dimension de la "filialité" dans la tradition biblique tout entière: "Gott als Vater - Söhne Gottes. Ein vernachlässigter Aspekt einer biblischen Metapher" in FZPhTh 25 (1978), p. 3-55. Pour notre contexte, notamment p. 23-25.

84. CONRAT, art. cit., p. 206.

85. Ainsi G. BERTRAM in ThWNT IV, art. νήπιος, p. 919,36ss.

peut être appelé son héritier[86]. Il nous semble donc qu'on ne peut inférer ni du terme d'héritier, ni de l'expression "lui qui est le maître (dans le sens de propriétaire) de tout" (v. 1), que le père est mort, au moment où est imaginée la similitude[87]. De même, il n'est pas sûr que l'on puisse tirer quoi que ce soit, à cet égard, de la mention des "administrateurs" (οἰκονόμοι) et des régisseurs (ἐπίτροποι). En effet, les premiers peuvent sans autre être les administrateurs des biens familiaux qui existaient dans les grandes familles, du vivant même du maître de maison[88], et les seconds ne sont pas nécessairement des "procuratores" au sens du droit successoral (des "exécuteurs testamentaires" chargés des droits d'un tuteur); il peut s'agir tout aussi bien de "surveillants"[89]. On aurait alors un équivalent approximatif de παιδαγωγός[90], et donc une allusion à 3,24s, et non, comme on l'admet parfois, une sorte de doublet de

---

86. La situation décrite par notre similitude (abstraction faite de la fixation par le père d'un âge pour la majorité) est si commune ("ein universalrechtlicher, ja geradezu naturrechtlicher Sachverhalt") que l'on aurait peine à déceler derrière l'image un droit positif précis (CONRAT, art. cit. p. 221s).
Nous avons dans les paraboles de Jésus de bons exemples de références à des situations semblables, présupposant que le fils est "par nature" l'héritier: La parabole des deux fils en Luc 15,11-32 (discussion récente de cet aspect de la parabole chez SCHENKER, art. cit. p. 21s), et la parabole des vignerons homicides (Mc 12,1-12 et par.), dans laquelle le fils est désigné (par les vignerons) comme l'héritier. Voir plus haut note 50, et SCHENKER, p. 18-21.

87. Ainsi HESTER, art. cit., p. 120 et notes 5-7. Cet auteur insiste sur le caractère eschatologique de l'héritage.

88. Voir O. MICHEL in ThWNT V, art. οἰκονόμος, p. 152s.

89. Cf. LIDDELL & SCOTT ad voc.

90. Selon un dialogue de PLATON (Lysis) cité déjà par LIETZMANN ad 4,1, le verbe ἐπιτρέπειν s'applique précisément (entre autres) à l'activité du παιδαγωγός et décrit la sujétion dans laquelle le père réduit (présent) volontairement son fils en le confiant à un "pédagogue".

οἰκονόμος[91]. Au niveau de l'image, le texte n'en serait que plus fort: cet enfant, qui est, en puissance, le maître et le propriétaire de tout, doit encore, jusqu'à sa majorité, obéir à des esclaves: il est esclave... au deuxième degré. Cependant un autre trait de l'image se comprendrait mieux si le père était mort, que s'il fallait se le représenter encore en vie: la disposition fixant d'avance l'âge de la majorité (προθεσμία). A en croire les spécialistes, le droit hellénistique, divers d'ailleurs d'un lieu à l'autre (et seul valable pour ceux qui n'étaient pas citoyens romains) ne fixait pas de date contraignante. C'est pourquoi on la trouve toujours spécifiée dans les testaments[92]. Il ne resterait alors plus qu'une manière de s'en tirer - si l'on tient absolument à ce que le père "ne soit pas mort" - c'est de considérer que la notion de "date fixée par le père" est étrangère à l'image elle-même, et qu'elle a été introduite, un peu comme un corps étranger, sous la pression du message que Paul voulait faire passer: c'est en effet en vertu d'une disposition du Père, Dieu, et non en fonction d'un processus de maturation propre à l'humanité, que "nous", les croyants, sommes passés de l'esclavage (de la loi) à la liberté des enfants de Dieu. On aurait alors une allusion à la πρόθεσις, au plan de Dieu[93]. Cet argument n'a cependant aucun appui dans le texte. En effet, dans l'application (v. 4), il

---

91. Ainsi également MICHEL, art. cit. note 88: p. 153,4-9.

92. O. EGER: "Rechtswörter und Rechtsbilder in den paulinischen Briefen" in ZNW 18 (1917-18) p. 84-108. Ici: p. 105-108. Autres réf. voir BERTRAM, art. cit. note 85: p. 919,34s et note 34. HESTER (cf. note 80), qui revient à l'hypothèse du droit romain, se place dans les plus grandes difficultés.

93. Ainsi (sans référence directe aux problèmes de la similitude), Ed. SCHWEIZER paraît considérer προθεσμία en 4,2 comme un équivalent de πρόθεσις ("doch ist der stärker juristische Ausdruck in Anpassung an das Bild gewählt"); c'est en faire un trait allégorique choisi par avance en fonction de ce qui allait suivre aux v. 4s (ThWNT VIII, art. υἱός, p. 385, note 357).

aurait été aisé à Paul de jouer sur les termes et d'introduire cette dernière notion: "quand vint la plénitude des temps, selon le plan de Dieu". Mais Paul ne le fait pas. Il faut donc bien considérer cette idée de "date fixée d'avance" comme un élément propre à la similitude, et que Paul n'exploite pas, du moins explicitement, pour son contenu "prédestinatien". En définitive, notre texte nous semble donc tout de même présenter le cas d'un homme qui, héritier ("par nature") des biens de son père, était encore mineur au moment de la mort de celui-ci. Une dispositon testamentaire fixait la date de sa majorité, c'est à dire de son émancipation par rapport au personnel chargé par son père de gérer sa fortune et de veiller à ce qu'il se conduise bien.

Cette brève revue de quelques problèmes que l'on s'est posés à propos de cette similitude nous permet de conclure que l'image ne doit aucun de ses éléments à une sorte d'allégorisation par anticipation. Mais, à notre sens, il importe peu que le père, dans l'image, soit vivant ou mort. En effet, il s'agit de la similitude de l'héritier, et non du testateur; et dans l'application également, l'intérêt est anthropologique ou sotériologique ("ainsi, nous aussi"), et non "théologique", et au moment où Paul fait intervenir Dieu comme acteur souverain, il ne se sert pas du nom de "Père", mais du substantif "Dieu" (ὁ θεός): Dans l'explication non plus, Paul n'allégorise pas, en appliquant trait pour trait la similitude à la "réalité" théologique visée[94].

94. BERTRAM, art. cit. plus haut: p. 919,36-38. Avec lui nous nous contenterions de constater qu'il n'est guère possible de déterminer à quel droit précis la situation décrite correspondrait exactement. A lire les travaux savants qui ont été écrits sur le droit dans les épîtres de Paul, on se demande parfois s'il faut s'imaginer Paul dictant ses épîtres, un "codex" de lois en mains!

(c) A la manière d'une parabole, la similitude doit être considérée dans son ensemble à la lumière de sa "pointe". Or cette pointe apparaît clairement aussi bien dans la similitude que dans son application: Dans la similitude, Paul insiste sur les traits décrivant la servitude de l'héritier: "il ne diffère en rien d'un esclave (...)[95], il est soumis à des régisseurs, etc.". De même, dans l'application: "nous étions asservis, soumis aux éléments du monde" (v. 3); aux v. 4-5 enfin, quand Paul développe son idée en élargissant la perspective à la christologie ("Dieu a envoyé son Fils"), c'est encore une fois cet aspect de la soumission à une force supérieure (ὑπό), la loi - comme en Gal. 3 - qu'il met deux fois en valeur, annonçant ainsi sa conclusion du v. 7: "Tu n'es donc plus esclave, mais fils".

Ainsi, le thème de l'esclavage, dans plusieurs de ses variations et dans des *statuts* divers, fait son entrée dans le "cycle" des images familiales. Déjà en 3,24-25, nous avions trouvé mention du παιδαγωγός (le "pédagogue"), cet esclave chargé de conduire l'enfant chez son précepteur, de le surveiller et de le corriger éventuellement: une *métaphore* pour la loi. Les images utilisées opposaient la soumission de l'enfant (autrefois) à la liberté du fils (maintenant). De même, dans la similitude, le fils de la famille, héritier des biens de son père, est confié à des esclaves: des régisseurs et des surveillants, pour la durée de sa minorité.

---

95. En revanche, Paul ne joue pas sur le membre de phrase qui suit: "lui qui est maître de tout" (4,1, fin): un signe de plus que Paul n'allégorise pas. Κύριος pourrait permettre un jeu métaphorique avec δοῦλος dans ce sens que les "administrateurs et surveillants" sont précisément des esclaves, tout comme, en 3,24s le "pédagogue". Et pourtant l'héritier, leur maître en puissance, leur est soumis. C'est ce que souligne le passage de Platon cité par LIETZMANN (plus haut note 90: "C'est une chose terrible, quand on est un homme libre, que d'être soumis aux ordres d'un esclave". Comparer 1 Cor. 3,22: "Tout est à vous".

Lui, le maître (en puissance), doit leur obéir au doigt et à l'oeil[96]; tant qu'il est un enfant, sa condition ne diffère en rien de celle d'un esclave, si bien que sa majorité sera pour lui une libération. Paul ne reprend pas tous les éléments de la similitude, mais le thème de l'esclavage, il l'exploite à fond, et dans l'application même de l'image, nous le retrouvons, dans le statut de *métaphore verbale* (ὑπὸ τὰ στοιχεῖα τοῦ κόσμου[97]) ἤμεθα δεδουλωμένοι: "Nous étions asservis (aux éléments du monde)" (v. 3). Le v. 5 poursuit dans cette ligne: si le "Fils de Dieu" a pris notre condition de soumission à la loi, c'est pour nous libérer. L'expression utilisée ici est devenue un terme technique du langage théologique: ἐξαγοράζω (racheter), mais quand Paul l'utilise pour la première fois, en Gal. 3,13 puis ici, ce n'est pas encore une expression courante de la théologie, qu'elle soit juive ou chrétienne. On y aura nécessairement perçu les connotations inhérentes à son usage habituel ("propre"): le rachat cultuel des esclaves[98]. A ces métaphores verbales

---

96. A lire les documents cités par les commentaires, illustrant le traitement auquel les surveillants (παιδαγωγοί) et autres esclaves soumettaient leurs pupilles, on n'a pas l'impression que Paul exagère (contre SCHLIER, OEPKE, BOUSSET, ad loc.).

97. Que sont les "éléments du monde"? La réponse à cette question n'est pas dans notre propos. La discussion n'a même pas marqué un temps d'arrêt après la parution de l'art. de G. DELLING in ThWNT VII, p. 670-687. Notons en particulier l'article de Ed. SCHWEIZER: "Die 'Elemente der Welt' - Gal. 4,3.9; Kol. 2,8.20" in *Beiträge zur Theologie des N.T.*, Zürich 1970, p. 147-163.

98. Cf. F. BUECHSEL in ThWNT I, art. ἀγοράζω - ἐξαγοράζω, p. 125-128. En 1 Cor., le verbe simple s'entend de l'achat d'un esclave: les chrétiens, "achetés par le Christ", lui appartiennent. Doit-on comprendre le verbe composé dans le même sens, attirant en quelque sorte ἐξαγοράζω dans l'orbite du verbe simple, et réciproquement? C'est ce que fait R. LEHMANN: *La liberté des esclaves*... (voir plus haut Introd. note 103), p. 104, note 3, se ralliant à la thèse de S. LYONNET: "L'emploi paulinien de ἐξαγοράζειν" in *Biblica* 42 (1961), p. 88s. (suite de la note, p. suivante)

répond la *prédication métaphorique* de la conclusion, elle aussi en forme d'antithèse: "Tu n'es plus esclave, mais fils" (v. 7).

Nous sommes devant un cas typique d'une image que l'on attribuerait de préférence au "cycle" des images juridiques (servitude et libération), mais qui, par le jeu d'autres images, dans lequel elle est impliquée, se trouve intégrée dans le cycle des images de la famille.

(d) Un autre thème dont le rapport avec la famille n'est qu'indirect, joue un rôle important dans la similitude des versets 1-2: le thème du νήπιος (l'enfant mineur, "qui n'a rien à dire"), auquel répond celui de la majorité. De fait, les deux images ne sont pas de même nature. L'une est empruntée directement au "cycle" des âges de l'homme: νήπιος[99], et l'expression qui lui correspondrait serait (ἀνήρ) τέλειος. Mais elle est utilisée ici pour la connotation juridique qu'elle peut comporter: l'enfant est vu ici comme un "mineur". Si l'état d'enfant implique nécessairement cette minorité, il ne suffit pas d'avoir dépassé l'adolescence pour devenir majeur. C'est la raison pour laquelle, en fonction même de la logique de la similitude, Paul doit se rabattre sur une autre expression, courante dans le langage juridique[100]:

(fin de la note 98)
A notre sens, on devrait pouvoir admettre que Paul ne mette pas toujours toute sa pensée dans tous les mots qu'il prononce, et qu'il se borne à souligner ici, par l'idée de "rachat", l'aspect de libération qu'implique le salut en Jésus-Christ. En ce sens: K.H. RENGSTORF in ThWNT II, art. δοῦλος C2: "Die Christen als δοῦλοι Gottes und des Christus", p. 276-280 et notamment, sur notre texte, 277s.

99. Pour STRAUB, p. 62, il s'agit de la métaphore No 19. Il ne traite cependant pas de cet aspect de notre texte, sous cette rubrique.

100. J.H. MOULTON & G. MILLIGAN: *The Vocabulary of the Greek Testament Illustrated from the Papyri and Other Non-Literary Sources*, London 1930, ad voc.

προθεσμία, un adjectif en fonction substantive (s.e.: ἡμέρα): le (jour) fixé d'avance (en l'occurrence, en fonction du contexte: pour l'émancipation de l'enfant). Nous devons examiner quel rôle ces images jouent, non seulement dans la similitude, qui a une existence relativement autonome, mais aussi dans son application, au moment où leur rapport à la chose exprimée est plus direct.

Nous l'avons signalé en passant[101]: Paul reprend sous la forme d'une métaphore le thème de l'enfant mineur (νήπιος), au début de l'application de la similitude. En termes de rhétorique, cela signifie que Paul introduit (au minimum) un terme "figuré" dans une phrase dont l'objectif est de traduire une image en termes "propres". Certes, il aurait pu s'exprimer immédiatement en termes "propres" et dire: "Nous aussi, quand nous étions sous le régime de la loi, nous étions soumis aux rudiments du monde". Cette tournure aurait eu, par rapport à la forme métaphorique choisie, deux inconvénients. En premier lieu, une telle manière de s'exprimer n'aurait concerné que les Juifs, alors que l'image a le mérite de ne pas mentionner la loi et peut donc aussi bien se rapporter aux anciens païens, tentés par une conversion au régime de la loi (judéo-christianisme) qu'aux chrétiens d'origine juive[102]. Mais surtout, en reprenant la métaphore de la minorité dans un discours "en termes propres", Paul invite ses lecteurs à voir l'état dont ils viennent comme un état de "minorité" qui devrait être révolu; et par là même, il insinue que ceux qui seraient tentés d'accepter la loi juive s'exposeraient à une régression: ils "retomberaient en

---

101. Cf. supra II/13 (a).

102. Les commentaires font remarquer que l'expression "les éléments du monde" doit pouvoir s'appliquer aussi bien à la situation des Juifs que des païens convertis.

enfance"[103]. Cependant le passage de cet "état d'enfance", imparfait, à l'état "adulte", dans la vie chrétienne, ne se fait pas par un simple mûrissement personnel, comparable à la croissance du corps humain. Dans cette perspective, il est exact de dire que Paul remplace l'image de la majorité (que l'on atteint à un certain âge, et qui vous fait entrer pleinement dans vos droits de fils et dans la possession de "l'héritage") par la notion d'adoption (υἱοθεσία), qui rappelle l'affirmation de 3,26s: par la foi, et du fait que, dans le baptême, vous avez "revêtu" Christ, vous êtes fils de Dieu[104]. Par le choix de cette nouvelle image, Paul marque la nature et les limites de la similitude: la "tension métaphorique" est attachée à la similitude dans son ensemble, et non à chacune des parties; il serait faux de l'appliquer trait pour trait[105]. Ce n'est pas une allégorie.

Dans notre PLANCHE 11, qui montre en un tableau synoptique la similitude et son application, nous n'avons cependant pas mis en parallèle ἄχρι τῆς προθεσμίας et ἵνα τὴν υἱοθεσίαν ἀπολάβωμεν. En effet, dans le cours de son exposé, Paul s'impose comme un détour. Il ne passe pas directement de "l'autrefois ("quand nous étions mineurs") à "l'aujourd'hui"

---

103. Si Paul n'avait voulu insister que sur la servitude qui caractérise la situation de l'enfant mineur soumis à des esclaves, il n'aurait pas eu besoin de reprendre dans l'application, sous forme d'une métaphore, l'idée de l'enfant mineur. Voir HESTER, art. cit., p. 125, citant (notes 28ss) W. GRUNDMANN: "Die νήπιοι in der urchristlichen Paränese" in NTSt 5 (1958-59), p. 188-205. Avec ce dernier auteur, il nous paraît cependant un peu trop presser l'image, à la limite de l'allégorie.

104. Outre les commentaires, voir Ed. SCHWEIZER in ThWNT VIII, art. υἱός, p. 385 et note 360.

105. Il ne s'agit donc pas d'une continuation de l'image présentée dans la similitude, ni d'une reprise du thème du testament (3,15), sous la forme d'une "adoption par testament". Ainsi O. EGER, art. cit., p. 95s et STRAUB, op. cit., p. 67, et les commentaires.

("vous êtes fils", v.6), car ce qui rend possible le passage de l'un à l'autre, c'est le fait qu'est venue "la plénitude du temps". Souvent d'ailleurs, les commentaires soulignent également le parallélisme qui existe entre ces deux notions de προθεσμία et de πλήρωμα. On montre alors que c'est précisément en vertu d'une décision souveraine de Dieu qu'est "venue la plénitude du temps". Il ne nous viendrait pas à l'idée de nier que dans πλήρωμα τοῦ χρόνου on ait une expression d'une notion bien connue de la théologie judéo-chrétienne[106]. Il faut cependant remarquer que Paul, ici, ne fait précisément pas allusion au décret éternel de Dieu, fixant d'avance cette "plénitude des temps" (on peut imaginer que Paul aurait dit κατὰ πρόθεσιν, comme en Rom. 8,28). Paul peut avoir eu une raison d'en rester à une expression si ramassée. Cette raison nous la voyons dans le double-sens que lui permettait, dans ce contexte, l'usage de πλήρωμα. Ce mot, en effet, il l'utilise de telle manière qu'il fait image, par contraste, quand il est employé dans le voisinage de νήπιος. L'enfant, c'est l'être humain imparfait. Quand il sera arrivé à l'âge adulte, il sera "parfait" (τέλειος), il aura atteint sa "pleine mesure". On voit comment ces diverses notions jouent les unes par rapport aux autres dans un autre texte, que nous présentons en synopse avec celui de Gal. 4,1-4 (PLANCHE 12): Eph. 4,13-14[107]. Nous serions donc tenté de voir dans πλήρωμα tout à la fois un usage métaphorique et un usage théologique, en tension l'un avec l'autre. Par le

---

106. Voir BILLERBECK, vol. III, p. 570 et G. DELLING in ThWNT, art. πλήρωμα, p. 303. L'usage de cette expression, dans ce contexte, implique un trait "d'eschatologie réalisée": une anticipation du tournant des éons.

107. Cf. DELLING, art. cit. note précédente, p. 300s, et J. SCHNEIDER in ThWNT II, art. ἡλικία, p. 945 et note 15. Il nous paraît difficile de réduire à une seule signification tous les usages de πλήρωμα, même seulement dans les deux épîtres aux Colossiens et aux Ephésiens, comme le fait I. DE LA POTTERIE en conclusion de son étude: "Le Christ, Plérôme de l'Eglise (Ep 1,22-23)" in *Biblica* 58 (1977), p. 500-524.

jeu de ce double-sens, Paul voudrait dire à ses lecteurs: "Nous étions des enfants; vint un temps de plénitude"; mais... ce n'est pas la "plénitude de l'âge adulte" que nous aurions atteint, mais la plénitude du temps (s.e.: fixé par Dieu, dans sa souveraineté, conformément à la théologie sous-jacente à la notion de "plénitude du temps").

Du même coup, cette comparaison synoptique fait apparaître à quel point l'image du passage à "l'état adulte" (et donc l'ensemble du thème de la croissance organique de l'être humain) est peu apte à être appliquée systématiquement à la dialectique "autrefois-aujourd'hui". Il s'agit bien plutôt d'une métaphore qui se prête à décrire le rapport eschatologique entre "aujourd'hui" et l'état de perfection vers lequel nous tendons[108]. C'est pourquoi nous ne devons pas nous étonner que Paul n'y soit pas revenu, mais ait cherché une autre image, au moment de décrire une nouvelle fois, dans l'épître aux Romains, ces deux états, "sous la loi" et "en Christ". En Rom. 7,1-6, en effet, Paul remplace l'image de l'héritier mineur de Gal. 4,1ss par une autre, empruntée au droit du mariage. Nous étudierons ce texte dans un chapitre ultérieur[109], mais une comparaison synoptique permet de constater les analogies entre les deux textes, et les avantages respectifs des deux images (PLANCHE 13).
Les deux textes nous paraissent clairement parallèles:

- Même traitement historique du sujet;
- Même alternance des verbes passés: imparfaits (durée)

---

108. 1 Cor. 13,10s; cf. Col. 1,27s. Plusieurs fois, Paul rappelle à plus de modestie les Corinthiens qui paraissent se considérer comme des πνευματικοί, des τέλειοι. Cf. 1 Cor. 3,1-3; 14,20. La perfection est l'attribut de Dieu, de sa volonté; elle est venue à nous, "en Christ" (NEUGEBAUER, op. cit. p. 103 et 177), en qui elle nous est communiquée, mais dans nos actes, nous ne pouvons que l'approcher (cf. l'image de la course en Phil. 3,12-16). Voir G. DELLING in ThWNT VIII, art. τέλειος C3, p. 76-78.

109. Voir plus bas, III/21(b).

et plus-que-parfaits des verbes décrivant l'état passé, sous la loi; aoriste des verbes exprimant le passage d'un état à l'autre;

- Même expression marquant le délai: ἐφ'ὅσον χρόνον;
- Et surtout, à la base, même sujet: le caractère temporellement limité de l'ancien régime: le régime de la loi (Rom.7), décrit en Gal. 4 comme le régime des "éléments du monde", pour que la thèse puisse se comprendre aussi bien de la situation des pagano-chrétiens avant leur conversion que du régime de la loi lui-même, sous lequel ils sont tentés de se placer après coup.

Par rapport à l'image de l'héritier mineur, celle du mari décédé présente, aux yeux de Paul, plusieurs avantages. Premièrement, la notion de mort entre en jeu - notion qui est centrale en Rom. 6, chapitre consacré à la condition du chrétien uni au Christ crucifié, pour vivre d'une vie nouvelle. En second lieu, et par voie de conséquence, les inconvénients d'une idée de "croissance" sont éliminés. Et enfin l'image elle-même contient l'idée du passage d'une appartenance à l'autre (v. 3-4), le Christ ressuscité étant présenté ici comme le "second mari". Mais de fait, il y a en Rom. 7 entre l'image et l'application une rupture plus importante que ne le sont, en Gal. 4, les "trous" que l'on peut constater dans l'application de la similitude. Dans l'image, c'est le mari qui meurt, et l'épouse qui est libérée. S'il fallait passer, de manière allégorique, directement des divers traits de l'image aux divers traits de l'application, on obtiendrait une série de contre-sens. En Rom. 7, Paul paraît avoir préféré une image manifestement paradoxale (dans laquelle la "tension métaphorique" est évidente) et peu ouverte à une interprétation allégorisante, à l'image de l'héritier mineur, éclairante par certains aspects, mais susceptible d'interprétations allégorisantes déviantes (le temps de la maturité).

(e) Dans la similitude de Gal. 4,1s, le père joue un rôle assez effacé. L'intérêt se concentre sur le fils, qui est appelé "l'héritier". Dans l'application de la similitude, Dieu joue un rôle prépondérant, dans ce que nous avons appelé un "détour": le rappel de l'envoi du Fils, pour que nous recevions l'adoption. Il est frappant que, dans ce contexte, et malgré la présence de la similitude, où il était question de la "date fixée par le père", Paul ne nomme pas Dieu "le Père". Du point de vue de l'expression, ce phénomène est intéressant: dans l'ensemble de ce texte, les thèmes de la famille jouent un très grand rôle, et ils continueront de le faire. Mais tout se passe comme si Paul résistait à la tentation de dire "le Père a envoyé son Fils, afin que nous recevions l'adoption"; le langage imagé semble atteindre ici une limite que Paul ne franchit pas.
Le rôle de Jésus-Christ, le Fils, s'exprime en revanche dans des termes qui s'intègrent beaucoup plus directement dans le langage imagé des relations familiales: au v. 4: "Dieu a envoyé son Fils"; thème qui sera repris au v. 6, dans une expression évidemment parallèle: "Dieu a envoyé l'Esprit de son Fils". Il serait tentant d'aller plus loin et d'interpréter la similitude elle-même dans un sens christologique, comme le fait W. FOERSTER[110]; le trait "il ne diffère en rien d'un esclave, bien qu'il soit le maître de tout" s'appliquerait alors au temps de l'incarnation, par analogie avec Phil. 2,7 ("il prit la condition d'un esclave", lui qui "était de condition divine"). Cette manière d'allégoriser nous est interdite par le mouvement même du texte[111]. En effet, Paul procède en trois étapes distinctes:

(1) La similitude de l'héritier mineur,
(2) L'application de la similitude à l'état de tous les hommes (Juifs et païens) "autrefois", c'est à dire avant qu'ils n'aient passé du régime des "éléments du

---

110. W. FOERSTER in ThWNT III, art. κληρονόμος, p. 782,5-7.
111. W. MARCHEL: *Dieu Père dans le N.T.*, Paris 1966, p. 116.

monde" au régime de la foi, en Christ;

(3) L'annonce que le Christ, "le Fils" a pris notre condition d'esclaves, pour que nous recevions l'adoption. Il faut remarquer que, dans ce cadre, le Christ n'est appelé ni "esclave" (il est dit seulement qu'il est "devenu... sous la loi"), ni "héritier".

Remonter de (3) à (1) et en inférer que la similitude s'applique au Christ-Fils, c'est se livrer à une extrapolation qui ne s'accorde pas avec le texte, même si l'idée à laquelle on aboutit par ce moyen est théologiquement cohérente, et se trouve concorder avec des affirmations qu'on est en droit d'appeler authentiquement pauliniennes[112].

Tels sont les éléments d'interprétation de la similitude de 4,1-2 que nous pouvons déceler dans les v. 3-5. Les v. 4-5 ont cependant une certaine autonomie par rapport à l'application de la similitude des v. 1-2. Le fait même qu'ils ont un parallèle en Rom. 8,3s nous le montre à lui seul assez clairement. Au point où nous en sommes, il est donc indispensable que nous passions à une étude simultanée et synoptique de ces deux textes.

---

112. Nous admettons, certes, avec de nombreux commentateurs, que Paul cite un hymne prépaulinien. Mais il ne le corrige pas dans cette partie du texte; c'est dire qu'il en approuve le message. La littérature est inépuisable. On peut se référer à J.T. SANDERS: *The N.T. Christological Hymns*, Cambridge 1971, p. 9-12 ou à K. WENGST, p. 144-156.

II/14 La famille de Dieu en Galates 4,4-7 et Romains 8,3-17

(a) Comme le montre notre tableau synoptique (PLANCHE 14), le parallélisme entre Gal. 4,4-7 et Rom. 8,3ss est d'autant plus surprenant qu'il n'implique pas une parfaite concordance verbale[113]. A Gal. 4,4-5 correspond Rom. 8,3-4. Puis, malgré l'incise de Rom. 8,5-13, Paul retrouve le fil de son discours de Gal. 4, en Rom. 8,14; il est donc pertinent de dire que ces deux péricopes "s'éclairent mutuellement"[114], et ne peuvent être étudiées qu'ensemble.

Cela ne serait pas possible si, au moment où commence la péricope qui nous occupe, nous n'étions pas "au même niveau" dans les deux épîtres, au seuil d'une affirmation centrale. En effet, d'une part, nous l'avons vu, en Gal. 4,3, Paul vient de dire: "nous étions asservis aux éléments du monde". Il va proclamer notre libération, dans des termes empruntés au vocabulaire cultuel grec: "nous sommes rachetés". Et le début de Romains 8 nous place dans une situation comparable: aux v. 1-2, Paul a posé une thèse ("la loi de l'Esprit de vie t'a libéré"); cette thèse, il va la fonder à partir du v. 3: "en effet..." (γάρ).

(b) En Gal. 4,4-5, Paul renoue avec 3,23-29: Nous pouvons être fils de Dieu (en union avec Jésus, le Christ: 3,26s), parce que Dieu a envoyé son Fils dans le monde. Ainsi se trouve posé, toujours en termes familiaux, le fondement christologique de l'affirmation sotériologique de Gal. 3,26:

---

113. Ce que R. MORGENTHALER appelle, dans les évangiles synoptiques, des péricopes "ffi" ("form- und folge-identisch"), dans sa *Statistische Synopse*, Stuttgart-Zürich 1971, p. 120.

114. W. MARCHEL: *Abba, Père! La prière du Christ et des chrétiens*, 2e éd., Rome 1971, p. 198.

"car tous, vous êtes, par la foi, fils de Dieu, en Christ"); mais notre texte apporte une précision encore: il ne s'agit pas d'une filiation directe. C'est Jésus, le Christ, qui est le Fils de Dieu, l'unique (voir le thème des "un" en Gal. 3,15ss). Nous sommes fils "par adoption"[115].

En Rom. 8, en revanche, le thème de la "famille de Dieu" n'a pas encore été introduit. En ce sens, le v. 3 constitue un début relatif. Ainsi, Rom. 8 présente un mouvement descendant: de la christologie à la sotériologie, alors que Gal. 3-4 présente le mouvement inverse: de la sotériologie, on remonte aux sources, à la christologie.

Gal. 4,4-5 et Rom. 8,3-4 présentent la même structure:
- la proclamation de l'envoi du Fils (à l'aoriste);
- une description de la condition qu'il a assumée par son incarnation:
  - en Gal. 4,4c: il est "devenu" (homme, en naissant) "par une femme"; il est né sous la loi (ὑπό), partageant notre servitude;
  - en Rom. 8,3c: "dans la chair, une chair toute semblable à notre chair pécheresse";
- immédiatement rattachée à cette description, une affirmation de l'effet de cet acte salutaire, dans le Christ:
  - en Gal. 4,5a: la première proposition finale, le "rachat de ceux qui sont sous la loi";
  - en Rom. 8,3d: la "condamnation du péché, dans la chair";

---

115. Selon Ed. SCHWEIZER (ThWNT VIII, p. 402), on ne peut pas déterminer dans tous les cas si le vocable υἱοθε-σία a gardé le sens de "l'acte d'établir dans la dignité de fils", ou s'il a vu sa signification pâlir jusqu'à désigner le résultat de cette action. H. CREMER (*Biblisch-theologisches Wörterbuch der neutestamentlichen Gräcität*, 7e éd., Gotha 1893, ad voc.): "Einsetzung in das Kindschaftsverhältnis" oder "auch das letztere selbst, sofern es auf Adoption beruht". "Auf keinen Fall ist es jemals soviel wie υἱότης".

- une proposition finale décrivant l'intention de cet acte d'incarnation, non plus au niveau christologique ("extra nos"), mais au niveau sotériologique:
    - en Gal. 4,5b, la seconde proposition finale; la personne du verbe a changé. Il ne s'agit plus, d'une manière générale, de tous ceux qui sont sous la loi, mais de "nous"[116]; de même,
    - en Rom. 8,4, l'accomplissment "en nous" de la justice exigée par la loi.

Le parallélisme de ces deux textes va donc très loin. Si loin, que l'on a voulu y voir l'écho d'une "formule" traditionnelle dans l'Eglise primitive que W. KRAMER[117] nomme "Sendungsformel" (formule de mission), et retrouvent à tout le moins en Jn 3,16-17 et en 1 Jn 4,9, sous une forme plus ou moins développée. Pour parler d'une "formule", il faudrait cependant à notre sens que les textes comparés ne se distinguent pas seulement par une structure commune, mais aussi par des locutions semblables. Or, si l'on s'en tient aux mots qui se retrouvent dans tous les textes recensés à ce titre, on obtient le tronc commun suivant: "Dieu a envoyé son Fils afin que...". Et encore, on observe des variations de vocabulaire: certains textes ont, pour "envoyer", le verbe πέμπω, d'autres le verbe (ἐξ)αποστέλλω. Du point de vue matériel, cela ne porte guère à conséquence[118], mais du

116. A notre sens, il est donc insuffisant de dire que les deux propositions finales sont parallèles (p.ex. SCHLIER ad loc.). Le premier ἵνα introduit une proposition qui décrit encore un acte de Dieu qui se déroule "extra nos": dans la personne du Christ, à la croix. Ce qui lui correspond, en Rom. 8, c'est une proposition sans ἵνα. En Gal. 4,5, seule la deuxième finale constitue l'application sotériologique de l'oeuvre accomplie au niveau christologique, telle qu'elle est décrite aux v. 4 et 5a.

117. W. KRAMER, p. 108-112.

118. Les dogmaticiens sont d'un autre avis, qui établissent une distinction entre les usages de l'un et l'autre verbe, comme J. MOLTMANN: *Kirche in der Kraft des Geistes*, München 1975, p. 69, qui cite (note 101) K. BARTH.

point de vue formel, c'est le signe d'un certain flottement dans la transmission de la formule supposée[119]. Nous préférons donc en rester au constat d'une analogie de structure entre divers textes, et parler éventuellement, avec E. SCHWEIZER[120] et surtout N.A. DAHL[121], d'un "schéma téléologique" typique de la prédication dans l'Eglise primitive.

Dans le cadre de ce "schéma téléologique", appliqué de manière légèrement différente en Galates et en Romains, nous trouvons deux éléments constitutifs de la "famille de Dieu". En premier lieu: "Dieu a envoyé son Fils". Cet élément est commun aux deux textes, comme aussi, nous venons de le voir, à deux textes johanniques. On est en droit de se demander si ces quelques mots, à tout le moins, ne formaient pas une expression stéréotypée, à laquelle Paul recourt parce qu'elle contient le titre christologique de Fils de Dieu (son Fils), dont il a besoin, au point que vient d'atteindre son exposé[122]. Galates 4,5b comporte un second thème du "cycle"

---

119. KRAMER distingue logiquement deux sortes de "Sendungsformel", celle en πέμπω et celle en (ἐξ)αποστέλλω, resp. p. 109-111 et 111s.

120. Ed. SCHWEIZER: "Der religionsgeschichtliche Hintergrund der 'Sendungsformel' Gal. 4,4f; Röm. 8,3f; Joh. 3,16f; 1 Joh. 4,9", in *Beiträge zur Theologie des N.T.*, Zürich 1970, p. 83-95; notamment p. 90 et note 39.

121. N.A DAHL: "Formgeschichtliche Beobachtungen zur Christusverkündigung in der Gemeindepredigt", in *Neutestamentliche Studien für R. BULTMANN*, 2e éd. Berlin 1957, p. 7s. Une telle vision des choses permet d'élargir la perspective et de déceler ce "schéma" dans d'autres textes pauliniens: c'est le schéma même de la substitution. Voir à ce sujet notre article: "Pour une synopse paulinienne" in *Biblica* 57 (1976), p. 92s.

122. Ce serait confirmé par l'existence de la formule, fréquente dans la bouche du Christ johannique: "Dieu m'a envoyé". Cf. K.H. RENGSTORF, ThWNT I, art. ἀποστέλλω (-πέμπω), p. 402-406. Ce qu'il dit de Gal. 4,4 (p. 406) nous paraît cependant un peu faible, du point de vue christologique: dans ce contexte, un accent repose clairement sur υἱός, et pas seulement sur "Dieu a envoyé".

familial: "pour que nous recevions l'adoption". Ainsi, en Galates, le début et la fin du "schéma téléologique" se répondent. L'envoi du Fils a pour but notre adoption. En Romains, Paul abandonne ce parallélisme des membres: le but de l'envoi du Fils est exprimé en des termes qui n'ont plus rien à voir avec la famille (de Dieu). A ne lire le texte de Rom. 8 que jusqu'ici, nous conclurions que Paul a laissé se perdre en route un élément important de l'énoncé de Gal. 4. Or nous constatons que cet élément, Paul le récupère au v. 15a: "en effet, vous n'avez pas reçu un esprit de servitude (...) mais un Esprit d'adoption". Ici, comme en Gal. 4,5, nous trouvons l'expression "recevoir" (en Gal. le verbe est composé: ἀπολάβωμεν, alors qu'en Rom. il est simple: ἐλάβετε), en relation plus ou moins directe avec l'adoption[123]. Et ici comme en Galates 4, cette filialité reçue est opposée à la servitude[124] qui produit la crainte, et dans laquelle il vaut la peine de ne pas retomber (πάλιν εἰς φόβον). En Rom. 8,15 comme en Gal. 4,5b, le terme υἱοθεσία est lié à un événement, et non pas à un état: "recevoir". Du fait de la proximité de la similitude de Gal. 4,1-2, les connotations juridiques de ce mot sont peut-être plus nettement présentes en Galates qu'en Romains, mais ni dans un cas ni dans l'autre il ne peut signifier simplement "la filialité", comme le

---

123. L'événement dans lequel le croyant "reçoit l'adoption" ou "reçoit l'Esprit d'adoption" doit être le baptême. En effet, l'expression "recevoir l'Esprit (Saint)" est fréquente en contexte baptismal, notamment dans les Actes (2,38; 8,17.19; cf. 10,47; 19,1-7 et en part. v.2); de plus, en Rom. 8,15, le verbe est à l'aoriste (en Gal. 4,5 également, mais au subjonctif, ce qui rend un jugement plus délicat; compar. cependant Gal. 4,6). Ainsi: MICHEL ad Rom. 8,15; analogue, KAESEMANN. Voir également Ed. SCHWEIZER, ThWNT VI, art. πνεῦμα, p. 424 et note 626; BRAUMANN, p. 64s; A. SEEBERG, p. 242.

124. H. LIETZMANN: *An die Römer*, Tübingen 1910, ad 8,14-15: "Der hier unvermittelt auftauchende Ausdruck πνεῦμα δουλείας stammt aus dem Zusammenhang von Gal. 4, der dem Paulus hier sichtlich vorschwebt".

ferait le terme, postérieur, de υἱότης[125].
Nous constatons donc que Paul peut décrire de plusieurs manières l'événement dans lequel Dieu nous accorde la filialité de Jésus-Christ (nous adopte comme ses fils): "par la foi" (Gal. 3,26), dans le baptême (3,27: "vous tous qui avez été baptisés"), ou par le don de l'Esprit, qui est "Esprit d'adoption" (Rom. 8,15). On ne s'étonne pas de cette variété d'expressions, quand on sait que tous ces éléments étaient partie intégrante de la théologie du baptême: la foi (et la confession de la foi), la réception de l'Esprit, et aussi la "conversion", que l'on voit apparaître en Rom 8,15 comme en filigrane dans l'allusion au retour à un état d'esclavage et de "crainte" (voir aussi Gal. 4,9)[126].

(c) Il s'agit pour Paul, en Galates, de démontrer à ses lecteurs, par tous les moyens, qu'ils sont "fils de Dieu", et donc libres. Le premier élément de preuve (v. 4-5) a été christologique, avec une pointe sotériologique (v. 5b). Mais comment les Galates peuvent-ils être assurés que l'adoption, ils l'ont reçue, au point que Paul puisse en fin de compte tenir pour acquis: "Tu n'es donc plus esclave, mais fils" (v. 7)[127]? Cette preuve, Paul la trouve dans le don de

---

125. Voir plus haut note 115. Le terme n'étant pas usuel, dans la langue théologique juive et chrétienne (cf. MICHEL ad loc. etc), il doit avoir gardé quelque chose de ses connotations juridiques (SCHLATTER, LEENHARDT, MICHEL; contre KAESEMANN).

126. Recensement des motifs traditionnellement baptismaux, notamment chez BRAUMANN, déjà cité.

127. Contre Ph. HAEUSER: "Anlass und Zweck des Galaterbriefs. Seine logische Gedankenentwicklung", in *Neutestamentliche Abhandlungen*, Hsg. M. MEINERTZ, Münster i.W. vol. XI, 1925, p. 94, cité par SCHLIER ad Gal. 4,6: "Ebenso erwähnt er in 4,6 nicht den Geist, um die Sohnschaft zu beweisen, sondern er erwähnt die Sohnschaft, um die Sendung des Geistes zu lehren".

l'Esprit, qui est pour lui une chose assurée[128]. Ainsi, à notre avis, il n'y a aucun doute: la conjonction ouvrant le v. 6 (ὅτι) n'est pas causale[129], mais déclarative[130] ou "elliptico-démonstrative", pour reprendre l'expression de celui qui, récemment, a milité le plus vivement pour cette interprétation de la conjonction: S. ZEDDA[131]. Pour n'être pas courante, cette expression était possible[132], et se trouvait notamment chez les orateurs[133]. Elle nous semble s'imposer ici, pour des raisons de cohérence interne du texte, mais le sens qui en résulte se trouve confirmé par la manière dont Paul reprend le sujet en Rom. 8,14. Ici aussi, l'action de l'Esprit est simplement affirmée, à l'appui de la proposition qui doit être démontrée: tous ceux en qui l'Esprit agit sont Fils de Dieu; et "vous", on sait bien que cet Esprit, vous l'avez reçu (v. 15).

---

128. Cf. Gal. 3,2.5, où déjà la réception, puis l'action de l'Esprit dans ou parmi les Galates, tenues pour des faits reconnus tant de Paul que des Galates, sont des éléments dont Paul étaie son argumentation.

129. Les opinions continuent cependant de diverger. Parmi les commentaires récents, ceux de SCHLIER, BONNARD et MUSSNER tiennent tous pour le ὅτι causal. Compléments bibliographiques dans les notes de ces auteurs. MUSSNER nous paraît cependant se contredire: il conçoit l'adoption au baptême et le don de l'Esprit comme un seul et même acte, mais il interprète malgré tout "théologiquement" le don de l'Esprit comme une conséquence de l'adoption ("parce que vous êtes fils").

130. Ainsi, parmi les commentateurs, LIETZMANN, LAGRANGE. Autres réf.: W. MARCHEL: (op. cit. plus haut, note 114), p. 219, note 13.

131. S. ZEDDA: *L'adozione a figli di Dio e lo Spirito Santo. Storia dell'interpretazione e teologia mistica di Gal. 4,6*, Roma 1952.

132. Par ex. MOULTON & MILLIGAN ad ὅτι (4).

133. Ὅτι causal au début d'une phrase est extrêmement rare. TURNER (in MOULTON & HOWARD, Grammar..., vol III, p. 345) recense dans le N.T. 397 cas de propositions causales introduites par ὅτι, en "post-position", c'est à dire après la proposition qu'elles déterminent, et seulement 11 exceptions réputées sûres (dont Gal. 4,6!).

En Gal. 4,6a, Paul ne table donc pas sur le v. 5b (l'adoption), pour progresser dans l'argumentation, mais il reprend cet élément, qui constitue la "pointe" des versets 4-5, pour montrer que l'adoption coïncide avec le don de l'Esprit[134], que Dieu "a envoyé dans nos coeurs", comme il avait déjà "envoyé" son Fils (ἐξαπέστειλεν les deux fois). L'expression "l'Esprit de son Fils" a intrigué les commentateurs, car elle ne se trouve nulle part ailleurs dans le N.T. Formellement, on comprend ce qui s'est passé: Paul s'est laissé entraîner par le mouvement de la phrase, dans laquelle les thèmes familiaux s'accumulent: après l'envoi du Fils (pour que nous soyons adoptés comme fils), l'envoi de l'Esprit du Fils (de Dieu); l'occasion crée l'expression, qui demeure unique, mais qui, théologiquement, n'a rien de révolutionnaire: on trouve dans d'autres contextes: "l'Esprit du Christ", ou "de Jésus-Christ", ou encore "de Jésus"[135]. En revanche, ici non plus, Paul n'écrit pas "le Père a envoyé l'Esprit de son (ou du) Fils", bien qu'il ne soit plus lié par une "formule" ou une expression stéréotypée, comme c'était peut-être le cas en 4,4[136].

---

134. Il nous paraît impossible de voir dans cet "envoi" de l'Esprit une allusion au premier envoi de l'Esprit, celui qui fonde l'Eglise ("Pentecôte"), à cause de la précision "dans nos coeurs". Contre Ed. SCHWEIZER, ThWNT VI, p. 424, note 624. Voir MARCHEL, Abba, p. 217-219.

135. Cf. MARCHEL, Abba, p. 220, note 21. Quelques témoins omettent "du Fils". Omission de copistes allergiques à cet hapax? Cf. Ed. SCHWEIZER, ThWNT VIII, p. 395, note 420.

136. Il nous paraît donc doublement déplacé de disserter, à cette occasion, sur les fondements bibliques du "filioque". En effet (1) la "procession" de l'Esprit "du Père (et du Fils)" concerne les rapports intratrinitaires, alors qu'en ἐξαπέστειλεν, il s'agit d'un "opus ad extra"; et (2) il n'est précisément pas question du "Père", comme auteur de l'envoi, mais de "Dieu". Cf. MARCHEL, Abba, p. 220s, en part. note 22; cet auteur écrit: "Envoyé par le Père, l'Esprit apparaît comme (fin de la note, page suivante)

L'Esprit saint est envoyé "dans nos coeurs"[137], c'est à dire au plus intime de notre personnalité, au siège même de la foi dont jaillit notre confession publique (ὁμολογία, cf. Rom. 10,9). Nous ne pouvons donc pas nier que ce soit nous qui proclamions "Abba" (Père): ce cri vient du plus profond de nous-mêmes. Mais c'est un cri inspiré[138]; nous ne pouvons le prononcer que sous l'impulsion de l'Esprit, comme par exemple l'acclamation "Jésus est Seigneur" (1 Cor. 12,3: ἐν πνεύματι ἁγίῳ). Ailleurs, Paul reprendra systématiquement ces diverses réflexions: toute vraie prière chrétienne, notamment dans le culte[139], est une prière inspirée; c'est l'Esprit qui met dans nos coeurs ce que nous devons dire (Rom. 8,26-27). Ainsi, dans ce verset, Paul prend ses lecteurs à témoin contre eux-mêmes (dans la mesure où ils sont tentés de retomber dans un esclavage): inspirés par l'Esprit, ils proclament "Abba-Père". C'est bien la preuve (ὅτι au début du verset) qu'ils sont "fils"[140].

(fin de la note 136)
moyen dont le Père se sert pour agir sur nous" (p. 221). La première citation à l'appui de cette affirmation est Gal. 4,6; les trois autres citations ont la même pertinence toute relative: le sujet du don de l'Esprit dont il est question dans les trois cas est toujours (ὁ) θεός.

137. Sur le sens de ce terme dans l'anthropologie paulinienne, cf. notamment R. JEWETT: *Paul's Anthropological Terms. A Study of their Use in Conflict Settings*, Leiden 1971, p. 305-333 (pour Gal.: 322s).

138. Voir commentaires et W. GRUNDMANN in ThWNT III, art. κράζω etc., p. 898-904, qui donne, p. 903s une bonne analyse du rôle de l'inspiration dans le cri "Abba", dans les deux contextes de Rom. et de Gal.

139. Noter les pluriels "dans nos coeurs" (Gal. 4,6) et "nous crions" (Rom. 8,15; κράζω est presque toujours au pluriel, dans ce sens!). Voir E. KAESEMANN: "Der gottesdienstliche Schrei nach der Freiheit" in *Paulinische Perspektiven*, Tübingen 1969, p. 211-236 (en part. 223).

140. M.J. LAGRANGE: *St. Paul. Ep. aux Galates*, 3e éd. Paris 1926 (EtBibl) ad 4,6: "...l'Esprit du Fils pousse un cri vers le Père, cri qui est le nôtre, puisqu'il retentit dans nos coeurs, et nous unissant à Lui dans la même prière, montre que nous sommes aussi des fils!".

Une fois de plus, Rom. 8 est parallèle, sans être exactement identique. En 8,15b, Paul ne mentionne pas la réception de l'Esprit "dans nos coeurs". De plus, le sujet du cri inspiré (même verbe κράζω qu'en Gal.), c'est "nous", "dans l'Esprit" (comme en 1 Cor. 12,3 cité plus haut). Une fois de plus, on a l'impression que les éléments de Gal. qu'il a laissés de côté, il se sent obligé de les ajouter ultérieurement[141]:

- C'est bien sûr "nous" qui nous écrions (κράζομεν) que nous sommes enfants de Dieu, en disant "Abba"; mais ce cri ne sort pas seulement de notre coeur (ici Paul dit "esprit"[142]). Il est aussi un cri de l'Esprit.

---

141. H.W. SCHMIDT: *Der Brief des Paulus an die Römer*, Berlin 1962 (ThHNT VI) ad Rom. 8,16: "Mit V. 16 wird also lediglich der Gedanke nachgeholt, der in Gal. 4,6 kürzer und prägnanter ausgedrückt wird, dass der Geist selbst es ist, der da ruft".

142. Πνεῦμα est donc ici, à nos yeux, un terme purement anthropologique, parallèle à καρδία. Ainsi H. CONZELMANN: *Grundriss der Theologie des N.T.*, München 1968, p. 202. Il serait faux de plaquer sur l'explication de ce texte tous les détails de l'anthropologie paulinienne attachée au terme de πνεῦμα, aux yeux des spécialistes soucieux de dresser de l'image paulinienne de l'homme un tableau cohérent. JEWETT nous semble n'avoir pas complètement échappé à ce danger, op. cit. p. 198s, malgré la clarté avec laquelle il voit le parallélisme entre Gal. 4 et Rom. 8. Il s'agit tout de même de l'Esprit qui se joint au témoignage de cette part de lui-même qui réside en nous ("the apportioned spirit"), pour proclamer "Père": p. 198s. Notre interprétation se rapproche en revanche de celle de W.D. STACEY: *The Pauline View of Man*, New York 1956, p. 132: "in Ro. 8,16, Paul invokes the Spirit of God, and the Christian's spirit, as separate witnesses to the sonship of the believer, and the distinction between the two is patent".

- Il y a donc tout à la fois un seul témoignage: notre cri, dans l'Esprit[143], et deux témoins: nous, au plus profond de nous-mêmes, c'est à dire "notre esprit"[144], et l'Esprit, qui crée notre conviction, et en ce sens s'adresse "à notre esprit", en même temps qu'il "se joint à lui pour témoigner", publiquement[145], que nous sommes enfants de Dieu.

C'est donc ici, en fin de démonstration, qu'intervient pour la première fois, aussi bien en Romains qu'en Galates, la notion de "Père", utilisée pour désigner directement[146]

---

143. Y a-t-il deux témoignages ou un seul? T. BALLARINI cite les diverses interprétations de ce verset. Il nous semble en tous les cas voir juste, quand il explique que, même quand on traduit "l'Esprit se joint à notre esprit pour témoigner", il n'y a en définitive qu'un seul témoignage, celui de l'Esprit, qui (prévient et) absorbe le nôtre: "Nel primo modo di intendere ci sarebbero in noi come due testimonianze per la nostra adozione in figli: quella che faciamo noi e quella che rende lo Spirito; ma è evidente che questa convalida e, per così dire, assorbe la nostra" (*Paolo: Vita, Apostolato, Scritti*, Torino 1968, p. 393, ad Rom. 8,16).

144. La question est de savoir si, dans συμμαρτυρεῖ, συν- renforce seulement le verbe (auquel cas le datif qui suit marque simplement la destination du témoignage) ou s'il doit être pris dans son sens primitif: "avec" (auquel cas le datif peut être le régime de ce préfixe). Nous aurions tendance à ne pas trancher: c'est bien nous (notre esprit) qui témoignons que nous sommes enfants de Dieu (en nous exclamant "Abba"); mais nous ne pouvons le faire que parce que d'abord l'Esprit (de Dieu) a témoigné à notre esprit (voir Gal. 4,6: εἰς τὰς καρδίας ἡμῶν) que nous sommes enfants de Dieu. Pour comprendre ce "cri", il faut le voir, non seulement comme le témoignage de notre esprit, mais bien aussi et d'abord (priorité théologique plus que proprement temporelle) comme le témoignage de l'Esprit de Dieu. Ainsi MARCHEL, Abba, p. 223-225.

145. KAESEMANN, Gottesd. Schrei, p. 223.

146. On ne peut pas tenir compte, ici, du "père" de la similitude (Gal. 4,2).

Dieu. Il s'agit d'une expression traditionnelle, appartenant au trésor de la plus ancienne Eglise[147]. On y voit souvent une allusion au "Notre Père"[148]. Cela nous semble peu probable. En effet, sans aucun doute, l'oraison dominicale aura été traduite et prononcée ainsi en grec dans les communautés hellénistiques. Seule une invocation très brève aura pu se maintenir dans la langue originale. La forme araméenne de ce cri, ainsi d'ailleurs que le pluriel de Rom. 8,15[149] ("nous nous écrions"), est le signe d'un usage liturgique analogue à l'invocation "maranatha" (1 Cor. 16,22[150]); s'agit-il de la liturgie de baptême, au cours de laquelle les candidats confesseraient leur "filialité", après leur "adoption", en invoquant pour la première fois Dieu comme leur Père? Certes, il est possible que ce soit au baptême que les nouveaux chrétiens aient prononcé pour la première fois le nom du Père, dans l'oraison dominicale, comme dans les liturgies ultérieures[151], ou de toute autre manière; mais il nous paraît peu probable que ce soit à cela que Paul fait allusion,

---

147. G. KITTEL in ThWNT I, art. ἀββᾶ, p. 4-6, mais aussi G. SCHRENK in ThWNT V, art. πατήρ, p. 984s; J. JEREMIAS: "Abba" in ABBA, *Untersuchungen zur neutestamentlichen Theologie und Zeitgeschichte*, Göttingen 1966, p. 15-67, ou *Le message central du N.T.*, Paris 1966, p. 9-29. Quant à l'adjonction ὁ πατήρ que l'on trouve aussi bien en Mc 14,36 que dans nos deux textes, il faut y voir une ancienne traduction, plutôt qu'un appellatif qui double "Abba" (qui, de son côté, ne serait alors qu'un "métonyme" pour "Dieu"). Cette dernière thèse, défendue par S.V. McCASLAND: "Abba Father" in JBL 72 (1973), p. 79-91, a été combattue, à juste titre nous semble-t-il, par plusieurs auteurs: cf. MARCHEL, Abba, p. 116ss, et notamment (contre McCASLAND) note 21, p. 117.

148. Réf. chez MARCHEL, Abba, p. 171, notes 3 et 4. Revue des diverses hypothèses p. 170-179.

149. SCHLIER ad Rom. 8,15s (comm. p. 252).

150. K.G. KUHN, ThWNT III, art. μαραναθά, p. 470-475. G. DALMAN: *Die Worte Jesu* (I), p. 269-270.

151. S'agit-il de l'opinion de MARCHEL? Il nous paraît hésiter, Abba, p. 177. Réf.: p. 177-178 et notes.

car dans l'un et l'autre texte, Paul a passé de l'aoriste (ce qui s'est passé une fois, par exemple au baptême) au présent (ce qui se répète). Pour notre propos, la réponse à cette question historique n'a cependant qu'une portée limitée. Ce qui nous paraît important, en revanche, c'est que dans les deux textes, "le Père" n'apparaît qu'ici. Dans la partie narrative, c'est "Dieu", nous l'avons vu, et non pas "le Père", qui envoie "son Fils" (Gal. 4,4; Rom. 8,14), ou "l'Esprit de son Fils" (Gal. 4,6). "Abba - Père" est une invocation; dans ces deux textes, et sous cette forme (nous devrons voir si cette tendance se confirme dans d'autres textes), le "Père" n'est pas l'acteur d'un récit dans lequel peuvent intervenir des termes qui font images: fils (ou Fils), adoption, "pédagogue", esclave, rachat; il est celui qui reçoit l'adoration de la communauté chrétienne.

(d) Dans chacun des deux passages, le dernier verset constitue la conclusion de la démonstration, et, dans le cas de Rom.8,17, la transition avec la suite du chapitre ("si nous avons part à ses souffrances, nous aurons part à sa gloire"). Ici encore, nous constatons le phénomène d'un large parallélisme, sans identité verbale stricte:

- En Rom.8,17, Paul omet ce qui forme le début de Gal. 4,7: "tu n'es plus esclave, mais fils". En effet, cela constituerait un doublet avec le v. 15, dans lequel figurait déjà le couple antithétique "esclavage-adoption"[152].
- En revanche, nous retrouvons en Rom. 8,17, une tournure tout à fait parallèle à Gal. 4,7b: εἰ δὲ (...), καὶ κληρονόμος - "(enfant), et donc héritier".

---

152. En définitive, en Rom. 8,15, Paul a donc tout à la fois récupéré un élément de Gal. 4,5 qu'il avait laissé de côté en 8,4 (l'adoption) et anticipé sur Gal. 4,7, en introduisant déjà la notion de servitude qui n'apparaîtra (ou plus exactement réapparaîtra: cf. v. 3) qu'au v. 7.

- Mais une fois de plus, la terminologie n'est pas en tous points la même. En Gal. 4,7, Paul dit "fils" - comme dans l'ensemble de ce passage, dès 3,26. En Rom. 8,17, nous trouvons "enfants" (τέκνα).
- Et pour conclure, Rom. 8 se sépare définitivement de Gal. 4: en reprenant le thème de l'héritier, Paul est demeuré fidèle à son modèle, mais l'introduction de cette notion est un peu abrupte, dans ce contexte (elle n'est plus apparue depuis 4,14). En quelques mots, Paul résume les conclusions de Gal. 3,15-29, en explicitant ce qui était demeuré implicite dans le raisonnement de Galates: "héritiers de Dieu - cohéritiers (συγκληρονόμοι) du Christ".
- Dans les deux textes enfin, Dieu est nommé une dernière fois, en lien avec l'héritage; en Galates: "héritier: c'est l'oeuvre de Dieu" (διὰ θεοῦ), et en Romains: "héritiers de Dieu". Ni dans un cas ni dans l'autre n'apparaît le "Père"!

(e) Jusqu'ici, nous avons traité le parallélisme entre Gal. 4,6-7 et Rom. 8,14.16-17 comme si le "modèle" de Paul en Rom. 8 avait été directement Gal. 4. Certains chercheurs ont cependant voulu voir à ce parallélisme une autre cause: l'emprunt à une tradition prépaulinienne, que Paul citerait aussi bien en Rom. qu'en Gal.[153]. Ce morceau traditionnel aurait compris les éléments suivants:

(1) l'opposition "servitude-filialité",

---

153. Ainsi W. GRUNDMANN: "Der Geist der Sohnschaft" in *In Disciplina Domini, Thüringer kirchliche Studien*, Bd. 1, Berlin 1963, p. 172-192, cité et approuvé par U. LUZ, Geschichtsverständnis, p. 282 note 62; id. P. SIBER: *Mit Christus leben. Eine Studie zur paulinischen Auferstehungshoffnung* Zürich 1971, p. 135-138; LUZ dépend déjà (par tradition orale) de SIBER.

(2) le don de l'Esprit[154], élément de l'acte d'adoption,

(3) l'invocation liturgique, inspirée par l'Esprit: "Abba - Père",

(4) la conclusion "fils, et donc héritier".

Les analogies entre ces deux passages sont, assurément, si nombreuses, que cette hypothèse peut paraître attrayante. Et pourtant, elle ne nous paraît pas s'imposer. En effet, elle n'explique pas l'ensemble des phénomènes que nous rencontrons dans le parallélisme de ces deux textes.

En premier lieu, s'il est vrai que les éléments de parallélisme sont nombreux, entre un texte et l'autre, on constate également de nombreux déplacements d'éléments individuels. Cela signifie que l'on serait bien emprunté pour rétablir la teneur de la formule traditionnelle commune aux deux textes. En toute hypothèse, était-elle plus proche de Gal. que de Rom., ou l'inverse, comme semble le supposer SIBER[155]?

En second lieu, certains éléments de Rom. 8,15 font partie de ce contexte, alors qu'en Gal. 4, ils sont intégrés au "schéma téléologique", qui a son parallèle en Rom. 8,3s, notamment la notice "recevoir" (en Rom. 8,15: l'Esprit d'adoption, en Gal. 4,5: l'adoption - l'envoi de l'Esprit étant mentionné plus tard!). En bonne logique, et pour tenir compte de tous les éléments de parallélisme qui existent

---

154. Selon SIBER, la tradition supposée aurait mentionné seulement "l'Esprit"; en Gal. 4,6, Paul aurait ajouté ("aus kontextbedingten Gründen", p. 136, note 122) "du Fils". Il n'explique pas comment, en Rom, Paul en serait venu, de plus, à mélanger des éléments de son point (1) et de son point (2).

155. SIBER fournit une synopse des deux textes, l'ordre des éléments dans les péricopes étant réduit à celui de Rom.

entre ces deux textes, il faudrait postuler que la tradition "citée" comprenait déjà une "formule de mission" (KRAMER) ou le recours à un "schéma téléologique" (DAHL, SCHWEIZER)[156].

En troisième lieu, l'ensemble des éléments de cette "tradition" sont intégrés, en Gal. 4, dans une démonstration cohérente, dont les points sont les suivants:

- à preuve que vous êtes fils: Dieu a envoyé son Esprit, etc.; à cette étape du raisonnement est intégrée la citation du "cri" liturgique traditionnel: "Abba";
- ainsi tu n'es plus esclave, mais fils,
- fils, et donc héritier.

A notre sens, les copules, adverbes et conjonctions qui font de ce texte un raisonnement appartiennent à la rédaction paulinienne, et non pas à une éventuelle tradition que l'apôtre citerait. Nous avons donc de la peine à nous imaginer que "fils, et donc héritier" puisse encore faire partie de la formule citée[157].

Ainsi l'hypothèse du recours à une tradition prépaulinienne comprenant tous les éléments essentiels de ces deux textes nous semble poser plus de problèmes qu'elle n'en résout. Il nous paraît plus conforme à la nature des rapports entre

---

156. LUZ, Geschichtsverständnis, p. 282, note 64 fait remarquer "Dass auch in R 8 die Sendungsformel (V. 3f.) im selben Kontext vorkommt, muss immerhin notiert werden". Il ne tire pas les conséquences de cette constatation.

157. Pour LUZ, loc. cit., ce serait la présence de κληρονόμος dans la formule citée qui aurait suggéré à Paul l'image de l'héritier en Gal. 3,29 et 4,1s. Il nous semble plus logique de l'expliquer par les versets qui précèdent 3,29 que par l'existence hypothétique d'une tradition de l'Eglise primitive attestée nulle part ailleurs. Faudrait-il en inférer que, de cette notion d'héritier, tirée de la "formule" que Paul citerait en 4,5ss, Paul serait remonté à l'image du "testament" (3,15ss), dont nous avions cru pouvoir montrer comment Paul en avait "déduit" assez simplement celle de l'héritier?

l'épître aux Romains et les lettres précédentes de l'apôtre (dont Galates)[158] de supposer que Paul a repris en Rom. 8 l'essentiel de ce qu'il écrivait déjà aux Galates. Cela n'oblige pas à postuler que Gal. est temporellement plus proche de Rom. que la correspondance corinthienne, par exemple. En revanche, cela implique que Paul, au moment où il écrit l'épître aux Romains, a présent à l'esprit ce qu'il a écrit précédemment à d'autres communautés; bien plus, qu'il en a un souvenir assez net pour traiter, en Rom., ce qu'il disait aux Galates à la manière d'un texte, qu'il reprend librement, mais dont il ne laisse perdre pratiquement aucun des éléments. C'est le problème que pose d'une manière générale la parenté que l'on peut montrer entre l'épître aux Romains et les épîtres antérieures. A notre sens, cette parenté s'explique mieux encore, si l'on se représente Paul, non seulement comme un prédicateur charismatique, pressé de dire à ses interlocuteurs ou à ses lecteurs ce que l'Esprit lui inspire en fonction de la situation du moment, mais aussi comme un maître, qui enseigne régulièrement, et qui a ses thèmes de prédilection[159], qu'il peut développer dans le cadre d'une épître puis d'une autre. Nous serions ainsi tenté de voir en Gal. 4,4-7 et en Rom. 8,3s.14-17 un exemple de l'un de ces "morceaux" élaborés par Paul *ad usum scholae*, et repris dans ses grandes lignes deux fois, une fois en Galates, et une fois en Romains. Cette hypothèse nous paraît mieux expliquer à la fois la liberté et la rigueur avec laquelle Paul reprend en Rom. 8 les éléments de Gal. 4,4ss: tous les éléments, mais pas toujours textuellement, ni dans le même ordre.

---

158. Cf. G. BORNKAMM: "Der Römerbrief als Testament des Paulus" (cité plus haut note 1); pour notre contexte: p. 133 (2/h) et note 37.

159. Cf. H. CONZELMANN: "Paulus und die Weisheit" (cité plus haut Introd. note 113), p. 234s.

(f) Le but de ce chapitre II n'était pas de démontrer quoi que ce soit, au sujet des images de Paul. Il s'agissait avant tout de suivre, comme "au fil de l'eau", deux textes présentant tout à la fois une grande concentration d'images familiales et d'évidentes affinités.

Nous avons "vu" Paul jouer avec le double-sens de termes traditionnels, mais aussi introduire au moins une image nouvelle. Nous avons découvert quelques "similitudes", dont la fonction dans le discours est manifestement la même que celle des paraboles dans le discours de Jésus, tel que nous le présentent les Synoptiques, même si ce ne sont pas à proprement parler des récits. Dans ces quelques similitudes, en effet, la "tension métaphorique" se situe au niveau de la similitude dans son ensemble, même quand Paul, dans un deuxième temps, les "applique": il serait à la fois faux et impossible de les "décoder" à la manière d'une allégorie, et d'établir un rapport entre chacun des traits de la similitude et la "réalité" qu'elle a pour fonction d'évoquer, par métaphore - ce que Paul lui-même semble se refuser à faire. Nous avons ainsi trouvé non seulement des "trous" dans l'application de telle similitude, mais aussi parfois un chassé-croisé frappant entre diverses images: autant de phénomènes qui semblent indiquer que Paul est sensible au pouvoir évocateur de l'image et aux limites que ce pouvoir même impose à l'imagier. Enfin, nous nous sommes laissé étonner par le rôle modeste que joue "le Père" dans tout ce contexte.

Des quelques faits rassemblés ici, il serait prématuré de tirer des conclusions. Avant de pouvoir le faire, nous devons élargir notre champ de vision: peut-être les textes étudiés constituent-ils des exceptions peu significatives?

Les différents thèmes qui sont apparus au cours de notre étude des textes de Gal. 3 à 4 et de Rom. 4 et 8, nous devons donc voir quel rôle ils jouent dans toute la largeur du corpus paulinien. Alors seulement nous pourrons savoir quelle portée réelle ont les quelques observations que nous avons pu faire jusqu'ici.

CHAPITRE TROISIEME
LES THEMES DU CYCLE FAMILIAL DANS LE PAULINISME

III/15 "Vous êtes fils"

(a) Un examen de la concordance (voir PLANCHE 3, colonne médiane) permet de constater que Paul fait un usage très parcimonieux du thème "les croyants, enfants de Dieu". Si l'on fait abstraction de Gal. 3-4 et de Rom. 8, on trouve dans l'ensemble du corpus paulinien moins de dix fois l'une des expressions "fils", "fille", "enfant" (de Dieu) ou "adoption", appliquée aux croyants. Cependant on peut montrer que dans ces textes, aussi rares soient-ils, ce thème devait être un motif traditionnel.

En Gal. 4, Paul doit démontrer aux Galates qu'ils sont bien "fils de Dieu", et cette démonstration est reprise en Rom. 8; mais c'est l'exception. Ainsi, Paul peut exhorter les Philippiens à vivre dans le monde comme ce qu'ils sont: des enfants de Dieu dont l'intégrité soit comme un point lumineux dans l'obscurité (Phil. 2,15). L'accent porte sur la qualité du comportement que Paul attend des croyants. La mention "enfants de Dieu" (τέκνα) ne porte pas le poids de l'argumentation: elle est en apposition. Dans ce passage qui est peut-être l'écho d'un thème parénétique traditionnel[1], on trouve une allusion claire à Dt. 32,5; contrairement aux Israélites rebelles, dans le désert, les chrétiens doivent être des enfants de Dieu sur lesquels la corruption n'a aucune prise. Seuls les mots "génération perverse et dévoyée" sont à proprement parler une citation du texte biblique, selon la Septante (avec modification du cas: le nominatif de

---

1. J.-F. COLLANGE (commentaire ad Phil. 2,15-16a) considère comme probable le recours à un thème traditionnel.

l'apposition - déterminant Israël lui-même - est devenu un génitif: au milieu de cette génération...). Mais le substantif "enfants" est lui aussi emprunté à la citation, à ceci près que le peuple d'Israël était comparé à des enfants dévoyés (μωμητά), alors que les chrétiens sont exhortés à être dignes de leur qualité d'enfants de Dieu, et à demeurer sans tache (ἄμωμα). Exemple parfait d'un emploi typologique de l'A.T.[2]: Israël est, par avance, mais en "négatif", l'image de ce que doit être l'Eglise.

Un autre passage parénétique présente les mêmes caractéristiques: 2 Cor. 6,18, l'avant-dernier verset de ce que l'on appelle parfois "l'interpolation qumranienne"[3] ou même un "fragment antipaulinien"[4] (2 Cor. 6,14-7,1). Même contraste entre les ténèbres régnant dans le monde et la lumière qui rayonne ou doit rayonner dans les communautés chrétiennes (raison pour laquelle, dans ce texte, on exhorte les croyants à se tenir à l'écart des impies); même recours à l'Ecriture, ici développé, sous la forme d'une "chaîne" de références. Le verset qui nous intéresse est le dernier de la "chaîne". C'est une citation fortement modifiée de la prophétie de Nathan (2 Sam. 7,14). "Je serai (leur) père" est emprunté à la prophétie, mais le singulier (le fils promis à David) est devenu un pluriel, pour pouvoir s'appliquer à la communauté messianique. De même, "il sera pour moi un fils" est adapté

2. Nous adoptons ici la définition que L. GOPPELT donne de l'usage typologique de l'A.T., notamment chez Paul: *Typos. Die typologische Deutung des alten Testaments im Neuen*. Gütersloh 1939, p. 152-183. Cf. aussi son art. in ThWNT VIII, p. 246-260 et en part. 251-253.

3. Cf. Ed. SCHWEIZER, ThWNT VIII, p. 392,22 et 370, note 245.

4. H.D. BETZ: "2 Cor. 6,14-7,1: An anti-pauline Fragment?", in JBL 92 (1973), p. 88-108. Autres réf. dans l'appendice de E. DINKLER ("Ausgewählte Veröffentlichungen...") au commentaire de R. BULTMANN, Göttingen 1976 (MeyerK), p. 264s.

à la nouvelle situation: "ils seront pour moi des fils et des filles". Il est en effet possible que ce texte ne soit pas paulinien: son style, son vocabulaire (Béliar, v. 15), sa théologie (presque sectaire) ne paraissent pas être de Paul. Ce ne serait qu'une raison de plus pour y voir l'écho d'une tradition parénétique dont les contours semblent assez bien définis, et que l'on retrouve, atténués, précisément dans le texte de Philippiens dont il vient d'être question.

En Eph. 5,1, le thème des "enfants de Dieu" réapparaît encore une fois dans un contexte parénétique, mais le dualisme entre les ténèbres et la lumière, l'impureté du monde et la pureté des "enfants de Dieu" en est absent. "Enfants de Dieu" y est, non pas une apposition, proche de la métaphore, mais une comparaison dont la raison est explicite: "soyez des imitateurs de Dieu, comme des enfants bien-aimés". En revanche, on ne peut qu'être frappé, dans la grande eulogie d'Eph. 1,3-14 de la proximité des deux thèmes: Dieu nous a choisis pour être saints et sans tache (ἀμώμους) devant lui (v. 4), nous prédestinant à l'adoption (εἰς υἱοθεσίαν) par Jésus-Christ (v. 5).

Autre recours à l'Ecriture en Rom 9,26: la promesse de réconciliation qui s'adressait à Israël "adultère" vaut désormais pour les païens aussi bien que pour le peuple de Dieu: ceux qu'on appelait "Pas mon peuple" seront appelés "Mon peuple"; "voici, on les appellera fils du Dieu vivant" (Osée 1,10).

Ainsi donc, les croyants héritent d'une prérogative qui était celle d'Israël, et qui le demeure, aux yeux mêmes de Paul: ce sont ses frères dans la chair (Rom. 9,3), les Israélites, à qui reviennent "l'adoption, la gloire, les alliances..." (v. 4). Cependant, pour être de la vraie descendance d'Abraham, il ne suffit pas d'être membre de ce peuple "selon la chair" ("tout Israël n'est pas Israël", v. 6); encore faut-il être "enfant de la promesse", comme Isaac (v. 7-9): un écho, non seulement de Rom. 4,10-18, mais aussi et surtout de Gal. 4,21-31[5].

Tous les textes que nous venons de mentionner se situent donc, d'une manière ou d'une autre, dans un courant traditionnel, et c'est dans ce cadre déjà que le peuple d'Israël, ou désormais les membres de la jeune communauté chrétienne étaient désignés comme les "enfants de Dieu". Dans tous les cas, "enfant" est pris "au sens figuré", et non pas "au sens propre", biologique, du terme. Formellement, il s'agit de métaphores ou, dans un cas, d'une comparaison (Eph. 5,1), mais du fait que nous les rencontrons dans des contextes dans lesquels la tradition joue un grand rôle (citations de l'Ecriture, tradition parénétique), nous devons conclure à des "métaphores d'usage", à des termes techniques du langage théologique. De plus, aucun de ces contextes ne présente une conjonction de termes, métaphoriques ou non, qui puissent prêter à penser que Paul s'y livrerait à un jeu métaphorique, à quelque degré que ce soit, et qu'ainsi ces métaphores d'usage redeviendraient "métaphores vives". Dans un seul texte, nous trouvons ensemble le thème des fils (et des filles) et celui du Père: en 2 Cor. 6,18, dans la citation de 2 Sam. 7,14. "Père" aussi bien que "fils" est un thème fourni par la citation elle-même; pour les besoins de la cause, on y ajoute "filles", demeurant dans la ligne déjà dessinée. De l'analogie avec le texte de Phil. 2,15, nous inférons que le texte de 2 Sam. aura été choisi parce qu'il présentait le thème du "fils". Et la mention du Père s'y est ajoutée comme un donné, non en vertu d'un choix. Ici non

5. Pour O. MICHEL ad Rom. 9,8, nous sommes ici en présence de "fester paul. Predigtstoff, wie Gal. 4,21-31 beweist". Tout le contexte montre qu'ici, il ne s'agit pas d'enfants de Dieu, mais des enfants d'Abraham (v. 7, v. 8, 2 fois).

plus, nous ne pouvons pas conclure à un jeu métaphorique sur des thèmes du "cycle familial". Ce ne serait possible que si, par delà le strict usage de la citation biblique, l'auteur du passage reprenait ces thèmes et en exploitait certains aspects, ce qui n'est pas le cas: il revient à sa parénèse et conclut: "...purifions-nous... achevons de nous sanctifier" etc. (7,1).

(b) En Eph. 1,5 apparaît une première fois une dimension importante de ce thème des "enfants de Dieu" - dimension qui n'apparaissait pas explicitement dans les deux péricopes que nous avons étudiées au chapitre II: notre adoption est conforme à la volonté première et dernière de Dieu; ce que Dieu a décidé d'avance, devançant l'histoire de son décret éternel, doit s'accomplir dans les derniers temps[6]. La filialité, ou même "l'adoption", est une réalité de l'ordre eschatologique. C'est ce que Paul affirme et développe dans la suite de ce texte de Rom. 8 auquel nous nous sommes arrêtés au chap. II.

Le caractère eschatologique de cette péricope est évident. Tout notre présent est marqué par l'attente du plein accomplissement du plan de Dieu. Quant à notre sujet:

v.19 "L'attente impatiente de toute la création, c'est la révélation des fils de Dieu".

v.21 En effet, à ce moment-là, c'est toute la création qui aura "part à la liberté des enfants de Dieu".

v.23 Mais la création n'est pas seule à attendre. Nous aussi, nous attendons "l'adoption, la délivrance de notre corps".

---

6. Les mots ὁρίζω - προορίζω ne sont pas l'écho d'un déterminisme indifférencié: leur rapport est constant avec Jésus-Christ et les événements eschatologiques liés à sa personne et à la communauté de ses disciples. Cf. K.L. SCHMIDT, ThWNT V, art. ὁρίζω etc., p. 453-457. Il faut à notre sens y voir l'expression d'un rapport théologique entre "protologie" et "eschatologie".

Aucun de ces trois versets ne présente à proprement parler un jeu métaphorique au sens où nous l'entendons: une métaphore vive; et leur addition, leur lecture dans l'ensemble du contexte, elle non plus ne permet pas de conclure à un jeu métaphorique. Nous devons malgré tout nous y arrêter, plus pour des raisons de fond que pour résoudre des questions de forme. On est en effet en droit de se demander dans quel rapport sont entre elles les affirmations des versets 14-17 et celles des versets 18-25.

En Rom. 8,14-17, nous ne rencontrons que des passés (aoristes) et des présents:

v.14 "Ceux qui sont conduits par l'Esprit de Dieu sont fils de Dieu".

v.15 "Vous (...) avez (...) reçu (...) un Esprit d'adoption".

v.16 "L'Esprit témoigne (...) que nous sommes enfants de Dieu".

Cependant le v. 17 se terminait par une sorte d'ouverture vers l'avenir eschatologique: "héritiers avec le Christ, puisque nous avons part à ses souffrances pour être associés à sa gloire". Une telle affirmation soulignait le caractère eschatologique de la notion d'héritier: ce n'est pas celui qui est entré en possession des biens de son père, mais celui qui sait qu'il les recevra un jour[7]. Gal. 4,1-7 n'exploite pas cette dimension du thème de l'héritier, inhérente non seulement à l'image telle qu'elle apparaît dans notre contexte, mais aussi aux notions traditionnelles que sont "hériter" (la vie éternelle), "l'héritage".

Notre qualité de "fils" ou d'enfants de Dieu est prise dans cette tension eschatologique décrite par Rom. 8,18ss. Les deux premiers versets cités (19.21) ne font guère problème:

---

7. Cf. supra II/13 (b).

v.19 Si nous savons (grâce au témoignage de l'Esprit, qui nous fait nous écrier: "Père") que nous sommes fils de Dieu, cette qualité n'est pas évidente au monde. Viendra le Jour de la "révélation des fils de Dieu".

v.21 Il est question de libération. La création "elle aussi" sera libérée. Cela signifie qu'on a déjà fait allusion à une autre libération. Nous la voyons dans le v. 15: "non pas un esprit de servitude, mais un Esprit d'adoption". Pour les "fils de Dieu", cette libération est passée; c'est ce que Paul s'évertue à faire comprendre aux Galates, et qu'il répète aux Romains: si Paul ne s'était pas trouvé, en Rom. 8,15, dans un contexte marqué par les images familiales, il aurait fort bien pu forger une phrase plus balancée, et dire "non pas un esprit de servitude, mais de liberté", ce qui aurait été dans la ligne de 8,2: "La loi de l'Esprit de vie, dans le Christ Jésus, nous a libérés..."[8]. Nous sommes ces fils de Dieu dont la liberté deviendra le bien de toute la création.

Mais pouvons-nous vraiment "attendre notre adoption", comme semble le dire le v. 23? Il y a plusieurs manières de résoudre le dilemme devant lequel nous place ce verset. Le plus simple était évidemment d'omettre purement et simplement le mot υἱοθεσίαν. C'est ainsi qu'il faut interpréter, nous semble-t-il, l'absence de ce mot dans une partie de la tradition textuelle[9]. On peut aussi relativiser le caractère d'"eschatologie réalisée" propre au v. 15 en expliquant: nous n'avons reçu (aoriste) que l'Esprit d'adoption. L'adoption elle-même, nous ne la recevrons qu'au dernier jour[10].

---

8. Ainsi K. NIEDERWIMMER, Freiheit, p. 71.

9. Ainsi B.M. METZGER, Commentary, ad loc. Paul a certainement voulu cette tension entre une compréhension actualiste et une compréhension eschatologique de l'adoption, puisqu'il renchérit: "Car nous avons été sauvés, mais c'est en espérance" (TOB, v. 24a).

10. Ainsi J. JERVELL: *Imago Dei*, Göttingen 1960, p. 279.

Cette interprétation serait possible si le v. 16 ne précisait pas: "...que nous sommes enfants de Dieu": le caractère présent de notre qualité de fils (et donc le caractère passé de notre adoption) est bien établi. Cela ne supprime pas la tension entre un "déjà" (v. 15s) et un "pas encore" que crée la présence de υἱοθεσία au v. 23. Ce qui est difficile à admettre, c'est seulement que l'acte d'adoption puisse être conçu à la fois comme passé et futur. Nous proposerions donc de voir dans ce mot au v. 23, non pas l'acte d'adoption, mais la plénitude de l'état résultant de cette adoption[11]. Une telle interprétation nous paraît être dans le droit fil de l'eschatologie paulinienne: le don de l'Esprit est réel, et sur cette base, Paul peut, dès aujourd'hui, exhorter les chrétiens à vivre en conformité avec ce qu'ils sont devenus "en Christ". Mais tant que nous serons "dans la chair", nous ne pourrons que nous approcher de la pleine réalisation de ce que nous sommes en Christ, et resterons même menacés de rechute. C'est ainsi que la "révélation" de ce que nous sommes: "les "enfants de Dieu" (v. 19), ne sera pas un simple dévoilement, mais bien un acte souverain de Dieu, le don d'une perfection que nous n'avions pas possédée jusque là: la "révélation de la gloire, en notre faveur" (v. 18). C'est en ce sens que le don de l'Esprit est une "avance" sur la plénitude eschatologique[12].

(c) Au terme de cet examen des textes dans lesquels apparaît le thème des "croyants - fils de Dieu", on est en droit de se demander si des règles précises régissent l'usage respec-

---

11. Cf. LEENHARDT ad loc. et note 1 p. 130.

12. Contrairement à la plupart des exégètes, JERVELL, Imago, p. 269, note 340 (discussion et références) et p. 275, note 358, voit dans le génitif τοῦ πνεύματος un génitif partitif, et non épexégétique (ou d'apposition). Comparer Ed. SCHWEIZER in ThWNT VI, p. 420 et note 595, et ZERWICK (op. cit. supra chap. II, note 18), par. 45s.

tif de "enfants de Dieu" (τέκνα), et de "fils de Dieu" (υἱοί - θυγατέρες). On sait que, dans les écrits johanniques, υἱός est réservé à Jésus, alors que τέκνα désigne systématiquement les chrétiens comme "enfants de Dieu"[13]. Nous constatons que Paul ne fait pas cette distinction. Si, chez lui non plus, τέκνον ne s'applique jamais au Christ[14], les chrétiens sont appelés tantôt "fils", tantôt "enfants" de Dieu. Mais y aurait-il une différence entre "enfant" et "fils", et par exemple un clivage entre Galates et Romains? Nous l'avons vu, Paul écrit "enfant" en Rom. 8,16-17, alors que dans le passage parallèle (Gal. 4,7) il disait (encore?) "fils". Aurait-il, par exemple, introduit entre-temps une distinction entre τέκνον (qui dénoterait seulement la relation naturelle[15], et éventuellement la dépendance) et υἱός (qui impliquerait également un état reconnu et des droits filiaux)? Si c'était le cas, cela permettrait d'établir une différence entre notre état actuel d'enfants de Dieu, selon Rom. 8,14-17, et notre dignité future, quand nous aurons reçu la plénitude de la filialité (v. 23).

Il nous semble que tous les essais de distinction et de systématisation se heurtent à des obstacles insurmontables. En effet, en Rom. 8,14, Paul peut écrire: "ceux-là sont fils de Dieu, qui sont conduits par l'Esprit de Dieu" - mais quelques lignes plus loin, il dira "enfants"; et au sein même de la péricope "eschatologique" de Rom. 8,18-25, il emploiera successivement "fils" (v. 19: "la révélation des fils de Dieu") et "enfant" (v. 21: "la liberté des enfants de Dieu"), puis enfin "adoption" (v. 23). La conclusion nous semble s'imposer: pour désigner les chrétiens, Paul emploie

---

13. Ed. SCHWEIZER, ThWNT VIII, p. 393,28s et note 413.
14. A. OEPKE in ThWNT V, art. παῖς, p. 652.
15. Ainsi W. SANDAY & A.C. HEADLAM (ICC, 5e éd. 1902) ad Rom. 8,14-17.

indifféremment "fils" ("fille", si 2 Cor. 6,18 est de sa main) et "enfant", au gré des circonstances (p. ex. citation) ou du contexte, sans qu'il soit possible de déceler une intention qui préside à ce choix.[16]

III/16 Frères et soeurs

(a) Si l'on rencontre dans les épîtres pauliniennes en tout et pour tout six fois le substantif ἀδελφός ou le féminin ἀδελφή au sens "propre", le sens "figuré" de ces mots est extrêmement fréquent, et son usage est assez régulièrement réparti sur l'ensemble des épîtres, à l'exception de Tite (voir PLANCHE 5)[17]. Reprenant un usage de la synagogue, mais aussi des associations cultuelles hellénistiques[18], les membres de la communauté chrétienne primitive se nommaient "frères". Paul a fait sien cet usage, et il s'y tient de manière si instinctive que la plupart des textes où figurent ces termes sont sans aucun intérêt du point de vue de la métaphore: il s'agit d'une acception courante de mots qui, de ce fait même, ne font pas image. Nous nous bornerons donc à un examen des rares textes dans lesquels Paul fait de ce thème un usage qui semble réfléchi. Nous les avons signalés plus haut, dans notre recensement des images du "cycle familial"[19].

---

16. Avec O. MICHEL ad Rom. 8,16.

17. Bref tableau d'ensemble des notions théologiques évoquées par ce thème: H. von SODEN in ThWNT I, art. ἀδελφός etc., p. 144-146.

18. von SODEN tient pour une origine juive de cet usage dans le N.T., mais il cite, dans sa bibliographie générale, les auteurs qui soulignent de préférence la parenté avec les confréries cultuelles du monde hellénistique. Cf. p. ex. R. REITZENSTEIN: *Poimandres. Studien zur griechisch-ägyptischen und frühchristlichen Literatur*, Leipzig 1904, réédition Darmstadt 1966, p. 154.

19. Cf. supra II/8 (b).

(b) En Gal. 4 (notamment v. 7a) et dans la péricope parallèle de Rom. 8 (en particulier v. 15), Paul souligne le contraste qui existe entre la condition du fils et celle de l'esclave, ces deux termes étant utilisés dans un sens métaphorique: en tant que fils (ou enfants) de Dieu, les chrétiens sont libres; le Christ a été "envoyé" pour les libérer. On est évidemment curieux de savoir ce que cela implique pour les relations entre les croyants, dès le moment où l'on sort du domaine de la métaphore, pour parler de la condition sociale que ces termes dénotent: la servitude et la condition d'homme libre. En d'autres termes, quelles conséquences Paul tirera-t-il du principe général qu'il énonce à plusieurs reprises, et que l'on retrouve également dans les épîtres deutéropauliniennes: "Car tous, vous êtes, par la foi, fils de Dieu, en Jésus-Christ (...). Il n'y a plus ni Juif ni Grec; il n'y a plus ni esclave ni homme libre; il n'y a plus l'homme et la femme; car tous vous n'êtes qu'un en Jésus-Christ" (Gal. 3,26. 28; cf. Rom. 10,12a; 1 Cor. 12,13; Col. 3,11)[20]?

La réponse nous vient de l'épître à Philémon: au v. 16, Paul oppose précisément les deux termes "frère" et "esclave", comme dans les épîtres aux Galates et aux Romains, il opposait "esclave" et "fils". Mais ici, "esclave" est pris au sens "propre" d'un terme décrivant une dépendance d'ordre social (Onésime, l'esclave fugitif, est renvoyé à son maître: qu'en fera-t-il?), et seul "frère" est pris au sens "figuré". Pour bien saisir le statut de la métaphore, nous devons comprendre le texte dans son mouvement général. Sur le plan des relations humaines, dans la vie de tous les jours (on

---

20. Sur ce motif, vraisemblablement traditionnel, et lié à la parénèse baptismale, voir en part. Ed. LOHSE: *Die Briefe an die Kolosser und an Philemon*, Göttingen 1968 (MeyerK), ad Col. 3,11 et notes.

dirait ἐν σαρκί[21]), Onésime est l'esclave de Philémon. Il s'est enfui et s'est réfugié auprès de Paul, au contact duquel il s'est converti. Selon l'usage courant dans l'Eglise primitive, Paul l'appelle donc son frère "dans le Seigneur".

La première chose que Paul dise à Philémon, en se servant de manière très appuyée ("un frère bien-aimé; il l'est tellement pour moi, combien plus le sera-t-il pour toi") de ce terme, c'est qu'Onésime, revenu à Colosses chez son maître, deviendra un membre de la communauté locale: un frère de Philémon, au même titre que Paul lui-même (v. 17: "si donc tu me tiens pour ton frère dans la foi (κοινωνόν), reçois-le comme si c'était moi"). Cette interprétation nous paraît plus conforme au sens général du contexte proche que l'explication qui paraît suggérée par R. LEHMANN dans cette phrase: "Cette conversion en fait un frère de Philémon, lui-même converti par Paul (v. 19)"[22]. Certes, Paul raconte à Philémon comment il a "engendré" Onésime en prison, le nommant à cette occasion son "enfant" (v. 10), et plus loin, il fait allusion au fait que Philémon lui aussi a "une dette envers Paul": c'est lui-même (v. 19) - ce que les commentateurs interprètent comme une allusion au fait que Paul est également à l'origine de la conversion de Philémon. Mais au moment de plaider pour que Philémon accueille Onésime comme un frère, il ne se réfère précisément pas à cette paternité spirituelle, qui ferait de Philémon et d'Onésime ensemble des "enfants" de Paul, et donc des "frères"; il désigne Onésime, non plus comme son enfant, mais comme son frère: "il l'est tellement pour moi, combien plus le sera-t-il pour toi" (v. 16b).

---

21. E. LOHMEYER, *Die Briefe an die Philipper, Kolosser und an Philemon*, Göttingen 1956 (MeyerK), traduit: "im Leben", et STUHLMACHER (*Der Brief an Philemon*, EKK, Neukirchen et Zürich/Einsiedeln 1975) interprète: "in den täglichen Lebensvollzügen".

22. R. LEHMANN: *Epître à Philémon*, Genève 1978, ad v. 14-16.

Ce qui fait de Philémon et d'Onésime des frères, c'est donc uniquement le fait que l'un et l'autre sont chrétiens: ils sont frères "dans le Seigneur" (ἐν κυρίῳ, v. 16, fin). Nous pouvons dès lors sentir la force des expressions de Paul, dans le jeu des termes, alternativement "propres" et "figurés"[23]. Dans ces versets 15-17, véritable centre de la lettre, Paul annonce à Philémon qu'Onésime lui est "rendu pour l'éternité, non plus comme un esclave, mais comme bien mieux qu'un esclave: comme un frère" (v. 16a). Si Paul s'en tenait là, son discours ne serait pas très insistant, malgré l'expression "bien mieux qu'un esclave", car précisément "esclave" est pris "au sens propre", et décrit une dépendance très concrète, alors que "frère" est un terme "figuré" extrêmement courant, et qui pourrait fort bien avoir pâli. C'est précisément la question qui se pose: Que peut bien signifier le fait d'être un "frère" (au sens figuré), quand on est un esclave (au sens propre)?

On l'a assez répété: Paul n'exige rien - et en particulier il ne demande pas expressément l'affranchissement légal de l'esclave Onésime[24]. Avec raison, nous semble-t-il, P. STUHLMACHER axe toute son interprétation sur le fait que la "fraternité dans le Seigneur" affectera non seulement la vie cultuelle, mais aussi les relations qui s'établiront à nouveau entre Onésime et Philémon, dans la vie quotidienne et dans le travail. Ainsi, d'une part Onésime doit être reçu "comme un frère" dans la communauté chrétienne; et cette communauté est "l'église qui s'assemble dans (la) maison" de Philémon lui-même (v. 2): ce n'est pas par hasard que Paul ne fait pas de cette lettre un simple billet privé, mais une

---

23. Nous ne nous livrons pas à une surinterprétation, en spéculant sur le jeu métaphorique des termes. Aux v. 10-11 déjà, Paul fait un véritable jeu de mot, sur le nom de l'esclave fugitif, Onésime, "utile".

24. Ainsi encore STUHLMACHER (1975) et LEHMANN (1976/78).

lettre à Philémon et à cette "église", dans les formes mêmes qui lui servent dans ses autres épîtres[25]. Dans cette "église de maison", le maître et l'esclave seront "frères"; dans le repas du Seigneur, ils se donneront le baiser de paix (cf. 1 Thess. 5,26, 1 Cor. 16,20; 2 Cor. 13,12; Rom. 16,16), et Philémon pourrait, théoriquement, voir Onésime y exercer un ministère qui le mette plus en vue que son maître lui-même[26]. Et d'autre part Paul demande à Philémon de tirer, au niveau des relations "familiales" (dans sa "maison"), les conséquences qu'implique cette relation nouvelle "dans le Seigneur", et de traiter comme un frère celui qui continuera vraisemblablement à travailler dans sa maison.

En résumé, Paul rétablit dans toute sa force la "tension métaphorique" propre à l'image du "frère": Certes, Onésime "n'est pas" le frère de Philémon, au sens propre (κατὰ σάρκα); bien plus, Onésime est l'esclave de Philémon, au sens propre[27]. Mais Philémon doit apprendre à "voir Onésime comme" son frère, dans le Seigneur. Nous touchons ici au point où apparaît la vérité de l'énoncé métaphorique: ce qui est vrai en vertu de la métaphore doit être plus vrai que ce qu'on appelle la "réalité", exprimée en termes "propres": ("bien mieux qu'un esclave: un frère bien-aimé"). Le "trans-

---

25. STUHLMACHER ad v. 1-3: "Wie die Paulusbriefe sonst auch beginnt der Phlm mit einem sorgfältig stilisierten Briefpräskript".

26. STUHLMACHER ad v. 16, citant H. GUELZOW: *Christentum und Sklaverei in den ersten drei Jahrhunderten*, 1969, p. 40.

27. En dehors de ce v. 16, le mot δοῦλος n'apparaît jamais dans l'épître, ni au sens "propre", ni, comme le fait remarquer justement LEHMANN ad loc., au sens figuré (p. ex. "Paul, esclave du Christ Jésus", comme en Rom. 1,1; Phil. 1,1; comp. Tit. 1,1: "esclave de Dieu, apôtre de Jésus-Christ").

fert" spécifique de la métaphore ne doit pas rester au niveau des mots. Il doit se faire sentir dans la réalité que désignent ces mots: καὶ ἐν σαρκὶ καὶ ἐν κυρίῳ[28].

(c) Dans l'épître aux Romains également, nous trouvons un texte dans lequel Paul se sert de l'appellation courante: "frère", non pas comme en passant, mais de manière réfléchie: "Ceux que d'avance il a connus, il les a aussi prédestinés à être conformes à l'image de son Fils, afin que celui-ci soit le premier-né d'une multitude de frères" (8,29). Les "frères", ce sont manifestement, une fois de plus, les membres de la communauté chrétienne. Mais ce mot est ici utilisé d'une manière inhabituelle. En premier lieu, il fait partie d'un verset dans lequel s'accumulent les termes imagés, relevant du "cycle familial": le "Fils", le "premier-né", puis enfin la multitude de "frères". A elle seule, cette accumulation pourrait être le signe d'un usage métaphorique renouvelé des termes en présence[29]. En second lieu, et surtout, nous devons constater que c'est ici Jésus qui est le sujet du prédicat métaphorique: "le premier-né d'une multitude de frères". Lui qui est le Fils de Dieu, le seul légitime, alors que nous ne sommes que des fils adoptifs, en union avec lui, on ne saurait dire qu'il est à proprement parler notre "frère", comme n'importe quel membre de la communauté chrétienne. Mais Paul nous amène à le "voir comme" un frère - le "premier-né". "Frère" est donc ici comme une métaphore au deuxième degré. Dans l'usage courant,

---

28. Les commentateurs soulignent que cette expression constitue un hapax, dans tout le paulinisme. Normalement, les deux termes sont opposés l'un à l'autre. Voir également Th. PREISS: "Vie en Christ et éthique sociale dans l'épître à Philémon" in *La vie en Christ*, Neuchâtel 1951, p. 65-73, et notamment p. 71s.

29. Voir plus bas, III/17 (b).

elle s'applique aux croyants; mais ici, par exception, elle désigne le Christ. C'est par excellence, dans cette acception unique dans l'ensemble du paulinisme[30], une métaphore vive. Cependant le contexte nous montre que l'intention dernière de Paul n'est pas de nous faire découvrir un nouvel aspect de la christologie (le Christ comme "frère"), mais bien le fondement christologique de notre "fraternité". Cette métaphore, d'un usage si courant, ne va pas de soi. Elle implique que d'abord nous sommes morts à nous-mêmes et au péché (Rom. 6), pour appartenir au Christ (7,4) et devenir, par la foi et en vertu du don de l'Esprit "d'adoption" (8,15) "fils de Dieu".

(d) Il ne reste qu'un texte dans lequel on puisse trouver un lien contextuel entre "frère" et au moins un autre thème qui relève du cycle familial: Col. 4,7. Ce verset ouvre les salutations finales de l'épître, et Paul[31] recommande aux Colossiens son collaborateur Tychique, chargé de leur donner de ses nouvelles. Non sans une certaine plérophorie, Tychique se voit appeler successivement: "frère bien aimé", "serviteur fidèle" (vraisemblablement du Seigneur[32]), puis "compagnon de service" (littéralement: d'esclavage) "dans le Seigneur".

---

30. Aux textes pauliniens s'ajouteraient quelques textes évangéliques et Hébr. 2,11s. Cf. v.SODEN, art. cit., p. 145,25-30.

31. Nous désignons ainsi l'auteur de l'épître, jouant le jeu de ce que nous aurions tendance à appeler la fiction littéraire (pseudonymie).

32. Cf. Col. 1,23, où Paul se donne lui-même ce titre. Les commentateurs hésitent souvent à se prononcer: serviteur de Paul, ou du Seigneur, dans les communautés? Ainsi p. ex. LOHSE et LOHMEYER ad loc.; du fait que Paul enchaîne et ajoute σύνδουλος, il nous paraît peu probable qu'il ait voulu dire "mon serviteur". Discussion chez MASSON ad loc., en part. p. 153, note 3.

Théoriquement, il serait possible qu'il y ait une sorte de réanimation du sens métaphorique des termes en présence, par accumulation des thèmes imagés. Mais ici, "frère" est le seul mot qui, de plein droit, fasse partie du "cycle familial". Quant aux autres termes, il faut des circonstances particulières pour qu'ils y soient comme attirés. Cela ne nous semble pas être le cas ici. En effet, chacun des titres dont Paul pare Tychique est pris dans son acception traditionnelle (métaphore d'usage, terme technique du langage ecclésiastique), de telle sorte qu'il se produit une gradation[33] dans l'honneur qui en rejaillit sur le messager de l'apôtre: il est un "frère", c'est à dire un chrétien; mais pas n'importe quel membre d'une communauté chrétienne; il est un "serviteur". Même si ce terme ne désigne pas encore un ministère précis, dans une hiérarchie des services, διάκονος (plus tard: "diacre") distingue Tychique de la masse des chrétiens anonymes. Enfin, en l'appelant "compagnon de service", Paul place Tychique en quelque sorte à son propre niveau et montre qu'il s'attend à ce qu'on l'accueille avec les honneurs qu'on lui accorderait à lui-même, s'il venait en personne. Du point de vue de l'usage métaphorique du terme "frère", cette péricope ne nous apporte donc aucun élément nouveau.

(e) Nous devons enfin étudier deux textes, dans lesquels Paul fait plus que d'user du terme ἀδελφός comme en passant: 1 Cor. 8,9-13 et Rom. 14,13-20 (PLANCHE 15). La raison pour laquelle ces deux péricopes méritent un examen particulier, ce n'est pas d'abord la fréquence du terme "frère" (quatre fois en 1 Cor. 8,11-13, dont deux au v. 13, dans la conclusion du passage; deux fois dans le passage parallèle de Rom. 14), mais avant tout l'usage, dans l'un et l'autre texte,

---

33. Ainsi LOHMEYER ad loc.

d'expressions analogues:

- En 1 Cor. 8,11: "...le faible périt (ἀπόλλυται), ce frère pour lequel (δι'ὃν) le Christ est mort".
- En Rom. 14,15: "...ton frère (...). Garde-toi (...) de faire périr (μὴ ἀπόλλυε) celui pour qui (ὑπὲρ οὗ) le Christ est mort".

De part et d'autre, nous trouvons, en liaison directe (1 Cor.) ou indirecte (Rom.) avec le mot "frère", une allusion claire à la confession de foi de l'Eglise primitive: "le Christ est mort pour nous" (ou "pour nos péchés")[34]. La conjonction de ces deux thèmes est significative. Elle confirme les observations que nous faisions à propos de Rom. 8,29: "frères", nous le sommes en vertu de notre (commune) union au Christ "mort pour nous" - et ressuscité; nous aurions tendance à dire, nous appuyant sur un motif traditionnel: "premier-né d'entre les morts" (Col. 1,18; cf. Hébr. 2,10). Comme le remarque CONZELMANN[35], Paul ne parle pas ici de l'homme en général, mais de celui en qui le salut s'est actualisé: le baptisé. En 1 Cor. 8,12, Paul en tire la conclusion suivante: "en péchant contre vos frères (...), c'est contre le Christ que vous péchez". Il ne faut pas comprendre ce mot uniquement dans un sens personnel (en vertu de l'union du croyant au Christ, le "frère représente, vis-à-vis de moi, le Seigneur lui-même"[36]). Plus que de la personne du Christ, il s'agit de son oeuvre, comme le montre bien le parallèle de Rom 14,20: "ne détruis pas l'oeuvre de Dieu". Cette

---

34. Cf. K. WENGST, Formeln, à propos de la "Sterbensformel", en part. p. 78-81. Pour VIELHAUER, Urchristliche Literatur, c'est une variété de la "Pistisformel" (p. 14-22). Ainsi déjà KRAMER, Christos, p. 15-40, et pour notre contexte plus particulièrement: p. 22-24.

35. H. CONZELMANN: *Der erste Brief an die Korinther*, Göttingen 1969 (MeyerK), ad 1 Cor. 8,11.

36. Ibidem.

oeuvre de Dieu peut se résumer de la manière suivante: Par son identification à nous, jusqu'à la mort (cf. Phil. 2,8), le Christ est devenu notre frère. Par la foi - par le baptême - par le don de son Esprit (autant d'expressions parallèles, sinon équivalentes, nous l'avons vu à propos de Gal. 4,26-4,7), il fait de nous des fils de Dieu, ses "frères". En "causant la perte" d'un frère, c'est toute cette oeuvre que nous mettons en péril, dans la personne même de ce frère.

A nos yeux, lus ensemble à la lumière de Rom. 8,29, ces deux textes ont le même statut que les deux textes parallèles de Rom. 8,14-17 et Gal. 4,4-7. De même que Paul rappelait à ses lecteurs pourquoi ils pouvaient, sans aucune hésitation, se considérer comme des "fils de Dieu" (libres), de même ici, il va au delà de l'usage courant d'un terme (frère), et il en montre le sens profond: le fondement et la vérité théologiques.

III/17 Jésus-Christ, le Fils de Dieu

(a) Au seuil de cette nouvelle section, nous devons commencer par prendre acte des résultats des sections précédentes, en ce qui concerne les rapports entre les divers thèmes du "cycle familial". Très souvent, quand il se sert des expressions "fils (de Dieu)" et surtout "frère", Paul se situe dans une tradition théologique ("fils de Dieu" dans une citation de l'A.T., thème parénétique) ou linguistique ("frère", terme du langage commun dans l'Eglise primitive), qu'il se contente de reproduire. Ces textes n'ont pour nous qu'un intérêt: ils nous permettent de constater combien souvent la tension propre à la métaphore a disparu de l'usage de ces termes. En revanche, si nous jetons un regard rétrospectif sur les textes intéressants, du point de vue de

la métaphore, parce que Paul y accumulait les thèmes du "cycle familial" et/ou parce qu'il prenait une certaine distance à l'égard de la tradition, pour en expliquer les fondements, dans tous les cas, les termes de "fils (de Dieu)" et de "frère", appliqués aux croyants, sont mis en rapport direct avec le Christ, Fils de Dieu:
Cela vaut sur le plan théologique pour Phm 16 ("frère, dans le Seigneur") ou pour les deux textes parallèles de 1 Cor. 8,11 et Rom. 14,15 ("ce frère, pour qui le Christ est mort"): la qualité de "frère" est mise en rapport direct avec la personne et l'oeuvre de Jésus-Christ.
Mais cela vaut avant tout pour les textes dans lesquels on constate un lien contextuel direct entre les thèmes "les croyants, fils de Dieu" et "Jésus, Fils de Dieu": Gal. 3,26-4,7 et Rom. 8,3s.14-17 (et la suite logique de cette péricope, en 8,18ss), de même que pour le texte dans lequel les thèmes du "frère" et de "Jésus, Fils de Dieu" sont réunis: Rom. 8,29.

Nous y voyons un indice, non seulement du rôle que joue la christologie, comme fondement de la sotériologie et de l'ecclésiologie pauliniennes, mais bien aussi de la place centrale que prend le thème "Jésus, Fils de Dieu" dans le réseau des images du "cycle familial" dans le paulinisme.

(b) Nous venons de mentionner Rom. 8,29. Nous en avons utilisé déjà quelques éléments, comme témoins du langage et de la théologie de Paul, à propos du thème des "frères", mais il faut que nous y revenions ici et l'examinions de plus près.

En premier lieu, nous devons constater que de nombreux exégètes considèrent l'ensemble de la péricope comme "traditionnelle", c'est à dire "prépaulinienne", à un titre ou à un autre[37]. On a fait remarquer avant tout que la "catena aurea" (versets 29-30) présentait des caractéristiques fort peu pauliniennes, aussi bien du point de vue du vocabulaire et de la forme, que de la théologie[38]. On voit donc parfois dans ce texte un hymne en deux tercets, dans lequel la communauté pagano-chrétienne[39] chantait le salut pleinement reçu au baptême (cf. 1 Cor. 6,11), empruntant son vocabulaire aux religions à mystères[40]. Ces remarques peuvent valoir pour la "chaîne" de verbes à l'aoriste; elles ne résolvent pas le problème du v. 29bc, dont on a fait remarquer qu'il n'était pas dans le style[41]; il est facile de le montrer typographiquement[42]:

28 οἴδαμεν δὲ ὅτι τοῖς ἀγαπῶσιν τὸν θεὸν πάντα συνεργεῖ
εἰς ἀγαθόν, τοῖς κατὰ πρόθεσιν κλητοῖς οὖσιν.

29 ὅτι
οὓς προέγνω, καὶ προώρισεν
συμμόρφους τῆς εἰκόνος τοῦ υἱοῦ αὐτοῦ,
εἰς τὸ εἶναι αὐτὸν πρωτότοκον ἐν πολλοῖς ἀδελφοῖς·

30 οὓς δὲ προώρισεν, τούτους καὶ ἐκάλεσεν·
καὶ οὓς ἐκάλεσεν, τούτους καὶ ἐδικαίωσεν·
οὓς δὲ ἐδικαίωσεν, τούτους καὶ ἐδόξασεν.

---

37. Pour les problèmes de tradition et de rédaction inhérents à ce passage, voir P. VON DER OSTEN-SACKEN: Römer 8, p. 63-78.
38. G. SCHILLE: *Frühchristliche Hymnen*, Berlin 1965, p. 89s et notes 7-9.
39. Typique de ce morceau, l'eschatologie pleinement réalisée, propre aux communautés que l'on appelle aujourd'hui "enthousiastes". Ainsi KAESEMANN ad loc. Cf. aussi Eph. 2,5s.
40. R. REITZENSTEIN: *Die hellenistischen Mysterienreligionen*, 3e éd. Leipzig 1927, étudie ce texte p. 257 (une réf. fréquente dans la littérature; cf. p. ex. J. SCHATTENMANN: *Studien zum neutestamentlichen Prosahymnus*, München 1965, p. 9), puis dans l'excursus "Paulus als Pneumatiker" (p. 333ss), notamment p. 361.
41. K. GRAYSTON: "The Doctrine of Election in Romans 8,29-30", in Studia Evangelica II, Berlin 1964 (TU 87), cité par P. VON DER OSTEN-SACKEN: Römer 8, p. 68, note 33.
42. La typographie choisie par SCHILLE (Frühchristliche Hymnen, p. 90) est artificiellement systématisée. La forme ne répond pas au fond.

Du point de vue formel, 29bc interrompt la "chaîne" de 29a.30; et quant au fond, son caractère non-paulinien reste à prouver. En effet, parmi les termes dits "non-pauliniens" que contiennent ces versets 29-30, un seul se trouve en 29bc: le premier-né[43]. En revanche, le thème de l'image (εἰκών) n'est pas étranger à Paul (à tout le moins 1 Cor. 15,49; 2 Cor. 3,18; 4,4; cf. Col. 1,15; 3,10), pas plus que l'idée d'une "conformation" à l'image du Christ, à laquelle il revient à plusieurs reprises, sous des formes toujours renouvelées: Phil. 3,21, mais déjà 3,10; 2 Cor. 3,18; Gal. 4,19. On objectera que plusieurs de ces textes présentent eux aussi une terminologie[44], sinon même une forme[45] traditionnelle. A nos yeux, ces textes sont trop nombreux pour que cette remarque constitue encore une objection: elle peut tout au plus attirer notre attention sur le fait que ce thème traditionnel doit avoir été particulièrement cher à Paul et à son école; mais pour que l'on puisse considérer ce v. 29bc comme un morceau "rapporté", que Paul aurait découpé d'un texte traditionnel qu'il connaissait[46], pour l'ajouter à la "catena aurea", il faudrait (1) qu'il possède une certaine unité de forme et de fond et (2) que des textes parallèles confirment cette dépendance littéraire ou prélittéraire, qui leur serait commune. Or tous les indices que nous pouvons réunir nous semblent aller à l'encontre de cette hypothèse.

---

43. Dans le paulinisme, ce terme ne se trouve qu'ici et en Col. 1,15.18: un texte traditionnel.

44. KAESEMANN, ad Rom. 8,29s définit la terminologie de Gal. 4,19: "in Taufsprache". Terminologie traditionnelle également en Phil. 3,20s, selon LUZ: Geschichtsverständnis, p. 312 et note 53.

45. Selon E. GUETTGEMANNS: *Der leidende Apostel und sein Herr*, Göttingen 1966, cité par LUZ (voir note précédente), Phil. 3,20s serait un morceau prépaulinien. A propos de Col. 1,15-20, voir H.J. GABATHULER: Jesus Christus, Haupt... (Zürich 1965).

46. Pour P. VON DER OSTEN-SACKEN: Römer 8, le v. 29bc est un fragment traditionnel. Voir p. 73-76 ("Die Gleichgestaltungsformel").

(1) Du point de vue du style, ce distique n'est pas sans rudesse. La première partie enchaîne de manière assez naturelle[47] sur le premier vers de la "catena": συμμόρφους ("conformes") est attribut de l'objet (sous-entendu, = οὓς "ceux que") du verbe προώρισεν. Il en résulte une phrase qui n'est pas sans analogie avec 2 Cor. 3,18 ou Phil. 3,21. Mais au second vers, alors que l'on attendait, à tout le moins: εἰς τὸ εἶναι αὐτούς... ("pour qu'ils soient..."), on trouve brusquement: εἰς τὸ εἶναι αὐτὸν πρωτότοκον: "afin qu'il soit le premier-né"); mais ce détour par le singulier ne dure pas, et l'on retrouve immédiatement un pluriel, qui permet de reprendre le fil de la "chaîne d'or": "(le premier-né) d'une multitude de frères".
Ce phénomène de nature stylistique n'est que le signe formel du caractère composite du passage, sur le plan du contenu. En premier lieu, nous pensons qu'on peut y déceler un courant christologique traditionnel, prenant sa source dans le judaïsme sapiential[48]. En effet, les deux termes εἰκών, πρωτότοκος, sont des attributs traditionnels de la Sagesse, appliqués ici au Christ, qui devient le porteur par excellence de l'image de Dieu, et le premier-né. Utilisés ensemble, ils expriment non seulement la préexistence du Christ, mais aussi sa fonction médiatrice: En effet, "l'image" caractérise l'homme dans sa relation avec Dieu, le créateur, alors que le "premier-né" est toujours en relation avec la réalité créée: "le premier-né de toute la création" (Col. 1,15), "le premier-né d'entre les morts" (1,18); voir aussi Hébr. 2,10: ἀρχηγὸς τῆς σωτηρίας αὐτῶν ("l'initiateur de leur salut").

---

47. La tournure obtenue est pourtant elliptique. Comp. Act. 4,28; Eph. 1,5.

48. Cf. E. SCHWEIZER: "Die Kirche als Leib Christi (Antilegomena)", p. 295s (note 6): W.D. DAVIES: Paul and Rabb. Jud., p. 147-176 ("Christ, the Wisdom of God"). A propos de la Sagesse comme Image, cf. Ed. SCHWEIZER (EKK) ad Col. 1,15, notamment p. 57, note 126.

Mais on y trouve également un courant sotériologique, que l'on rencontre dans des contextes très divers: le motif de la "conformité" des croyants à la condition du Christ.
Il peut désigner ce qui s'est déjà passé au baptême: σύμφυτοι γεγόναμεν τῷ ὁμοιώματι τοῦ θανάτου αὐτοῦ (Rom. 6,5: "nous avons été totalement unis, assimilés à sa mort" - TOB). Mais ce qui est donné au baptême doit s'exprimer dans la réalité de la vie, et se vérifier ainsi toujours à nouveau. D'où le présent, dans des textes de nature très comparable: συμμορφιζόμενος τῷ ὁμοιώματι τοῦ θανάτου αὐτοῦ (Phil. 3,10: "de devenir semblable à lui dans sa mort") ou μεταμορφούμεθα ἀπὸ δόξης εἰς δόξαν (2 Cor. 3,18: "nous sommes transfigurés, avec une gloire toujours plus grande"). Mais cette conformité avec le Christ ne sera parfaite que lorsque nous serons ressuscités avec lui[49]; d'où un futur, marquant l'aboutissement de la tension eschatologique dans laquelle nous vivons encore: μετασχηματίσει τὸ σῶμα τῆς ταπεινώσεως ἡμῶν σύμμορφον τῷ σώματι τῆς δόξης αὐτοῦ (Phil. 3,21: "il transformera notre corps humilié pour le rendre semblable à son corps de gloire").

(2) Les modifications auxquelles est soumis ce motif dans les textes que nous venons de passer en revue sont telles que nous devons voir dans ce "courant sotériologique" un thème cher à Paul, et sur lequel il improvise au gré du contexte, chaque fois qu'il s'en sert, plutôt qu'une "formule" traditionnelle prépaulinienne.
Le point de confluence de ces deux courants, c'est le terme εἰκών, que l'on retrouve à tout le moins dans un des textes cités: 2 Cor. 3,18, mais que la parenté entre ce dernier texte et Phil. 3,21 permet d'identifier également comme

49. Paul évite de telles expressions pour parler du baptême. Comparer à cet égard Rom. 6,3-8 et Col. 2,11-13; 3,1s. Présentation synoptique dans notre article "Pour une synopse paulinienne", p. 98s.

équivalent en 1 Cor. 15,49 (les deux Adam: le premier, porteur d'une image troublée, le second, le Christ, porteur de l'Image par excellence).

Au point où nous en sommes, nous pouvons résoudre la question posée par le génitif (τῆς εἰκόνος) τοῦ υἱοῦ αὐτοῦ. Il pourrait s'agir d'un simple génitif de possession: nous reproduirions "l'image du Fils de Dieu"[50]. Dans ce cas, le mot "image" ne s'entendrait pas d'une relation à Dieu, mais d'un rapport entre les croyants et le Fils, dans une tournure analogue à celle que nous trouvons en 1 Cor. 15,49. Mais il nous semble qu'il faut y voir un génitif épexégétique (ou d'apposition)[51]: les chrétiens sont rendus conformes au Christ, qui est l'Image[52]. Cette interprétation s'impose à nous en premier lieu à cause de la parenté entre εἰκών et πρωτότοκος, que nous avons signalée plus haut, mais aussi à cause du précédent de 2 Cor. 3,18: εἰκών ne désigne pas n'importe quelle image, mais l'Image de Dieu, dont le Christ est porteur, comme le montre 2 Cor. 4,4[53].

Mais l'originalité de Rom. 8,29 n'est pas dans la réunion de ces deux courants: le thème de la "conformité" et celui d'une christologie de type sapiential. Elle réside plutôt

---

50. P. VON DER OSTEN-SACKEN: Römer 8, p. 74-75.

51. Voir notamment U. LUZ: "L'image de Dieu dans le Christ et dans l'homme, selon le N.T." in *Concilium* 10 (1969), p. 80; J. KUERZINGER: "ΣΥΜΜΟΡΦΟΥΣ ΤΗΣ ΕΙΚΟΝΟΣ ΤΟΥ ΥΙΟΥ ΑΥΤΟΥ (Röm. 8,29)" in BZ, N.F.2 (1958), p. 294-299, que nous citons d'après L. SCHEFFCZYK (éd): *Der Mensch als Bild Gottes*, Darmstadt 1969 (WdF, Bd. CXXIV).

52. KUERZINGER (Cf. note précédente) propose la traduction suivante: "...vorausbestimmt, an der Bildgestalt seines Sohnes teilzuhaben" (p. 76).

53. Cf. G. von RAD, H. KLEINKNECHT, G. KITTEL, in ThWNT II, art. εἰκών, p. 378-396; pour les textes cités ici, notamment p. 394ss. Cette question grammaticale n'est cependant pas déterminante pour notre propos.

dans le fait que cette péricope rassemble dans un seul contexte d'une part ces deux courants (qui se trouvent déjà partiellement réunis dans d'autres textes), et d'autre part les deux notions de "Fils de Dieu" et de "frères":
De même que l'on ne trouve nulle part ailleurs dans le paulinisme le titre de Fils de Dieu lié à celui d'Image[54], de même la conjonction de πρωτότοκος à ἀδελφοί, que nous trouvons ici, est un hapax.

En résumé, il nous semble clair que 29bc n'est pas un morceau traditionnel, que Paul introduirait au milieu de la "catena aurea", parce qu'il lui semblerait se prêter à ce genre de greffe, mais plutôt un élément rédactionnel, une de ces incises par lesquelles Paul fait valoir son point de vue, ou pose un accent personnel, au milieu d'un texte qu'il cite.

Nous pouvons dès lors déterminer le statut des métaphores que contient ce distique, et notamment du titre de "premier-né", dès le moment où il est lié à cette autre métaphore traditionnelle qu'est le motif des "frères". Il arrive que πρωτότοκος dénote la prééminence du Christ par rapport à un groupe dont il ne fait pas partie. Ainsi, en Col. 1,15, le Christ-Logos est le "premier-né" de la création tout entière, bien que lui-même ne soit pas une créature. Et en 18c (stique rédactionnel[55]), l'auteur de l'épître souligne qu'à ses yeux il s'agit d'une seule chose: que le Christ ait, en tout, la primauté. Cependant, au v. 18b, le Christ venait d'être désigné une deuxième fois comme le "premier-né": πρωτότοκος ἐκ τῶν νεκρῶν. Et là, il s'agissait du Crucifié qui, dans

---

54. Col. 1,12-14 (où figure le titre de "Fils") forme un morceau cohérent en lui-même, indépendant de 15-20. Voir commentaires récents et P. VON DER OSTEN-SACKEN: Römer 8, p. 74, note 53.

55. Ed. SCHWEIZER: "Die Kirche als Leib Christi (Antilegomena)", p. 295. Contre SCHWEIZER, notamment Ed. LOHSE, comm.: Excursus "Der Christushymnus 1,15-20", p. 81.

sa résurrection, est "prémices de ceux qui sont morts" (1 Cor. 15,20). Les morts constituent une catégorie à laquelle le Christ a appartenu, et la résurrection du Christ est pour eux la promesse qu'ils ressusciteront à leur tour. Si l'on admet que Rom. 8,29bc est une glose paulinienne insérée dans un "texte" baptismal prépaulinien (la catena aurea), on peut être tenté de pousser un peu l'image du "premier-né", et d'y souligner non seulement la notion de prééminence, mais aussi celle de naissance: Le Christ ressuscité serait, dans sa résurrection, le "premier-né" de ceux qui allaient devoir passer, dans le baptême, par une "nouvelle naissance". Une telle interprétation dépasserait les limites imposées par l'usage paulinien des diverses notions en jeu: D'une part, jamais la résurrection du Christ n'est présentée, dans le N.T., comme une naissance[56]. Et d'autre part, l'idée de nouvelle naissance, appliquée au baptême, n'est pas à proprement parler paulinienne. En effet, pour Paul, celui qui vient à la foi, qui reçoit le Saint Esprit et qui est baptisé, meurt "avec le Christ" (Rom. 6,3s), pour vivre d'une vie nouvelle[57]; il est une nouvelle créature, "en Christ" (2 Cor. 5,17). Mais il faudra

---

56. Souligné avec raison par W. MICHAELIS, in ThWNT VI, art. πρωτότοκος etc., p. 872-882 (ici: p. 878, note 40).

57. P. BONNARD: "Mourir et vivre avec Jésus-Christ selon saint Paul", in RHPR 1956, p. 101-112 tient à l'origine hellénistique de la formule paulinienne de Rom. 6, mais il propose "d'interpréter le σὺν Χριστῷ paulinien par son contexte immédiat en faisant violence à ses origines historiques" (p. 110). Cette suggestion a été reprise de manières diverses, confirmant la justesse de la vision de base: Paul est en dialogue critique avec la tradition pagano-chrétienne. Cf. R.C. TANNEHILL: *Dying and Rising with Christ*, Berlin 1967, p. 21-43; H. CONZELMANN: "Paulus und die Weisheit" in NTSt 12 (1965/66), est tout à fait dans cette ligne, quand il fait remarquer, p. 232, note 3 "die formale Härte, mit der das Präteritum in Röm. 6,4f vermieden werden muss".

attendre Tit. 3,5 pour trouver, à propos du baptême, l'expression "bain de la nouvelle naissance (...) que produit l'Esprit Saint" (λουτρὸν παλιγγενεσίας).

Il n'en reste pas moins que Paul, dans ce verset, joue consciemment avec les termes, évoquant leur sens métaphorique, au-delà de leur signification stéréotypée (titres christologiques, appellation traditionnelle des membres de la communauté chrétienne): le v. 29b poursuit les lignes esquissées par 14-17: le baptême révèle que nous sommes prédestinés à être "conformes à" l'Image de Dieu: le Christ, le Fils de Dieu. Et 29c ajoute: Si cela est vrai, nous devons "voir le Christ lui-même comme" le chef de file, "l'aîné" de cette multitude de "frères", ce qui constitue un jeu sur le double-sens de πρωτότοκος: son sens christologique et un sens dont le caractère métaphorique est plus accentué, puisqu'il évoque la fratrie dans laquelle les chrétiens sont intégrés par leur baptême "dans le Christ". De ce fait, Rom. 8,29bc prend pour nous une importance comparable à celle que revêtent les textes parallèles de Galates 4,1-7 et Rom. 8,3s.14-17; dans sa brièveté, il est porteur des mêmes richesses de sens:
La solidarité du Christ avec les hommes (Gal. 4,4s; Rom. 8,3s: la "formule de mission") est exprimée par le raccourci impressionnant: "premier-né d'une multitude de frères".
Mais simultanément, la prééminence du Christ, le Fils (cf. l'adoption, Gal. 4,5; Rom. 8,15) est réaffirmée, non seulement par l'image du "premier-né", mais aussi par cette sorte de hiérarchie[58] qui s'établit: le Christ est l'Image, qui se forme en nous; nous sommes un reflet, qui doit devenir toujours plus clair (cf. 2 Cor. 3,18), de cette Image.

---

58. Cette hiérarchie est soulignée de manière particulièrement insistante par J. JERVELL: Imago Dei, p. 276s.

Cela nous amène à recenser brièvement les passages dans lesquels le titre christologique de "Fils de Dieu" apparaît, même hors de tout contexte métaphorique.

(c) Dans la tradition prépaulinienne, le titre de Fils de Dieu paraît être utilisé avec prédilection dans les textes qui décrivent l'action de Dieu dans l'histoire du salut, sa révélation en Jésus-Christ[59]. Nous l'avons vu dans ce que d'aucuns appellent la "formule de mission" (Gal. 4,4s; Rom. 8,3s), dont nous pensons qu'elle véhicule à tout le moins une expression stéréotypée: "Dieu a envoyé son Fils"[60]. Mais cela semble vrai aussi d'une autre tradition, très proche de la première: ce que l'on pourrait appeler la "formule de paradosis"[61], comme le montrent des textes tels que Rom. 8,32; Gal. 2,20; Eph. 5,2.25, mais aussi Jn 3,16; 1 Jn 3,16 (cf. Gal. 1,4; dans les Pastorales 1 Tim. 2,6; Tit. 2,14).

On ne s'étonne donc pas de voir apparaître ce titre dans des confessions de foi plus élaborées, dont on cherche souvent le "Sitz im Leben" dans le baptême (cf. Actes 8,37, texte occidental[62]).

---

59. Ainsi O. CULLMANN: *Die Christologie des N.T.*, 2e éd. Tübingen 1958, p. 300.

60. Cf. supra, II/14 (b) et notes II/117*-122*.

61. Ce que W. KRAMER: Christos, p. 112-116, puis K. WENGST: Formeln, p. 55-57 et Ph. VIELHAUER: Urchristliche Literatur, p. 16s appellent "Dahingabeformel".

62. A propos du rapport entre la confession du Fils de Dieu et le baptême: G. BORNKAMM: "Das Bekenntnis im Hebräerbrief" in Ges. Aufs. II, p. 188-203, puis VIELHAUER: Urchristliche Literatur, p. 25-27 qui distingue homologie (=énoncé d'identification: "qui est Jésus") et acclamation ("qui est le Seigneur"). Contre W. KRAMER: Christos, p. 68-71.

Il faut mentionner en premier lieu Rom. 1,3-4, dont le caractère prépaulinien (opposition de "chair" et "Esprit", d'une manière étrangère à l'apôtre, christologie "à degrés") est reconnu depuis longtemps[63]. Souvent on y voit une confession de foi baptismale[64], plutôt qu'un hymne[65] au Christ. La formule primitive aura eu vraisemblablement la forme suivante - les additions pauliniennes étant ici entre parenthèses[66]:

(3) (περὶ τοῦ υἱοῦ αὐτοῦ)
τοῦ γενομένου ἐκ σπέρματος Δαυὶδ
κατὰ σάρκα,
(4) τοῦ ὁρισθέντος υἱοῦ θεοῦ (ἐν δυνάμει)[67]
κατὰ πνεῦμα ἁγιωσύνης ἐξ ἀναστάσεως νεκρῶν,
(Ἰησοῦ Χριστοῦ τοῦ κυρίου ἡμῶν).

---

63. Voir déjà E. NORDEN: *Agnostos Theos. Untersuchungen zur Formengeschichte religiöser Rede*, Stuttgart 1912, rééd. 1923, réimpr. Darmstadt 1971, p. 385. Une des premières études de détail: Ed. SCHWEIZER: "Röm. 1,3f und der Gegensatz von Fleisch und Geist vor und bei Paulus" (1955) in *Neotestamentica*, p. 180-189.

64. Pour ce "Sitz im Leben": MICHEL; WENGST: Formeln, p. (112-)116; VIELHAUER: Urchristliche Literatur, p. 31, est plus réservé: "die Frage nach dem Sitz im Leben lässt sich nicht genauer beantworten als mit dem Hinweis auf den Gottesdienst".

65. VIELHAUER (loc. cit. supra) rend attentif au caractère peu "poétique" de ce texte.

66. Analyse détaillée et nombreuses références chez H. ZIMMERMANN: *Neutestamentliche Methodenlehre. Darstellung der historisch-kritischen Methode*, 2e éd. Stuttgart 1968, p. 192-202; cf. aussi K. WEGENAST: Tradition bei Paulus, p. 70-76.

67. Déjà Ed. SCHWEIZER proposait de voir dans ces mots une adjonction paulinienne. Avec lui: WENGST, ZIMMERMANN, VIELHAUER, KRAMER (Christos, p. 107); thèse à laquelle s'est opposé notamment Ferd. HAHN: Hoheitstitel, p. 252.

Nous ne pouvons pas étudier ici ce texte en détail. Remarquons simplement l'orientation de la christologie qui s'y fait jour: Jésus, celui que Paul appelle de préférence "notre Seigneur" est entré dans notre histoire. Fils de David selon la généalogie, il a été installé dans la dignité de Fils de Dieu, en vertu de la résurrection. Une fois de plus,le titre de Fils de Dieu est lié intimement à la révélation de Dieu dans notre histoire. C'est cela que rapporte "l'Evangile (...) au sujet du Fils de Dieu" (Rom. 1,1.3a).

Cette formule d'intronisation, plutôt que d'adoption[68], n'est pas sans précédent. On peut se demander si l'on n'a pas un écho d'une formule du même type en 1 Cor. 15,24.28, où le titre de Fils est lié à la "transmission du règne" au Christ (βασιλεία)[69], en vue de la soumission de tous les ennemis.

Un autre texte s'impose à notre attention, non seulement parce qu'on y a vu un hymne baptismal[70], mais surtout parce qu'il réunit, comme Rom. 1,3s le titre de Fils de Dieu et un fragment de confession de foi à la résurrection: 1 Thess. 1,9s. On a vu dans ce texte un résumé de la prédication missionnaire de Paul aux païens[71]. Plus récemment, on s'est mis à douter du caractère spécifiquement paulinien de ce passage, qui fourmille de trait archaïques. Nous distinguons

---

68. On a parlé parfois de la christologie "adoptianiste" de cette formule - une expression anachronique. Cf. MICHEL ad loc. (p. 31); HAHN: Hoheitstitel, p. 255.

69. Cf infra III/20 (d).

70. Par ex.: G. FRIEDRICH: "Ein Tauflied hellenistischer Judenchristen: 1. Thess. 1,9f". ThZ 21 (1965), p. 502-516.

71. Cf. J. MUNCK: "I Thess. I.9-10 and the Missionary Preaching of Paul. Textual Exegesis and hermeneutic Reflections". NTSt 9 (1962/63), p. 95-110. Sur le caractère paulinien ou prépaulinien de ce texte, notamment p. 101s.

en définitive dans ce morceau trois parties assez hétérogènes pour que l'on soit en droit de douter qu'elles aient formé, toutes ensemble, un "chant", que Paul citerait simplement[72]. Voici ces trois éléments dans leur contexte:

(9) (...) καὶ πῶς ἐπεστρέψατε πρὸς τὸν θεὸν ἀπὸ τῶν εἰδώλων,
(I) δουλεύειν θεῷ ζῶντι καὶ ἀληθινῷ,
(10) (II) καὶ ἀναμένειν τὸν υἱὸν αὐτοῦ ἐκ τῶν οὐρανῶν,
(III) ὃν ἤγειρεν ἐκ τῶν νεκρῶν,
(II') Ἰησοῦν τὸν ῥυόμενον ἡμᾶς ἐκ τῆς ὀργῆς τῆς ἐρχομένης.

Après une introduction louant les Thessaloniciens pour la manière dont ils persévèrent dans la foi qu'ils viennent d'embrasser, on découvre un premier élément (I), qui n'a rien de spécifiquement chrétien. Comme tout païen qui se convertit, ils ont abandonné le culte des idoles, pour servir le Dieu vivant et vrai. Ce n'est pas sans raison qu'on a vu dans cette affirmation un fragment de "profession de foi juive"[73], une "de ces antiques formules et de ces vues fondamentales du judaïsme qui survécurent à la rupture définitive de la première Alliance, pour s'imposer à la chrétienté"[74].

Mais au milieu du morceau, on reconnaîtra sans difficulté ce qui a été défini comme le noyau même de la confession de foi chrétienne: la confession de la résurrection du Christ[75]: "...qu'il a ressuscité des morts". Une étude systématique de cette confession montre que celle-ci n'est pas liée au titre

72. Ainsi WENGST: Formeln, p. 30 note 10, contre FRIEDRICH, Tauflied, p. 508.

73. P.-E. LANGEVIN: *Jésus Seigneur et l'eschatologie. Exégèse de textes prépauliniens*, Bruges-Paris 1967, p. 67.

74. Idem, p. 66.

75. WENGST: Formeln, p. 27-48; VIELHAUER: Urchristliche Literatur, p. 15s.

de "Fils de Dieu", mais au nom de Jésus, puis au titre de "Christ"[76].

Si l'usage de "Fils" (de Dieu) en (II) n'est pas motivé par le recours à la confession de foi décelée en (III), on peut se demander en vertu de quelle logique ce titre figure ici. Dans le fait que le contexte est eschatologique, on a voulu voir une preuve du fait que "Fils de Dieu" appartenait à la vieille tradition messianique, et s'appliquait de manière constante à l'attente du Messie-Fils de Dieu, dans la dignité duquel Jésus devait venir. Seule une évolution ultérieure en aurait étendu l'application à d'autres domaines de la christologie, et notamment à la foi en l'exaltation de Jésus, à sa résurrection[77]. Cette thèse n'est pas restée incontestée, et quant à notre texte, on a proposé une autre manière d'expliquer la présence de ce titre dans ce contexte eschatolgique. On aurait, en (II-II') le reste d'une toute vieille tradition judéo-chrétienne, attachée, non pas au titre de Fils de Dieu, mais à celui de Fils de l'Homme. Au moment de transmettre cette tradition à des pagano-chrétiens, on aura remplacé le titre de Fils de l'Homme par celui de Fils de Dieu, plus compréhensible à des oreilles grecques[78]. Cela signifierait que la christologie du Fils de Dieu, dont nous avons vu qu'elle était liée traditionnellement à des notions telles que la résurrection, l'exaltation, mais aussi la mission de Jésus, qui l'amène à la mort expiatoire[79], aurait été enrichie après coup des harmoniques provenant

---

76. KRAMER: Christos, p. 16-40.

77. Ferd. HAHN: Hoheitstitel, p. 280-292. Brève critique de cette thèse chez FRIEDRICH, art. cit. note 70, p. 513.

78. Proposition presque simultanée de G. FRIEDRICH, Tauflied, et P.-E. LANGEVIN (cf. note 73), p. 74, à cette différence près que LANGEVIN attribue à Paul ce que FRIEDRICH attribue à la tradition prépaulinienne. L'hypothèse de FRIEDRICH a été adoptée, p. ex., par Ed. SCHWEIZER: ThWNT VIII, p. 372 et note 261.

79. Ainsi Ed. SCHWEIZER, ThWNT VIII, p. 372,5-11.

d'une christologie originellement rattachée au titre de Fils de l'Homme, proprement futuriste et proche du cri ancien MARANATHA (1 Cor. 16,22).

Dans le texte, tel qu'il se présente à nous aujourd'hui, dans son caractère composite, nous verrions donc un effort paulinien pour unifier la foi de l'Eglise, telle qu'elle s'exprime dans sa prédication missionnaire: L'attente eschatologique, dont on sait que jusque dans cette épître, elle prend des formes apocalyptiques (1 Thess. 4,13-5,11), est recentrée, à l'usage de ceux qui en ont besoin, et se trouve fondée dans la résurrection du Christ (cf. plus tard les développements de 1 Cor. 15, dont l'apocalyptique ne sera pas non plus absente); le titre de Fils de l'Homme, dont les Grecs n'étaient pas en mesure de comprendre qu'il s'agissait à l'origine d'une figure céleste, est remplacé par celui de Fils de Dieu, qui, de son côté sera doublé, dans l'acclamation de la communauté, puis largement supplanté dans le langage théologique de l'apôtre, par un autre titre encore: "Seigneur".

Il existe d'ailleurs une parenté profonde entre ces deux titres de Fils de Dieu et de Seigneur, précisément dans les textes que Paul emprunte à la tradition prépaulinienne (voir PLANCHE 16). A cet égard, le texte le plus typique est Rom. 10,9. Paul y cite tour à tour deux formules: "Jésus (est le) Seigneur" (κύριος Ἰησοῦς) et: "Dieu l'a ressuscité des morts" (ὁ θεὸς αὐτὸν ἤγειρεν ἐκ νεκρῶν). "Confesser que Jésus, en personne, est le Seigneur, et confesser l'oeuvre de Dieu, qui l'a ressuscité des morts, ce sont deux actes inséparables. Certes, les deux formules demeurent distinctes, mais elles s'expliquent mutuellement"[80]. Faut-il donc dire, en reprenant les termes de Rom. 1,4, que Jésus est le Sei-

---

80. J. MOLTMANN: *Theologie der Hoffnung*, 3e éd. München 1965, p. 150.

gneur "en vertu de la résurrection des morts"? Cette conclusion nous semble justifiée par l'hymne de Phil. 2,6-11, dans lequel, après l'abaissement volontaire et la mort de celui qui "était de condition divine", on assiste à son exaltation "au-dessus de toute chose" (ὑπερύψωσεν), en vertu de laquelle lui a été "donné le Nom": "Seigneur".

Mais pour revenir au titre de Fils de Dieu, on ne peut être que frappé par le fait qu'au moment de mentionner la vision du Christ ressuscité, dont il a bénéficié sur le chemin de Damas, Paul se sert précisément de l'expression: "(Dieu) a jugé bon de révéler en moi son Fils" (Gal. 1,15-16)[81]. Signe à nos yeux que le titre de "Fils de Dieu" et la révélation de Dieu dans la résurrection sont indissolublement liés l'un à l'autre, aux yeux de Paul comme ils l'étaient dans la tradition de l'Eglise primitive.

III/18 Paul et ses enfants

(a) Les croyants sont unis dans la communauté des "enfants de Dieu": ils sont frères. Et quand Paul s'adresse directement aux destinataires de ses lettres, il leur dit en général "frères"[82]. On pourrait en conclure qu'il se place lui-même, au sein de cette communauté, non pas au-dessus de ses interlocuteurs, mais au même niveau qu'eux.

---

81. Ainsi la plupart des commentateurs. Discussion récente chez MUSSNER, notamment p. 84, note 34. Sans exclure cette interprétation, BONNARD (ad loc. et note complémentaire, 2e éd. p. 139s) voit dans cette expression avant tout une allusion à la révélation (par l'Esprit, dans l'Eglise de Damas) du sens de l'apparition du Christ ressuscité, ce qui inclut l'appel à l'apostolat.

82. Cf. supra III/16 (a).

Et pourtant Paul utilise aussi des expressions qui relèvent d'un autre thème du "cycle familial"; ses interlocuteurs sont alors ses "enfants". Cela ne saurait nous étonner, car, dans la plupart de ses lettres, Paul a pour but de maintenir un contact avec des communautés qu'il avait fondées, et dont les circonstances extérieures ou les impératifs de ses voyages missionnaires l'avaient éloigné, parfois prématurément.

Ce thème pourrait fort bien n'avoir avec notre sujet ("la famille de Dieu") qu'un rapport purement formel, qui tiendrait au fait que Paul se servirait des mêmes images pour désigner des "réalités" de deux ordres différents: dans un cas il parlerait du lien de dépendance qui s'est établi entre l'apôtre et les communautés qui sont nées de son activité missionnaire, et dans l'autre, il aurait en vue les relations qui se sont tissées entre Dieu et les hommes (ses "enfants", dans le Christ), et qui font de l'Eglise une communauté de "frères". Même dans ce cas extrême, nous devrions nous arrêter à cette notion de la "paternité spirituelle", pour examiner si l'usage d'un même vocabulaire imagé pour désigner ces deux ordres de relations diverses n'a pas créé, dans le discours de Paul, des tensions, conscientes ou non, tant il est vrai qu'il doit être difficile de passer d'un plan à l'autre, et de se présenter soi-même, tantôt comme un frère et un égal, tantôt comme le "père", détenteur de l'autorité. Il n'en est que plus important de déterminer avec soin à quelles connotations des images familiales Paul fait appel, quand il y a recours pour évoquer une "paternité spirituelle".

Un examen rapide des textes qui entrent ici en ligne de compte permet d'observer que les traits mis en évidence évoquent tantôt la genèse de la relation entre Paul et les croyants (ses "enfants"), tantôt la qualité des rapports que cette relation implique. Pour la commodité de l'exposé, nous distinguerons donc deux séries de textes, tout en observant d'emblée que l'un d'entre eux appartient aux deux séries à la fois (voir PLANCHE 17).

(b) Dans trois textes, le jeu des termes en présence met en évidence le rôle de Paul comme "géniteur", soit de la communauté (1 Cor. 4,14-15; Gal. 4,19), soit d'un chrétien (Onésime, en Phm. v.10).

1 Cor. 4,14-15 est, des trois, le plus explicite. Il rassemble en effet dans un seul contexte les substantifs "père" et "enfant", et le verbe "engendrer": "mes enfants (τέκνα) bien-aimés (...), vous n'avez pas plusieurs pères, car c'est moi qui, par l'Evangile, vous ai engendrés (ἐγέννησα) en Christ". L'énoncé est clair, ou plus exactement, les termes utilisés s'éclairent mutuellement et créent un contexte univoque. En effet, le verbe utilisé, γεννάω, n'est pas univoque en lui-même. Selon que son sujet est une femme ou un homme, il peut, dans la grécité classique comme à l'époque hellénistique, signifier aussi bien "engendrer" que "mettre au monde", "enfanter"[83].
Phm 10 pousse l'image moins loin: il ne réunit que deux termes: τέκνον ("enfant") et, comme 1 Cor. 4,15, ἐγέννησα. Par analogie avec ce dernier texte, on traduira ce verbe, ici aussi, par "engendrer". A nos yeux, pour être sûr que γεννάω doit se traduire par "engendrer", il ne suffit pas de constater que le sujet (Paul, qui écrit à Philémon), est masculin. Le troisième texte de cette série nous rend circonspects dans le maniement d'un tel argument.
Gal. 4,19, en effet, est absolument clair, et point n'est besoin du contexte pour rendre univoque le sens du verbe

---

83. F. BUECHSEL in ThWNT I, art. γεννάω etc. (av. K.H. RENGSTORF), p. 663 et les dictionnaires grecs ad voc.

utilisé, comme c'était le cas dans les deux premiers textes: ὠδίνω ne signifie pas simplement "souffrir", mais bien (absolument) "souffrir les douleurs de l'enfantement", et (avec un objet à l'accusatif) "mettre au monde" (cf. aussi Gal. 4,27, citant Es. 54,1, LXX)[84]. Paul se sert ici d'une métaphore verbale dont le caractère de "tension métaphorique" est évident, à un double titre: il s'agit d'une part d'un enfantement "au sens figuré", mais d'autre part et surtout, en disant aux Galates "mes petits enfants (τεκνία) que, dans la douleur, j'enfante à nouveau", Paul donne à ce verbe, féminin par excellence, un sujet masculin. On peut se demander si ces deux aspects de la tension métaphorique ont un poids égal, dans le discours de Paul. A coup sûr, la "pointe" de l'image réside dans les "douleurs" d'un "accouchement" qui devrait être passé, et qui n'en est que plus dur, pour Paul, du fait qu'il doit être recommencé (πάλιν - "à nouveau"). Cependant Paul n'aura pas été malheureux que l'usage de ce terme introduise dans son discours des connotations féminines, et parmi elles, la tendresse de la mère pour son enfant. Nous en voulons pour signe τεκνία μου ("mes petits enfants"), un diminutif affectueux[85] que l'on trouve également dans la bouche du Christ johannique (Jn 13,33).

Nous avons dû souligner plus haut[86] que Paul ne se servait pas de la notion de "naissance" ou de nouvelle naissance pour désigner ce qui se passe au baptême. Il est donc intéressant de voir tout de même apparaître ce thème, dans des contextes où Paul fait de toute évidence allusion à ce

---

84. Cf. LIDDELL & SCOTT ad voc. et G. BERTRAM in ThWNT IX, art. ὠδίν etc., p. 668-675.

85. BAUER ad voc.: "liebevoll-vertraute Anrede". C'est la leçon adoptée par l'édition du NT grec des UBS jusqu'à la 2e éd. Dès la 3e éd., on trouve τέκνα, sans explication ni apparat critique.

86. Cf. supra III/17 (b) et notes 56 et 57.

tournant décisif, dans la vie du croyant, qu'est la conversion. Il est cependant peu probable que Paul fasse ici allusion au baptême lui-même. En effet, 1 Cor. 4,15 est clair, à cet égard aussi: "je vous ai engendrés par l'Evangile". Ce qui est fondamental, pour Paul (cf. 1 Cor. 3,10-11, en relation avec 2,1-2 et, p. ex. Gal. 3,1), c'est la prédication de l'Evangile du Christ, crucifié et ressuscité, la présentation du Christ qui, par son Esprit, suscitera la foi - et la confession de la foi. Que l'on baptise, une fois posé ce fondement de la foi, cela semblait aller de soi, mais ce n'est guère à cela que Paul fait allusion. Bien plus, il vient d'écrire: "Dieu merci, je n'ai baptisé aucun de vous, sauf...", puis: "le Christ ne m'a pas envoyé baptiser, mais prêcher l'Evangile" (1,14.17).

Il est bien évident qu'il n'est pas possible de prendre au pied de la lettre l'idée de naissance qui se trouve exprimée par la métaphore, mais cette image évoque un passage du non-être à l'être, qui convient assez bien à la "réalité" que Paul veut décrire. Dans deux de ces textes, il s'exprime non seulement sur la puissance qui permet que s'opère ce passage (l'Evangile), mais bien aussi sur ce qui se produit, quand naît un chrétien:
En 1 Cor. 4,15, Paul dit: ἐν γὰρ Χριστῷ Ἰησοῦ (...) ὑμᾶς ἐγέννησα ("en effet, c'est moi qui vous ai engendrés, dans le Christ Jésus"). Certes, nous ne trouvons pas ici, comme en Rom. 6,3 à propos du baptême, la préposition εἰς marquant le mouvement, mais le sens de la phrase est clair: "en Christ" définit le "lieu" dans lequel se situent tout à la fois "l'engendrement" *et* donc la relation entre "père" et "enfant"[87]; mais celui à qui Paul, par l'Evangile, a donné la vie, est "en Christ"; il ne vit que parce qu'il a été

87. "'In Christus' bezeichnet die objektive Sphäre, welche das Verhältnis von Vater und Kindern konstituiert" (CONZELMANN ad loc.).

incorporé à cet "un", qui seul a la vie et peut la donner (cf. Gal. 3,14.15-29).

En Gal. 4,19, Paul s'exprime autrement: "je (vous) enfante, jusqu'à ce que le Christ ait pris forme en vous" (μέχρις οὗ Χριστὸς μορφωθῇ ἐν ὑμῖν). L'objet du verbe "enfanter", c'est bien "mes petits enfants", par le biais du pronom relatif οὓς (un pronom masculin pour un antécédent neutre); mais la "forme" concrète qui apparaît "dans" les Galates, c'est le Christ. On comprend donc que l'on ait pu aller jusqu'à dire que Paul "donne naissance à Jésus-Christ pour et chez les Galates"[88]. Il nous semble que cela vaut aussi bien pour chacun des croyants que pour la communauté qu'ils forment, et nous dirions donc: la nouvelle personnalité des Galates, à laquelle Paul donne vie, c'est le Christ, en eux. C'est ce qui aurait dû se passer au moment de leur conversion et de leur baptême; mais au moment où la réalité même de leur vie chrétienne, dans la liberté des enfants de Dieu, est mise en cause par une sorte de conversion à rebours (cf. 4,9.11), cet "accouchement" est à reprendre; cela implique, à la lumière de 1 Cor. 4,15, que l'Evangile doit leur être prêché à nouveau dans ses rudiments (cf. 1 Cor. 3,1-2: le "lait")[89].

A notre sens, ces deux textes ne se contredisent pas, mais expriment deux aspects complémentaires de la même réalité. Le croyant est "en Christ", et le Christ est "en lui"[90]; il s'agit là, non seulement d'une "localisation", mais bien d'un lien personnel, proche de l'identification: le croyant

---

88. P. BONNARD, comm., note additionnelle de la 2e éd.: p. 159, ad p. 94**.

89. On est en droit de se demander si Paul se sert vraiment d'une terminologie baptismale (ainsi E. KAESEMANN ad Rom. 8,29, cf. plus haut III/17(b) et note 44). Il faudrait alors "décoder" la phrase de la manière suivante: "Les Galates doivent être baptisés à nouveau", ce qui paraît absurde.

90. Cf. A. OEPKE in ThWNT II, art. ἐν, p. 537-539.

"revêt le Christ" (Gal. 3,27); si cela est vrai, cela doit se manifester concrètement, prendre forme dans la vie de l'individu et de la communauté. C'est ce que souligne l'expression de Gal. 4,19: "jusqu'à ce que le Christ prenne forme en vous".

Du point de vue de notre étude, ces trois textes sont en définitive extrêmement intéressants, car ils nous permettent de saisir sous un de leurs aspects les plus importants les relations qui existent entre ces deux "familles" que sont "la famille de Dieu" (l'ensemble des chrétiens) et la "famille de Paul" (ceux des chrétiens dont Paul est le père spirituel, car il est à l'origine de leur conversion).
Première détermination, à la fois positive et négative: ces textes sont les seuls dans lesquels apparaisse clairement l'image d'une naissance, quelle qu'elle soit. Or ce que Paul "fait voir" métaphoriquement comme une naissance est un événement qui a lieu "en Christ" (1 Cor. 4,15), mais la relation qui se trouve ainsi décrite n'est pas, de manière immédiate, la relation qui unit le croyant à Dieu en Jésus-Christ. Ce n'est pas Dieu qui est ici le géniteur, et les croyants ne reçoivent pas, dans ces contextes, leur titre de fils ou d'enfants de Dieu; ils sont "enfants" de Paul. La naissance à la vie nouvelle est décrite comme médiatisée: par l'Evangile, prêché et reçu, Paul est devenu le "père" des Corinthiens, des Galates ou de Philémon; il les a "enfantés", en Christ, et les a ainsi rendus capables d'une autre relation, en vertu de laquelle ils prennent place dans la "famille de Dieu".
La relation née de la "paternité spirituelle" aurait pu être, pour Paul et pour ses "enfants" une relation privilégiée. C'est ici qu'intervient la deuxième détermination, essentiellement négative. Face aux Corinthiens, qui ont tendance à se prévaloir de leur appartenance à une école ou à une autre, selon l'apôtre ou le missionnaire auxquels ils

sont attachés, Paul s'efforce de relativiser son rôle et celui de ses compagnons de service. Il se sert d'une image "horticole": "Qu'est-ce qu'Apollos? Qu'est-ce que Paul? Des serviteurs (...). Moi, j'ai planté, Apollos a arrosé, mais c'est Dieu qui faisait croître. (...) Dieu seul compte, lui qui fait croître. Celui qui plante et celui qui arrose, c'est tout un (...)" (1 Cor. 3,5-8). En termes familiaux, cela signifie que la paternité spirituelle ne joue, par rapport à la famille de Dieu, qu'un rôle subsidiaire (instrumental) et, semble-t-il, assez passager. Nous exprimerions cela par une autre image, qui a bien sûr ses limites également: La "famille de Dieu" ("en Christ") est le courant principal, dans lequel baignent tous ceux qui sont un jour venus à la foi, que ce soit par le ministère de Paul ou celui d'Apollos ou de qui que se soit d'autre. Chaque fois que la prédication de Paul (l'Evangile) amène quelqu'un à la foi, il se crée un courant adventice, qui vient se fondre dans le courant principal. En ce sens, la "famille de Paul", l'ensemble de "ses" convertis, n'est qu'un affluent de ce courant principal. Dès que l'on est dans le courant principal, le fait que l'on soit venu de l'un ou de l'autre des affluents - que l'on soit "né" par le ministère de Paul ou d'un autre missionnaire - ne joue plus qu'un rôle documentaire (voir les aoristes de 1 Cor. 4,15 et Phm 10). C'est la raison pour laquelle il est indifférent que l'on puisse démontrer ou non que Philémon, comme Onésime, est un "enfant" de Paul. C'est "dans le Seigneur" (Phm 16), "par l'Evangile", et non "grâce à Paul", qu'ils sont frères[91].

(c) Cependant, les textes qui font état de la "naissance" des croyants à la foi ne sont pas les seuls dans lesquels Paul fasse allusion à la relation qui l'unit à ses fils spirituels. Nous avons en effet défini une deuxième série de

91. Cf. supra III/16 (b) et note 22.

textes, qu'il nous faut examiner maintenant: ceux dans lesquels Paul insiste avant tout sur la qualité de la relation qui s'établit, en vertu de cette paternité spirituelle.

1 Thess. 2,7-8.11-12 viendrait plutôt confirmer le résultat auquel nous venons de parvenir: le thème de la paternité spirituelle renvoie les Thessaloniciens à leurs souvenirs, encore tout frais, certes, mais passés. De manière caractéristique, le récit commence par le vocatif cher à Paul: "Vous-mêmes le savez bien, frères..." (2,1). Se met-on à diffamer Paul dans la communauté de Thessalonique? Essaie-t-on de mettre en doute la pureté de ses motifs? A lire Actes 17,1-8, on ne s'en étonnerait pas. En tous les cas, dans un long plaidoyer pro domo, Paul rappelle aux Thessaloniciens dans quelles conditions il est arrivé dans leur ville, comment il leur a prêché l'Evangile, et plus généralement, quelle a été son attitude à leur égard. Il n'a pas été violent, revendicateur ou insidieux, comme on l'en accuse peut-être, mais "plein de douceur[92], comme une mère (qui) réchauffe sur son sein les enfants qu'elle nourrit" (2,7). Et il poursuit, assurant les Thessaloniciens de son affection (ὀμειρόμενοι), mieux, de son amour (ἀγαπητοὶ ἡμῖν ἐγενήθητε); il était bel et bien prêt à partager (μεταδοῦναι) avec eux "non seulement l'Evangile de Dieu, mais même (sa) propre vie" (v.8). Mais le rappel du passé se poursuit: "vous vous rappelez, frères..." (v.9). Envers chacun des nouveaux convertis de cette communauté, l'apôtre s'est conduit "comme un père (à l'égard de) ses enfants, les exhortant, les encourageant, les adjurant de se conduire d'une manière digne de Dieu..." (v. 11-12).

---

92. En fonction du contexte, et contre les témoins les plus anciens, il faut lire ἤπιοι et non νήπιοι (avec la minorité au sein du comité de rédaction du N.T. grec des Sociétés bibliques réunies) Cf. B.M. METZGER, Textual Commentary ad loc.

Nous ne pouvons que noter l'accumulation des termes évoquant une certaine atmosphère familiale:
Paul se présente tout d'abord comme une nourrice ou une mère[93], puis comme un père. L'accumulation de ces deux images dans un même contexte paraît d'une audace toute particulière. Dans les textes que nous avons étudiés jusqu'ici, Paul n'avait jamais fait appel qu'à l'un ou à l'autre de ces thèmes. Il n'était pas à la fois le père et la mère. La conclusion s'impose, sur le plan de l'image: nous avons ici affaire à des *métaphores vives*, tant il est vrai qu'il est impossible d'accumuler ainsi des images tout à la fois apparentées et relativement contradictoires (père et mère), sans être conscient de la tension métaphorique introduite dans le discours: Paul "est et n'est pas" le père des croyants. De même il "est et n'est pas" une mère ou une nourrice pour eux. Mais surtout, comment peut-il "être et n'être pas" tout à la fois l'un et l'autre? Cependant nous hésiterions à voir même dans cette accumulation des métaphores une nouveauté absolue. Sans qu'il soit possible de démontrer que Paul dépend d'une source quelle qu'elle soit, on doit constater que, dans le judaïsme contemporain de l'apôtre, on rencontre non seulement l'un et l'autre thème, mais aussi leur addition[94]. Il se peut donc que Paul ait eu recours à un motif qui avait déjà une certaine histoire. Dans ce cas, nous serions en présence d'une accumulation traditionnelle d'images qui, par la force des choses, conservent une "tension métaphorique" particulière.

---

93. Le sens premier est "nourrice", mais ce mot peut aussi désigner une mère, dans sa fonction nourricière. Cf. BAUER, Wörterbuch, ad voc.

94. Cf. O. BETZ: "Die Geburt der Gemeinde durch den Lehrer" in NTSt 3 (1956/57), p. 314-326. Plus claire encore que celles que donne BETZ est la référence fournie par P. STUHLMACHER ad Phm. 10: 1QH 7,20s.

Les traits que Paul choisit pour rendre plastique l'image de la nourrice aussi bien que celle du père, vont tous dans un seul et même sens:

Déterminations négatives: v. 7 "nous aurions pu nous imposer (ἐν βάρει εἶναι)"; v. 9 "pour n'être à la charge d'aucun de vous (πρὸς τὸ μὴ ἐπιβαρῆσαί τινα ἡμῶν)".

Déterminations positives:

Du concept de "nourrice" ou de "mère": la douceur (ἤπιοι), les soins attentifs (θάλπῃ, un verbe dont le sens premier est "réchauffer"). A propos de cette image, il faut remarquer que nous avons affaire ici, non pas à une métaphore, mais à une comparaison. Paul se compare à une nourrice (ὡς ἐάν, v.7), et il indique explicitement la "raison" de la comparaison: une nourrice n'est d'aucun poids pour ses enfants. Au contraire, elle les entoure de tous ses soins. Mais dans l'application de cette comparaison (οὕτως, v.8), Paul ne s'appesantit pas sur les éléments déjà exprimés, pour chercher à dire en termes "propres" ce qu'il a déjà dit en termes "figurés" (en ce sens, il ne développe pas la comparaison en une allégorie). En effet, il introduit de nouveaux verbes dont à tout le moins l'une ou l'autre des connotations évoque encore l'image de la mère: "nous avions pour vous une telle affection" (ὁμειρόμενοι), un verbe rare, dont une inscription funéraire fait usage pour décrire l'affection brisée de parents en deuil d'un enfant[95]; "nous étions prêts à vous donner non seulement l'Evangile..." (μεταδοῦναι ... τὸ εὐαγγέλιον), une expression qui rappelle ce que fait la nourrice: elle donne à son nourrisson ce qu'elle a de meilleur; par nature, c'est un "partage" d'elle-même. Ce que Paul a pu partager, c'est l'Evangile qu'il avait lui-même reçu. Peut-être faut-il voir ici une allusion fugitive à un thème qui apparaîtra explicitement en 1 Cor. 3,2: la nourriture des νήπιοι, des débutants dans la foi,

---

95. MOULTON & MILLIGAN, Vocabulary, ad voc.

c'est le "lait" de l'Evangile[96]. Mais Paul aurait été prêt à aller plus loin dans l'imitation de la "mère nourricière", et à se donner lui-même (μεταδοῦναι ... τὰς ἑαυτῶν ψυχάς). Celui qui se dépense sans compter et "donne sa vie" pour ses enfants, dépasse l'affection un peu viscérale, que semble exprimer le verbe ὁμείρομαι. Le mobile qui le pousse à l'action, c'est l'amour, tout simplement. Il nous semble qu'il y a une gradation, dans le choix des verbes de ce verset 8 (application de la comparaison). Comme en Gal. 3,15-17[97] et 4,1-4[98], le langage imagé ne s'arrête pas à la frontière de la comparaison. Il déborde sur l'application, sous la forme d'au moins deux verbes dont les traits métaphoriques nous paraissent évidents.

Déterminations positives:

Du concept de "père": le souci de chacun en particulier; la manière de parler, qui se veut en tout constructive: Paul "exhortait" (παρακαλοῦντες), "encourageait" (παραμυθοῦμενοι) les Thessaloniciens, les "adjurait" (μαρτυρόμενοι) "de (se) conduire de manière digne de Dieu". Le caractère positif de ces verbes apparaîtrait évidemment mieux, si Paul établissait explicitement le contraste entre cette attitude, qui était la sienne, et celle qu'il aurait pu avoir, s'il n'avait pas voulu être "comme un père". Il le fera dans le second texte que nous allons étudier.

Notons enfin que les deux images auxquelles Paul recourt évoquent deux âges différents des "enfants" auxquels il se voue. L'image de la nourrice "fait voir" les Thessaloniciens

---

96. L'image devait être assez répandue, et n'évoquait pas nécessairement le vocabulaire des religions à mystères. H. SCHLIER in ThWNT I, art. γάλα, p. 644s, cite Philon et Epictète.

97. Cf. supra II/10 (d).

98. Cf. supra II/13 (a.c.d).

comme des νήπιοι: des nourrissons n'ayant pas encore atteint l'âge de raison. L'image du père, en revanche, présente les Thessaloniciens comme des croyants déjà responsables[99]. Quand on songe à la brièveté du séjour de Paul à Thessalonique, on ne peut s'empêcher de penser que cela en dit long sur ses méthodes missionnaires, manifestement peu "paternalistes"[100].

1 Cor. 4,14-15 doit figurer ici aussi. Ce texte, en effet, n'évoque pas seulement la "naissance à la foi" (passé). Son but premier est de faire comprendre aux Corinthiens que Paul n'a pas seulement <u>été</u> leur "géniteur", mais qu'il reste leur père, du moins en ce qui concerne l'esprit qui préside à leurs relations mutuelles. L'image initiale, dans ce texte, nous paraît être celle des enfants (ὡς τέκνα μου ἀγαπητά). Or à l'égard d'enfants, deux attitudes sont possibles: celle du père et celle du "surveillant" (παιδαγωγός). D'où, ici comme en 1 Thess. 2,7-12, une double série de déterminations, positives et négatives.

<u>Déterminations négatives</u>: v. 14a: "(pas) pour vous faire honte" (ἐντρέπων); v. 15a: "dix mille pédagogues" (μυρίους παιδαγωγούς).
<u>Déterminations positives</u>: v. 14b: "comme mes enfants bien-aimés" (ὡς τέκνα μου ἀγαπητά); v. 15b: "(vous n'avez pas) plusieurs pères" (ἀλλ'οὐ πολλοὺς πατέρας).

---

99. Analyse détaillée chez P. GUTIERREZ: *La paternité spirituelle selon St Paul*, Paris 1968, p. 87-117.

100. Cf. R. ALLEN: *Missionary Methods. St. Paul's or ours?* (1ère éd. 1912), notamment le chapitre 10 "Authority and Discipline" (Ed. américaine de la 2e éd., 1927: Grand Rapids, 4e impr. 1966, p. 111-125).

C'est donc tout naturellement que Paul pourra enchaîner: "Je vous exhorte donc: soyez mes imitateurs" (v.16). Paul ne réclame pas simplement l'obéissance[101]. Il s'attend à ce que les Corinthiens aient la même attitude positive que lui, à tous égards, et d'abord à son égard: il désire être "payé de retour". C'est ce qu'il rappelle aux Corinthiens en 2 Cor. 6,11-13. Pour définir les relations (réciproques) qui devraient exister entre les Corinthiens et leur "père spirituel", Paul se sert à nouveau d'un couple de verbes antithétiques, qu'il dispose en chiasme:

Τὸ στόμα ἡμῶν ἀνέῳγεν
πρὸς ὑμᾶς, Κορίνθιοι,

A	ἡ καρδία ἡμῶν πεπλάτυνται·	B'	στενοχωρεῖσθε δὲ ἐν τοῖς σπλάγχνοις ὑμῶν· τὴν δὲ αὐτὴν ἀντιμισθίαν, ὡς τέκνοις λέγω,
B	οὐ στενοχωρεῖσθε ἐν ἡμῖν,	A'	πλατύνθητε καὶ ὑμεῖς.

Le style du v. 11 est vétérotestamentaire. L'expression "j'ai ouvert ma bouche", ou "ma bouche s'est ouverte" est fréquente dans le sens de "parler franchement"; nous dirions: "à coeur ouvert"[102]. En première analyse, le v. 11b (allusion au Ps. 119,32 = LXX 118) n'est qu'une variation sur le

---

101. Contre W. MICHAELIS, ThWNT IV, p. 670, qui ne voit pas le lien logique entre le thème du père et celui de l'imitation. Les commentaires présentent parfois aussi la même lacune (cf. CONZELMANN ad loc.). Le "Sitz im Leben" de ce motif est-il vraiment (originellement) l'école, ou n'est-il pas dérivé des rapports entre père et enfants, et appliqué secondairement à cette autre relation? Ce n'est pas par hasard que les rabbins sont appelés "père" (Cf. G. SCHRENK, ThWNT V, p. 977). Cf. aussi W.P. de BOER: *The Imitation of Paul*, Kampen 1962, et supra II/11 (c) et note 61.

102. Cf. BULTMANN ad 2 Cor. 6,11; citations de la LXX à l'appui.

même thème (parallelismus membrorum)[103]. Il nous semble cependant qu'une fois de plus, Paul joue sur le double-sens d'une expression: ἡ καρδία ἡμῶν πεπλάτυνται. Lu à la lumière de ce qui précède, ce stique signifie certainement "j'ai été d'une franchise absolue" ("je vous parle franchement, de plein coeur"[104]). Mais dans ce contexte, il peut, et à notre sens il doit être aussi compris comme un synonyme du v. 12a: οὐ στενοχωρεῖσθε ἐν ἡμῖν: "vous n'êtes pas à l'étroit chez nous"; en d'autres termes: "il y a de la place pour vous dans notre coeur, vous y serez au large". Voilà définie l'attitude de Paul à l'égard des Corinthiens: une grande amitié, impliquant une franchise totale, qui n'est pas exempte de rigueur (πρὸς ὑμᾶς, v. 11a). Le malheur veut cependant que la réciproque ne soit pas vraie. Telle est du moins la conviction de l'apôtre. D'où le retournement de la perspective. Il se peut que les Corinthiens "se sentent à l'étroit". Mais c'est chez eux, et pas chez Paul que se situe cette étroitesse de coeur (v.12b). Qu'ils suivent l'exemple de Paul, qu'ils ouvrent donc leur coeur, eux aussi, largement.
On ne peut qu'être frappé par le parallélisme des termes qui s'organisent ici autour du mot "enfants". Nous y voyons le signe que l'amour de Paul pour les communautés qu'il a créées ne souffre aucune dissymétrie.

Au bas de notre PLANCHE 17, nous avons rassemblé toutes les autres attestations du thème "Paul et ses enfants". Elles se concentrent autour de deux personnes: Timothée et, par analogie, Tite. Du point de vue de l'usage que Paul fait de ces images, ces textes ne nous enseignent rien de nouveau.

---

103. BULTMANN ad loc: "ist mit dem vorigen Satz synonym".

104. J. HERING, *La seconde épître aux Corinthiens*, Neuchâtel, 1958 (CNT), ad loc.

Le thème de la paternité spirituelle sert à exprimer une relation privilégiée d'amitié, "dans le Seigneur". Il n'en est pas moins frappant qu'ici aussi, Paul parle à Timothée d'égal à égal: "comme un fils auprès de son père, il s'est mis avec moi au service de l'Evangile" (ὡς πατρὶ τέκνον σὺν ἐμοὶ ἐδούλευσεν, Phil. 2,22). Avec Onésime dans le billet à Philémon, Timothée est le seul "frère" (2 Cor. 1,1) que Paul appelle son "enfant", à titre individuel (Phil. 2,22; 1 Cor. 4,17). Les Pastorales s'inscrivent tout naturellement dans cette tradition: Timothée (quatre fois) et Tite y sont nommés "mon cher enfant", dans des expressions dont le caractère stéréotypé ne devrait pas faire de doute (voir p. ex. la similitude presque totale entre 1 Tim. 1,2 et Tite 1,4).

(d) Au début du présent paragraphe III/18, nous avons noté que le thème de la paternité spirituelle pourrait fort bien entrer en concurrence, ou du moins en tension, avec celui de la famille de Dieu, dès le moment où Paul serait amené à "voir comme" ses enfants ceux que, par ailleurs, il appelle "ses frères". Nous sommes dès lors en mesure de revenir à cette question, pour tirer quelques conclusions de notre enquête sur ce thème.

En tout premier lieu, nous devons souligner la rareté relative du thème de la "famille de Paul". Il n'y a aucune commune mesure entre les quelque 130 attestations du thème "frère" et les douze textes dans lesquels Paul a recours à des images relevant de la paternité spirituelle. La règle, l'usage ordinaire, c'est de toute évidence l'image (fût-elle "pâlie") évoquant la "famille de Dieu". Ce n'est que dans des cas d'exception, que Paul mentionne que tel chrétien, ou telle communauté "lui doit la vie". Ainsi, en Gal. 4,19,

Paul parle de son travail d'enfantement parce qu'il lui semble que cet "accouchement" est à refaire. Dans la correspondance corinthienne, la situation n'est pas aussi grave, mais une partie de la communauté semble avoir été dressée contre Paul. C'est la relation personnelle qui est mise en danger, et l'apôtre tente de la sauver. Quant à lui, en tous les cas, il peut assurer les Corinthiens de son attachement fidèle. Sa fermeté elle-même en est un signe. De même, dans l'épître aux Thessaloniciens, Paul rétablit la vérité historique face aux diffamations dont il est l'objet de la part d'adversaires de la jeune communauté. Dans l'épître à Philémon, Paul est certainement poussé par l'urgence de sa demande. En appelant Onésime "son enfant", il souligne à quel point le fugitif lui est cher; quant à Philémon lui-même, s'il tient à faire des comptes, il peut mettre dans la balance deux dettes: celle que Paul contracte à son égard en lui demandant une faveur pour Onésime, et celle que Philémon lui-même garde à l'égard de Paul, puisqu'il lui doit "la vie" (Phm 19: σεαυτόν μοι προσοφείλεις).

En second lieu, dans l'ordre du "propre" plutôt que du "figuré", Paul s'élève explicitement contre l'habitude qu'ont certains, à Corinthe notamment, de se recommander d'un ministre de l'Evangile ou d'un autre (1 Cor. 3,4-9.22s). "Le Christ est-il divisé?" (1 Cor. 1,13).

Ainsi, troisièmement, Paul a "enfanté" ou "engendré" les croyants, certes, mais "dans le Christ" (1 Cor. 4,15); le but et, à proprement parler la fin (μέχρις οὗ) de cet enfantement, c'est que "le Christ se forme en eux". La puissance qui agit, ce n'est pas la force persuasive des arguments de Paul (cf. 1 Cor. 1,18ss), mais l'Evangile lui-même (1 Cor. 4,15: διὰ τοῦ εὐαγγελίου), "le langage de la croix, (...) folie pour ceux qui se perdent, mais (...) pour nous, puissance de Dieu" (1 Cor. 1,18). L'apôtre n'est que le porte-parole, l'instrument dont Dieu se sert pour agir. Quand il se désigne lui-même comme un "serviteur" (δοῦλος, διάκονος), il a certainement conscience de se servir du "mot propre", et non d'une image, partiellement inadéquate.

Nous avons vu, quatrièmement, que Paul peut employer le thème de la paternité spirituelle dans le statut d'une métaphore nominale ou verbale (1 Cor. 4,15; Gal. 4,19; Phm 10). Mais quand les deux thèmes de la "famille de Dieu" et de la "famille de Paul" apparaissent ensemble, il s'établit une sorte de hiérarchie dans le statut respectif des images. C'est ce que l'on peut observer en 1 Thess. 2: ἀδελφοί (v. 1 et 9) est une métaphore (le terme est appliqué de manière immédiate au sujet implicite), et les thèmes du "géniteur" (mère ou nourrice au v. 7; père au v. 11) ou de l'enfant (de Paul, v. 7 et 11) reçoivent le statut de comparaisons: "père", "mère", "enfants", ne sont pas des prédicats des sujets (Paul, ou les Thessaloniciens). Les termes entrant en jeu dans une comparaison, nous l'avons vu[105], gardent leur sens "propre". Paul ne se déclare pas le père (ou la mère) des Thessaloniciens (ses "frères"). Il compare son attitude à celle d'une mère ou d'un père, et ce n'est que secondairement (dans l'application de la comparaison), que des termes appartenant au "paradigme" du concept de "père" ou de "mère" apparaissent dans le statut de métaphores.

Enfin (cinquièmement), les traits que Paul retient, dans les comparaisons ou dans les métaphores appartenant au thème de la paternité spirituelle, sont les suivants:
- la tendresse de la mère (1 Thess. 2,7-8)
- la prévenance du père (1 Thess. 2,11-12)
- le contraste entre l'attitude du père et celle du "pédagogue" (1 Cor. 4,14-15)
- l'amour (1 Thess. 2,8; 2 Cor. 6,11-13; 1 Cor. 4,17, etc.)
- la communion de service (Ph. 2,22).

---

105. Cf. supra 0/3 (d).

Jamais, sans aucune exception, le thème de la paternité spirituelle ne dénote un rapport de dépendance entre Paul et les communautés qu'il a fondées. Il n'y a donc aucune tension entre le thème de la "famille de Dieu", dans lequel Paul se range aux côtés des communautés qu'il a fondées (si "jeunes" soient-elles), et celui de la "famille de Paul". Des structures patriarcales qui doivent avoir été de règle au temps de l'apôtre[106], rien n'apparaît dans l'usage qu'il fait des images relevant de la "paternité spirituelle". "Dans le Seigneur", les distinctions sociales ont perdu leur portée. De même qu'il n'y a plus ni Juif ni Grec, ni esclave ni homme libre, ni homme ni femme (cf. Gal. 3,28), de même, il n'y a plus ni "père" ni "fils".

III/19 L'esclave dans la famille

(a) L'esclave appartient à la maisonnée[107], et dans les lettres de Paul, on rencontre à plusieurs reprises un lien contextuel entre l'un ou l'autre des thèmes de la famille et celui de l'esclavage ou du service. C'est pourquoi nous sommes obligés de nous arrêter à ce groupe de métaphores. Il ne peut cependant pas être question de traiter de ce sujet de manière exhaustive. Les problèmes qu'il pose sont si considérables, et la bibliographie qui s'y réfère, si importante[108], qu'une telle étude déséquilibrerait notre travail. De plus on peut observer que les rapports entre ce thème et les autres métaphores du "cycle" familial sont seulement épisodiques[109]. Quand il se sert des métaphores de l'escla-

---

106. Cf. G. SCHRENK in ThWNT V, art. πατήρ, p. 983s; 1006s.

107. Cf. supra I/7 (a).

108. Voir p. ex. la bibliographie de R. LEHMANN, Liberté, p. 284-296.

109. Cf. PLANCHE 4.

vage ou de la liberté, Paul s'intéresse à la condition des hommes auxquels s'appliquent ces termes, plus qu'aux relations qui pourraient être ainsi définies. C'est pourquoi nous estimons que, dans la plupart des cas, les métaphores de l'esclavage relèvent d'un autre "cycle" d'images, que nous appellerions "juridique". La pertinence de ce classement nous paraît confirmée par le fait que, même quand elles sont utilisées en lien contextuel avec des thèmes familiaux, ces images ont une nette coloration juridique.

(b) C'est avant tout dans les deux grands textes de Gal. 3 et 4 d'une part et de Rom. 8 d'autre part, que l'on rencontre les liens les plus étroits entre le thème de l'esclavage et celui de la "famille de Dieu".

En Gal. 3 et 4, il s'agit pour Paul de démontrer aux Galates qu'ils auraient tort de se laisser impressionner par des prédicateurs qui voudraient leur imposer la circoncision et l'observation de la loi mosaïque. Le "loi" et la "foi" définissent deux régimes incompatibles. Théoriquement, c'est à dire si l'homme n'avait pas été pécheur, il aurait été possible que la loi mène à la vie (Gal. 3,12.21). Mais la réalité est autre: nous sommes incapables d'accomplir tous les préceptes de la loi, et nous sommes donc sous "la malédiction de la loi", expression elliptique dont le sens est: "sous la malédiction qui frappe ceux qui n'observent pas tous les préceptes de la loi" (cf. Gal. 3,10). C'est dans ce cadre que nous rencontrons pour la première fois, dans ce contexte, un terme faisant (par contraste) allusion à l'esclavage: "Le Christ nous a rachetés de la malédiction de la loi, en devenant lui-même malédiction" (3,13). C'est ainsi que, de proche en proche, Paul en viendra à parler du régime de la loi comme d'un régime de servitude:

3,13 "nous racheter (ἐξηγόρασεν) de la malédiction de la loi"

3,22 "mais l'Ecriture a tout soumis (συνέκλεισεν) au péché dans une commune captivité"

3,23 "Avant que vienne la foi, nous étions gardés en captivité sous la loi..." (ὑπὸ νόμον ἐφρουρούμεθα συγκλειόμενοι)

3,24 "la loi a été notre surveillant" (παιδαγωγός)

3,25 "nous ne sommes plus soumis à ce surveillant" (ὑπὸ παιδαγωγόν).

C'est ici qu'apparaît l'image de l'esclave, tout d'abord dans la similitude de Gal. 4,1-2: "il ne diffère en rien d'un esclave (δοῦλος), bien qu'il soit le maître (κύριος) de tout" (v. 1). A ce thème de la "servitude" correspond dans l'application de la similitude (cf. PLANCHE 11) la phrase du v. 3: "nous étions soumis aux éléments du monde, nous étions esclaves" (ὑπὸ τὰ στοιχεῖα τοῦ κόσμου ἤμεθα δεδουλωμένοι), thème dont on retrouve un écho dans le "schéma téléologique" des v. 4-5: la condition que le Christ a assumée est décrite comme une soumission à la loi (v. 4: γενόμενον ὑπὸ νόμον), "afin de racheter ceux qui sont sous la loi, pour que nous recevions l'adoption" (v. 5). De fait, nous l'avons vu, c'est précisément dans cet élément de la condition servile de l'héritier mineur, qu'il faut voir la pointe de la similitude. Le v. 2 souligne encore ce trait: les "surveillants" (ἐπίτροποι) et les "régisseurs" (οἰκονόμοι) auxquels l'héritier est soumis (ὑπό) sont eux-mêmes des esclaves.

La conclusion de la péricope (v. 7) se situe également dans la même ligne: "fils" et "esclave" sont, dans la perspective de l'ensemble du passage, deux conditions qui s'excluent mutuellement: "Ainsi tu n'es plus esclave, mais fils". De toute évidence, Paul avait besoin de cette conclusion, en fonction de ce qu'il avait à dire aux Galates. En effet, tout le reste du chapitre 4, de même que le début du chap. 5 (1-12), gravite autour des deux notions de servitude (un passé qui devrait être révolu) et de liberté (la caractéristique du nouveau régime, de la promesse et de la foi:

4,8 "vous étiez asservis à des dieux..."

4,9 "mais maintenant (...), comment pouvez-vous retourner à des éléments faibles et pauvres, pour vous y asservir de nouveau?"

4,21 "Dites-moi, vous qui voulez être soumis à la loi..."

22ss L'allégorie d'Agar (la servante) et Sara (la femme libre), évoquant deux alliances: celle du mont Sinaï, qui "engendre pour la servitude" (v. 24) - en effet, Agar et ses enfants sont esclaves (v. 25). Au contraire, Isaac, le "fils de la femme libre (...) par l'effet de la promesse" (v. 23), est libre, et nous (v. 28: "vous, frères"), comme lui, nous sommes "enfants de la promesse". "Ainsi donc, frères, nous ne se sommes pas les enfants d'une esclave, mais ceux de la femme libre" (v. 31).

5,1 "C'est pour que nous soyons vraiment libres, que le Christ nous a libérés (τῇ ἐλευθερίᾳ ἡμᾶς Χριστὸς ἠλευθέρωσεν). Tenez donc ferme et ne vous laissez pas remettre sous le joug de l'esclavage".

Ce n'est qu'en 5,13, que le discours prendra une orientation nouvelle; la liberté ne pouvant se définir comme une licence, Paul précise: une vie débridée est également un esclavage; or "c'est à la liberté que vous avez été appelés (...). Par amour, mettez-vous au service les uns des autres (δουλεύετε ἀλλήλοις)".

En Rom. 8, la situation est la même, comme le montre la convergence des éléments suivants:

8,2 "la loi de l'Esprit de vie (...) t'a libéré"

8,14 "ceux qui sont conduits par l'Esprit de Dieu, voilà les fils de Dieu"

8,15 "car vous n'avez pas reçu un esprit de servitude (δουλείας), mais d'adoption (υἱοθεσίας)"

8,21 "(la création) elle aussi sera libérée (ἐλευθερωθή-σεται) de l'esclavage de la corruption, pour avoir part à la glorieuse liberté des enfants de Dieu".

C'est ainsi qu'en Gal. 3-5 aussi bien qu'en Rom. 8, deux "cycles" d'images sont amenés à coïncider en un secteur précis. La condition de "fils" (de Dieu) s'en trouve définie par contraste avec la condition d'esclave; le couple "liberté/servitude" devient un des éléments du "paradigme" de "fils" (ou "filialité par adoption" - υἱοθεσία). Mais inversement, cette coïncidence implique un choix, parmi les traits qui définissent les concepts "esclave" (et avec lui les mots apparentés: "servir", "esclavage/service") et "liberté" (et les mots apparentés, évoquant une libération, un rachat): dans ce contexte, Paul n'en retient que les aspects négatifs: L'esclavage, comme l'état passé, désormais révolu, et la liberté comme libération de cet esclavage[110]. Si nous voyons juste, il n'y a que très peu de textes dans lesquels Paul présente le concept de "servitude" de manière aussi unilatérale. A part Gal. 2,4 (les "faux-frères" qui "épiaient notre liberté", "afin de nous réduire en servitude"), 2 Cor. 11,20 ("vous supportez qu'on vous asservisse") et deux textes des Pastorales (Tite 2,3; 3,3), nous ne voyons, dans ce sens précis, guère que Phm. 16. Une fois de plus, le contraste s'établit entre le thème de l'esclavage (cette fois au sens propre) et un thème appartenant au "cycle familial": "frère": "afin qu'il te soit rendu pour toujours, non plus comme un esclave (οὐκέτι ὡς δοῦλον), mais, bien plus qu'un esclave, comme un frère bien-aimé"[111].

---

110. En ce sens: K.H. RENGSTORF in ThWNT II, art. δοῦλος, p. 277s. De même H. SCHLIER, ibid. art. ἐλεύθερος etc., p. 295-297.

111. Phil. 2,7 (μορφὴν δούλου λαβών) pose un problème qui dépasse le cadre de la présente étude. Nous le trancherions plutôt dans le sens de KAESEMANN ("Kritische Analyse von Phil. 2,5-11" in EVuB I, en part. p. 73) que de LOHMEYER (*Kyrios Jesus*, Heidelberg 1928, p. 35-37). Cf. K.H. RENGSTORF, ThWNT II, p. 281s.

Dans tous les autres cas, l'esclavage, dont nous sommes libérés, est toujours présenté comme relayé par un autre "service", désigné lui aussi par des mots de la famille de δοῦλος: le service de Dieu ou du Christ. Les textes sont trop nombreux pour que nous les citions ici (voir la concordance synoptique de la PLANCHE 4). Notons simplement que cela peut également être le cas en lien contextuel avec des thèmes de la famille, dans des textes qui ne mettent pas en évidence un contraste entre deux conditions, mais une "communion de service":
Phil. 2,22: "comme un fils auprès de son père, (Timothée) a servi l'Evangile avec moi". De manière analogue: Col. 4,7: "Tychique, le frère que j'aime, le ministre fidèle, le compagnon de service (σύνδουλος) dans le Seigneur"; mais peut-être déjà Col. 3,24, si l'on tient compte de la parenté entre les thèmes de la famille et le thème (juridique) de l'héritage: "sachant que vous recevrez du Seigneur l'héritage en récompense; le Christ: voilà le maître qu'il vous faut servir" (ou: "que vous servez")[112].

Ainsi, d'une manière générale, Paul considère toute vie humaine comme un "service". La question est de savoir au service de qui l'on veut se vouer. Dans ce cadre, il lui arrive de souligner qu'il y a une différence qualitative entre le service de Dieu et les autres esclavages, car celui qui "sert" Dieu est "fils" de Dieu, "homme libre" et non esclave. Il est intéressant de noter que la plupart des textes dans lesquels Paul insiste sur cet aspect (en ce

---

112. Du point de vue de notre étude, cela ne change rien de fondamental, que l'on comprenne ce verbe comme un indicatif ou comme un impératif. Les éléments métaphoriques sont cependant plus nombreux qu'on ne le pense parfois: (a) c'est paradoxalement aux esclaves que l'auteur promet "l'héritage", alors que, hors métaphore, la condition d'esclave exclut tout droit à un héritage (souligné par LOHMEYER ad loc.); (b) l'héritage est lié aux rapports entre père et fils (cf. Gal. 4,1-2).

sens, "négatif", puisqu'il implique une "libération"), mettent en jeu des thèmes de la famille. Le théologien qui veut interpréter ces textes doit tenir compte de tous les autres textes, selon lesquels cette libération aboutit à un nouveau service; mais il nous paraît important de remarquer qu'il y a des textes dans lesquels Paul joue, de manière "unilatérale", sur ce contraste entre filiation et esclavage, c'est à dire sans immédiatement préciser que cette libération débouche sur un autre service.

(c) Remarquons, ne fût-ce que brièvement, que Paul met consciemment en rapport l'un avec l'autre les deux concepts de δοῦλος et de κύριος (ce dernier s'appliquant au Christ). Cela signifie que "Seigneur" n'est pas seulement "le Nom" donné à Jésus du fait de son exaltation dans la résurrection (Phil. 2,9-11; cf. Act. 2,36). Il n'est pas réservé à l'invocation ou à l'acclamation (cf. Rom. 10,9). Il est aussi un titre christologique dont il est possible d'inventorier les connotations. Ainsi, il est important pour notre propos de remarquer ici que Paul pourra souligner l'un ou l'autre des aspects de ce concept de "Seigneur", jouer sur ce terme et ses antonymes: κύριος, pour Paul, "fait image", et il ne s'interdit pas de "métaphoriser" en se servant de ce mot. Nous ne traiterons pas dans le détail tous les textes dans lesquels cela nous semble être le cas, mais nous les signalons brièvement ici:
Rom. 12,11, s'il faut retenir la leçon τῷ κυρίῳ δουλεύοντες, et non la *lectio difficilior* τῷ καιρῷ...[113].
Rom. 14,4: "Qui es-tu, pour juger le serviteur (οἰκέτης) d'un autre? C'est son propre maître que cela regarde, qu'il tienne bon ou qu'il tombe"[114].

---

113. Cf. B.M. METZGER, Textual Commentary ad loc.

114. Nous avons signalé plus haut (III/16e) le rôle que joue, dans ce texte, le thème du "frère", "pour qui le Christ est mort".

Rom. 16,18: "Ces gens-là, ce n'est pas notre Seigneur, le Christ, qu'ils servent, mais leur ventre".
1 Cor. 7,22: "Car l'esclave qui a été appelé dans le Seigneur est un affranchi du Seigneur. De même, celui qui a été appelé étant libre, est un esclave du Christ".
1 Cor. 12,5: "il y a diversité de ministères (διακονία), mais c'est le même Seigneur".
Dans ces textes, nous voyons apparaître une sorte de jeu, qui consiste en un glissement d'un plan (les relations sociales) à l'autre (la relation au Christ-Seigneur). Cette ligne se poursuivra dans les épîtres aux Colossiens et aux Ephésiens, notamment dans les exhortations ("morale domestique", "Haustafeln"): Col. 3,22-4,1; Eph. 6,5-9).
A ces textes s'en ajoutent trois, proches de ceux auxquels nous venons de faire allusion: Col. 4,7: "compagnon de service dans le Seigneur (σύνδουλος ἐν κυρίῳ); Eph. 6,21: "ministre (διάκονος) fidèle dans le Seigneur"; 2 Tim. 2,24: "Or, un serviteur (δοῦλος) du Seigneur ne doit pas se quereller".
Certes, le degré de "vie" de la métaphore n'est pas le même dans tous ces textes; pour notre propos, il nous suffit de constater que, pour le titre christologique "Seigneur" et les mots qui appartiennent au "paradigme" de ce terme, dans le langage même profane, Paul et les disciples qui écrivent en son nom (épîtres deutéropauliniennes) n'évitent pas systématiquement le "lien contextuel" qui rend possible (et parfois réalise) la métaphore vive.

(d) Dans deux contextes différents, nous avons rencontré l'image du "pédagogue", un esclave dont il n'est question nulle part ailleurs dans le N.T. Il vaut la peine de comparer brièvement ces deux textes, dont les analogies apparaissent clairement à la faveur d'une présentation synoptique (PLANCHE 18)[115].

---

115. Cf. déjà notre art. Synopse, p. 94s.

Les commentaires montrent le problème que pose, en Gal. 3,24, l'usage de l'expression "la loi a été notre παιδαγωγὸς εἰς Χριστόν". Le contexte nous paraît clair, mais les interprétations divergentes qui ont été données du rôle de la loi, tel que le décrit ce texte, sont là pour prouver que l'équivoque demeure possible[116]. C'est alors qu'une comparaison avec 1 Cor. 4,14-15 apparaît utile.

La comparaison synoptique de ces deux textes permet avant tout de montrer que le champ sémantique de παιδαγωγός est semblable de part et d'autre:

Déterminations positives:

Gal. 3: l'analogie entre le v. 23 et le v. 24, dans lesquels une seule et même ligne se poursuit; "nous étions enfermés sous la garde de la loi" (v. 23) éclaire indirectement le v. 24 et fait de la soumission au "pédagogue" une sorte de captivité. Cet élément de soumission est repris par le v. 25: ὑπὸ παιδαγωγόν.

1 Cor. 4: D'une comparaison entre les v. 14 et 15 il ressort que ἐντρέπων ("faire honte") s'applique aux méthodes du "pédagogue", alors que νουθετῶν ("avertir") définit l'attitude du père.

Déterminations négatives (par contraste):

1 Cor. 4: Le but de la péricope est de mettre en évidence la douceur de l'attitude de Paul par contraste avec le manque d'égards qui caractériseraient les méthodes d'un "pédagogue": dans les traits négatifs du paradigme de "pédagogue", nous trouvons "père".

Gal. 3: Au régime de la loi (litt.: "sous le pédagogue"), Paul oppose le régime de la foi, "en Christ", en vertu

---

116. Contre G. BERTRAM notamment, in ThWNT V, art. παιδαγωγός, et ses développements sur le rôle "pédagogique" de la loi, p. 618-620. D'où le jugement de OEPKE & ROHDE "dürftig, teilweise schief" (comm. ad. Gal. 3,24 in ThHNT, Berlin 1973).

duquel nous sommes "fils de Dieu". Tout comme "père" en 1 Cor. 4, "fils" (de Dieu) est ici un trait négatif du paradigme de "pédagogue".

Le choix des termes, en Gal. 4, n'est pas fortuit, et παιδαγωγός n'aurait pas pu être remplacé par n'importe quoi; notamment pas par νόμος παιδευτής ou διδάσκαλος, ni par παιδεία νόμου[117]. En aucun cas il n'est ici question du rôle pédagogique de la loi, qui aurait pu nous "amener à Christ". Εἰς Χριστόν marque uniquement la limite imposée au régime de la loi; et des "méthodes" du "pédagogue" Paul ne retient que les aspects négatifs. En cela, il se montre fidèle à ce qui paraît bien avoir été une tradition: le παιδαγωγός est souvent décrit comme un homme brusque et peu soucieux de "pédagogie", pourvu que son pupille marche droit[118]. On remarquera en passant que le parallélisme des deux textes ne s'arrête pas aux éléments qui forment le "paradigme" du mot παιδαγωγός et permettent d'en déterminer le champ sémantique. La synopse révèle comme "par surcroît" le parallélisme qui s'établit entre les deux thèmes de la "paternité spirituelle" et de la "famille de Dieu":

L'Evangile prêché est la puissance grâce à laquelle Paul a "engendré" les chrétiens.
L'Evangile reçu (la foi) est aussi, parallèlement, la puissance grâce à laquelle les hommes deviennent "enfants de Dieu".
Ceci comme cela se passe "en Christ". Mais ne doit-on pas dire que c'est précisément le moment où l'Evangile prêché

117. BERTRAM, art. cit., p. 619, et H.J. SCHOEPS, Paulus, p. 19s.

118. Cf. H. SCHLIER ad loc. Cette image négative du "pédagogue", dans la littérature, n'exclut pas les exceptions, dans la réalité: l'affection que des pupilles peuvent avoir eu pour de bons "pédagogues", attestée par les sources non-littéraires. Cf. MOULTON & MILLIGAN ad voc.

devient l'Evangile reçu et cru, qui marque les limites de ce que l'on est tenté d'appeler la "famille de Paul"? La "famille de Paul" apparaît comme une réalité des plus fugaces. En effet, on est "de la famille de Paul" dans cette période "d'engendrement", "par l'Evangile", mais dès que les destinataires de la prédication de Paul ont reçu l'Evangile et confessé leur foi, ils passent dans la "famille de Dieu", une catégorie qui met en question l'existence de la "famille de Paul" comme grandeur autonome.

En fonction des objectifs de notre recherche, les deux phénomènes que nous venons de signaler nous paraissent d'une importance égale:
La constance de l'image du "pédagogue", de Gal. 3 (dans un texte centré sur la famille de Dieu) à 1 Cor. 4 (un texte faisant allusion à la paternité spirituelle), et
le parallélisme des termes qui décrivent la manière dont on devient "fils", aussi bien de Paul que de Dieu (cf. supra III/18b).

III/20 Dieu, le Père

(a) Dans notre première concordance synoptique (PLANCHE 2), nous avons essayé de mettre en évidence un phénomène que nous devons examiner en détail, au moment de nous tourner vers le thème de "Dieu, le Père": Dans la grosse majorité des cas, le nom de "Père", appliqué à Dieu, appartient à un contexte de nature liturgique. De ce point de vue, la distinction que l'on fait généralement entre les divers usages de ce terme (usage absolu: "le Père", ou "Père de notre Seigneur Jésus-Christ", ou "Père", utilisé avec un adjectif possessif: "notre Père", "votre Père") n'est d'aucune portée[119]. Les données statistiques sont partout les mêmes.

119. Noter cependant que l'expression "notre Père" a disparu des Pastorales.

Dans la marge de chacune des colonnes, nous avons placé, partout où cela était possible, un sigle (en caractères français) désignant le genre littéraire du texte dans lequel est située l'attestation recensée.

D désigne la doxologie de même que l'eulogie[120], dans des textes tels que 2 Cor. 11,31; Phil. 2,11; Col. 1,3.12; Eph. 1,3.

(D) La même lettre entre parenthèses (D) indique que le texte en question est marqué par la doxologie, sans être lui-même à proprement parler doxologique (p. ex.: invitation à glorifier Dieu). C'est le cas en Rom. 15,6; Col. 3,17; Eph. 5,20.

P (Pistis) désigne une confession de foi, dans le sens technique défini par la recherche récente, et dénommée par les Allemands "Pistisformel"[121];

(P) nous avons mis ce sigle entre parenthèses, quand il s'agissait d'une allusion à une confession de foi de ce type, plutôt que d'une citation. Ainsi Gal. 1,1; Rom. 6,4, dans les deux cas: allusion à la confession de la résurrection; Gal. 1,4 (cf. Rom. 8,32): allusion à une confession de la mort du Christ - et proximité d'une doxologie!

L indique la présence d'une formule liturgique, autre que les genres cités jusqu'ici: 1 Cor. 8,6; Eph. 4,7 (proclamation de l'unicité de Dieu[122]); Gal. 4,6; Rom. 8,15 (Abba - Père).

(L) désigne des textes qui ne constituent pas des "formules" traditionnelles, mais dont le caractère liturgique

---

120. Cf. J.M. ROBINSON: "Die Hodajot-Formel in Gebet und Hymnus des Frühchristentums" in *Apophoreta* (mélanges Haenchen) Berlin 1964 (BZNW 30), p. 194-235.

121. Ph. VIELHAUER, Urchristliche Literatur, p. 14-22.

122. Ce que VIEHLAUER appelle "Εἷς-Akklamationen", Urchristliche Literatur p. 32-35.

est également clair; il s'agit de prières, et l'usage du nom de Père a de fortes chances d'y être l'effet d'une habitude (1 Thess. 3,11-13, deux fois; 2 Thess. 2,16s; Eph. 1,17; 3,14).

SE Nous désignons par un sigle particulier les salutations épistolaires, analogues sinon semblables dans toutes les épîtres pauliniennes, et qui constituent un amalgame unique en son genre de style épistolaire grec[123] et de style liturgique[124].

En définitive, les textes qui ne sont pas marqués par un usage liturgique sont extrêmement rares:

2 Cor. 6,18: Nous avons déjà observé[125] que ce texte (citation biblique) dépendait selon toute vraisemblance d'une

---

123. Contre E. LOHMEYER ("Probleme paulinischer Theologie I: Die brieflichen Grussüberschriften" in ZNW 26/1927, p. 158ss), G. FRIEDRICH ("Lohmeyers These über das paulinische Briefpräskript kritisch beleuchtet", in ThLZ 81/1956, col.343-346) a montré qu'il s'agissait du style épistolaire grec, et non "proche-oriental". Comparer cependant K. BERGER: "Apostelbrief und apostolische Rede. Zum Formular frühchristlicher Briefe", ZNW 65 (1974), p. 190-231, qui montre la parenté des salutations pauliniennes avec des bénédictions attiques aussi bien que judaïques.

124. Cf. MUSSNER ad Gal. 1,3.

125. Cf. supra III/15 (a). Le schéma suivant montre le mouvement du texte:

A Exhortation à ne pas se mêler aux infidèles (6,14-16a)
B "Je serai leur Dieu et ils seront mon peuple" (16b)
A' "Mettez-vous à l'écart de ces gens-là" (17)
B' "Je serai pour eux un Père, et eux... mes fils..." (18)
A" Purifions-nous donc de toute souillure (7,1)

BA'B' constituent la chaîne de citations, dont la structure est chiastique. La chaîne elle-même est enchassée dans un ensemble parénétique formant un double chiasme ABA'B'A", dont la pointe est manifestement la triple exhortation à la pureté, soutenue par une preuve scripturaire elle-même triple, et dont le centre est à son tour une exhortation à "se tenir à l'écart des infidèles".

tradition parénétique bien établie. Le texte cité (2 Sam. 7,14) a été choisi pour la présence de "fils", et le thème du "Père" s'y trouve par la force des choses, et non en vertu d'un choix dans lequel on pourrait voir le signe d'un "jeu métaphorique". La "pointe" du texte est manifestement ailleurs: nous n'y reviendrons pas.

Eph. 2,18 ("Et c'est grâce à lui que les uns et les autres, dans un seul Esprit, nous avons l'accès auprès du Père") ne contient en effet aucune formule liturgique. Le vocabulaire est cependant emprunté au langage cultuel (l'accès au lieu saint, pour le sacrifice[126]). Un terme cultuel en aura vraisemblablement appelé un autre, mais en tous les cas, il est impossible de trouver dans ce texte une quelconque volonté de "métaphoriser": dans tout le contexte, "le Père" est le seul mot qui constitue une allusion au "cycle familial"[127].

Gal. 4,2 ("jusqu'à la date fixée par son père") fait partie de la similitude (Gal. 4,1-2); dans ce cadre, le terme "père" ne désigne pas directement Dieu, car il ne s'agit pas d'une allégorie. Ce qui frappe, au contraire, nous l'avons vu[128], c'est que cet élément de la parabole n'est pas repris dans l'application: "mais quand vint la plénitude du temps, Dieu envoya son Fils..." (v. 4). Tout au plus peut-on conclure de l'expression "envoya son Fils" que Dieu agit là comme "Père", mais l'absence du nom lui-même n'en est que plus frappante.

1 Cor. 15,24 ("quand il remettra la royauté à Dieu le Père") demeure ainsi le seul texte non liturgique important pour

---

126. Cf. K.L. SCHMIDT in ThWNT I, art. προσάγω etc., p. 131-134, et GNILKA ad Eph. 2,18 et note 4 p. 146.

127. Cf. supra I/7 (a).

128. Cf. supra II/13 (d) et passim.

notre étude. Du fait que, dans le même contexte large, on trouve également le titre de Fils ("alors le Fils lui-même sera soumis à celui qui lui a tout soumis", v. 28), nous devrons nous arrêter plus longuement à cette péricope.

(b) Une métaphore ne s'identifie que par son contexte. La présence d'un terme "pris dans un sens figuré" est un indice, mais elle ne peut, à elle seule, être la preuve qu'il y a "métaphore vive". En effet, cet usage "figuré" peut être devenu si courant, que le mot doit être rangé parmi les termes propres, au moins pour une catégorie donnée d'usagers. La tension née de l'usage métaphorique du mot "père" (par exemple) peut disparaître; on peut perdre conscience du fait que Dieu "n'est pas" (à proprement parler) ce que la prédication métaphorique dit qu'il "est": un père, comparable à tous les pères du monde: le "géniteur" de Jésus et des chrétiens. Ce mot s'est mis à désigner Dieu de manière si adéquate (au yeux des chrétiens qui l'utilisent), qu'il peut cesser d'être prédicat pour devenir lui-même sujet, en lieu et place du nom qu'il déterminait ("Dieu"). C'est ce qui se passe dans les usages liturgiques du terme: Dieu est à tel point "le Père", que "le Père" est (à tout le moins) un nom pour désigner Dieu. Cela n'exclut pas qu'à l'occasion l'on retrouve une allusion à certains des traits qui constituent la "compréhension" du terme "père" (au sens "propre"), et qu'alors la métaphore "reprenne vie". Notre but, dans le présent paragraphe, est de déterminer dans quelle mesure cela peut avoir été le cas dans le paulinisme.

Un indice fréquent d'une métaphore vive est l'accumulation de termes, "figurés" ou non, faisant image, par leur addition même. C'est la raison pour laquelle nous avons relevé les "liens contextuels" entre les différents termes désignant les membres de la famille humaine et, par métaphore, les membres de la "famille de Dieu". L'examen de nos concordances synoptiques nous permet de constater l'absence presque totale de lien contextuel entre "Père" (désignant Dieu) et les autres noms de membres de la famille. Ici encore, les distinctions courantes ne jouent aucun rôle, et le diagnostic s'étend à tous les usages du mot "Père" (pris absolument; Père de Jésus; notre Père), et en relation aussi bien avec "Fils" (désignant Jésus - PLANCHE 2) qu'avec "fils" ou "enfant", ou "frère" (désignant les croyants - PLANCHE 3). Il n'en sera que plus important d'examiner les textes qui paraissent faire exception, et que nous avons signalés par des sigles grecs en marge des concordances synoptiques.

Ce phénomène a souvent été observé; on l'a interprété théologiquement[129], mais cela ne signifie pas qu'on l'ait expliqué pour autant. On peut se demander si une approche nouvelle, par le biais de la "métaphorique" n'apporterait pas quelques éléments de solution au "pourquoi" de ce phénomène.

Un autre lien contextuel n'en est que plus frappant: celui qui unit, de manière extrêmement fréquente, "Père" (pour Dieu) et "Seigneur" (Jésus-Christ). Nous devrons nous demander si ce couple n'est pas significatif de l'usage que Paul et ses disciples font du terme "Père".

Ces quelques constatations nous permettent de définir une marche à suivre, pour l'ensemble du présent paragraphe: Dans un premier temps, nous résumerons les résultats fournis par notre étude jusqu'ici, dans la mesure où ils se rapportent à l'objet de notre enquête, en ce point précis. Nous nous tournerons alors vers les autres textes qui font exception à la "règle" de l'absence de lien contextuel entre "Père" et les autres thèmes du "cycle familial".

---

129. Cf. G. SCHRENK, ThWNT V, p. 1010s (πατήρ); Ed. SCHWEIZER, ThWNT VIII, p. 376 (υἱός).

Dans un second temps, nous examinerons la portée que peut avoir pour notre étude le lien si fréquent entre "Père" et "Seigneur". Dans l'interprétation des textes qui entrent en ligne de compte, le fait qu'il s'agisse de contextes liturgiques doit évidemment jouer un rôle.

Nous nous tournerons enfin vers quelques autres textes qui nous permettent de déterminer quels traits de la notion de "Père" Paul retient, quand il se sert de ce terme.

(c) De notre examen des deux grands textes que sont Gal. 3 et 4 d'une part, Rom. 8 d'autre part, il est impossible de conclure que Paul serait incapable de "métaphoriser". Au contraire, nous découvrons un ensemble assez dense de métaphores touchant, de près ou de loin à la vie familiale:
- fils (pour Jésus et pour les croyants),
- enfant (pour les croyants),
- adoption (ou filialité par adoption, opposée à "servitude"),
- la similitude de "l'héritier mineur", avec tout un cortège de termes qui font image,
- esclavage, libération (par rachat), et les termes qui s'y apparentent.

Paul se montre, dans ces textes, très conscient des limites de l'image (plusieurs traits ne sont pas exploités ou sont remplacés par des images nouvelles, étrangères au contexte premier), mais aussi capable de se laisser entraîner à des formulations inédites, sous la pression du contexte métaphorique (ainsi l'expression "l'Esprit de son Fils" en Gal. 4,6). L'absence du terme "Père" en Gal. 4,4 ("Dieu a envoyé son Fils"), 4,6 ("Dieu a envoyé l'Esprit de son Fils") et en Rom. 8,3 ("Dieu, envoyant son propre Fils") n'en est que plus frappante. On comparera également la sobriété de ces deux textes (quant au "Père") avec la plasticité des péricopes relatives à la paternité spirituelle: Paul n'y recule ni devant l'accumulation des noms des membres de la famille ("père" ou "mère" et "enfants", en 1 Thess. 2,7-12; 1 Cor. 4,14s), ni devant les termes indiquant la "raison" de la métaphore ou de la comparaison, jusqu'à l'image de l'enfantement (Gal. 4,19; Phm. 10, etc.). De même, cela ne paraît pas poser de problème à Paul d'improviser des variations anthropologiques sur les deux titres christologiques εἰκών (συμμόπρφους) et πρωτότοκος (πολλῶν ἀδελφῶν), pour faire de Jésus "l'aîné" d'une multitude de "frères" (Rom. 8,29), et l'inclure ainsi dans une lignée terrestre.

(d) 1 Cor. 15,24.28 est sans aucun doute le plus important des textes que nous ayons à examiner ici. C'est un texte complexe, du fait qu'il mèle des traditions prépauliniennes, peut-être d'origines diverses, à un commentaire paulinien dont il est délicat de dessiner les contours. Dans notre PLANCHE 19, nous présentons ces versets dans leur contexte, en un tableau qui tente de mettre en évidence ces divers éléments. Il est en tous les cas probable que la "chaîne" de textes bibliques à l'appui de l'idée d'exaltation du Christ (Ps. 110,1 et Ps. 8,7) constitue un ensemble prépaulinien[130]. De plus, il faut envisager la possibilité que Paul fasse allusion dans ce texte à une tradition prépaulinienne, dont il aurait cité les éléments qui lui étaient nécessaires (v. 24: Aa-b), tout en la réinterprétant. Théologiquement, ce morceau traditionnel proclamerait la soumission des Puissances au Christ, en vertu de sa résurrection (cf. Phil. 2,9-11; Eph. 1,20-22; 1 Pi. 3,22), et Paul aurait réinterprété

130. C.H. DODD: *Conformément aux Ecritures*, Paris 1968, p. 36-38 et 120. B. LINDARS, NT Apologetics, p. 49-51 ("common stock of exegetical material", p. 50). Ferd. HAHN, Hoheitstitel, p. 126-132 (Excursus sur le Ps. 110 et l'exaltation de Jésus). Et déjà A. SEEBERG, Katechismus, p. 79.

cette tradition dans un sens eschatologique: la tâche du Christ, dans son "règne", c'est de soumettre les puissances. Quand cela sera accompli, il se soumettra lui-même à "celui qui lui a soumis toutes choses", et Dieu sera alors "tout en tout"[131].

On peut alors se poser la question des rapports entre les deux expressions: "...quand il remettra la royauté à DIEU LE PERE" (v. 24) et "...alors, le Fils lui-même se soumettra à celui qui lui a soumis toutes choses" (v. 28). Si l'expression "Dieu le Père" appartient à la "formule" qui aurait été citée en 24Aa-b, quel est le statut du titre de "Fils", pris absolument, ce qui est un usage peu paulinien? S'agit-il encore d'un écho de la "formule" déjà citée en 24Aa-b[132]? Ou bien faut-il y voir un effet, par analogie, de l'usage, également absolu, de "Père" en 24A[133]? Il est difficile d'en décider.

Afin d'éviter de nous simplifier la tâche, nous admettrons (ce qui est plausible) que Paul a formulé lui-même le v.28, comme un écho et une sorte de contrepoint eschatologique au v. 24A. Dans ce cas, peut-on dire que Paul joue, d'une manière consciente, sur la proximité, dans un même contexte, des deux titres: Père et Fils? Et si oui, comment? Cela constitue-t-il un cas de "métaphorisation"?

Nous noterons tout d'abord que les deux titres ne se trouvent pas ensemble dans une même phrase (contexte au sens restreint du terme). Ils sont séparés par tout un dévelop-

---

131. U. LUZ, Geschichtsverständnis, p. 343-345 (renvoie à Eph. 1,20-22). G. DELLING, ThWNT VIII, art. ὑποτάσσω, p. 40-43, et notamment p. 42s et note 14 p. 43.

132. Ainsi U. LUZ, Geschichtsverständnis, p. 346. De même, Ed. SCHWEIZER, ThWNT VIII, p. 372s.

133. H. CONZELMANN ad loc. (sous forme interrogative).

pement sur l'exaltation du Christ et son combat contre les Puissances, jusqu'à ce que le dernier ennemi soit vaincu: la mort (v. 24B-27).

De plus, il est évident que Paul joue avec les mots, dans ce texte. Mais le thème choisi, ce n'est pas d'abord la relation Père/Fils, mais le verbe ὑποτάσσω (soumettre), qui n'apparaît pas moins de six fois dès le v.27 (cit. Ps. 8,7). Quant aux deux titres eux-mêmes, la présentation synoptique permet de voir qu'ils figurent dans deux versets qui se correspondent, de terme à terme, dans une structure en chiasme (ABBA). Les divers éléments s'éclairent mutuellement: Celui à qui la royauté a été remise (v.24Aa), ou, en d'autres termes, celui a qui "toutes choses ont été soumises" (v.27a), c'est le Fils (v.28Aa), qui, à sa parousie, se soumettra lui-même à Dieu.

Inversement, celui qui "a mis toutes choses sous ses pieds" (v.27a), c'est Dieu, le Père (v.24Ab). A cet égard, le v.28Ab apparaît comme une périphrase pour "Dieu le Père". Ce qui frappe, dès lors, ce n'est pas tant que Père et Fils apparaissent dans le même contexte (au sens large du terme), mais bien au contraire, qu'au moment où Paul aurait pu utiliser ensemble les deux titres, il se serve d'une périphrase pour "Père" - périphrase significative sur le plan théologique (Dieu est Père dans l'acte d'élever son Fils à sa droite), mais aussi sur le plan du langage: ce n'est vraisemblablement pas par hasard qu'une fois de plus, Père et Fils n'apparaissent que séparément[134].

---

134. Le phénomène a été remarqué par Ferd. HAHN, Hoheitstitel, p. 331. En revanche, quand O. CULLMANN (Christologie, p. 300), à propos de ce texte, écrit: "Dafür ist es höchst aufschlussreich, dass die letzte Erfüllung allen Heilsgeschehens gerade als eine letzte 'Unterwerfung des Sohnes' unter den Vater beschrieben wird", il s'exprime dans des catégories non-pauliniennes: Paul n'avait précisément pas prononcé "Père" et "Fils" d'une même haleine!

(e) Au point où nous en sommes, il est bon de jeter un regard sur un autre contexte, dans lequel il aurait été possible, sinon même logique, de "métaphoriser": Rom. 8,31s. Ce texte est un des exemples les plus clairs de ce que l'on peut appeler la "formule de paradosis": nous y avons fait brièvement allusion dans nos développements consacrés au titre de Fils (de Dieu)[135]. Une présentation synoptique (PLANCHE 20) permet de le comparer avec d'autres exemples de cette "formule": Gal. 2,20, mais aussi Gal. 1,4; Eph. 5,2.25. On a pu montrer que le titre de Fils de Dieu faisait partie de la formule originelle, selon toute vraisemblance. C'est le cas en Rom. 8,32, comme en Gal. 2,20 et dans l'attestation johannique de la formule (Jn 3,16). Mais dans aucun de ces contextes, le titre de Père n'apparaît conjointement à celui de Fils. Pourtant, en Rom. 8,31s, dans un texte qui souligne l'amour de Dieu pour nous, le nom de Père se serait "imposé", et tout se passe comme si Paul l'évitait[136]. L'absence de "Père" serait encore plus frappante si, avec MARCHEL, on admettait que l'on peut voir "en filigrane l'image du sacrifice d'Isaac (Gen. 22)"[137], ce qui est douteux pour les uns[138], et contesté par d'autres[139].

Il n'en est que plus intéressant de constater ce qui se passe en Gal.1,4 (1,3-5). Dans ce passage, deux formules entrent en concurrence: la salutation apostolique (v.3: "de la part de Dieu notre Père et du Seigneur Jésus-Christ"[140]), qui désigne Jésus comme le κύριος, et la "formule de para-

---

135. Cf. supra III/17 (c) et note 61.

136. W. MARCHEL, Dieu Père, p. 118.

137. Ibid. Cf. W. VISCHER: *Das Christuszeugnis des A.T. - I. Das Gesetz*, München 1935, p. 177.

138. KAESEMANN ad loc.

139. SCHLIER ad loc. (et autres réf. bibliographiques).

140. Sur la traduction de ces formules: W. MARCHEL, Dieu Père, p. 113s.

dosis", qui devrait comporter "le Fils de Dieu". Le titre de "Fils de Dieu" disparaît, et le "Seigneur" devient le sujet même de la "paradosis": il "s'est donné lui-même". C'est le premier exemple de ce glissement du sujet, de Dieu (qui, en Rom. 8,32, n'était pas nommé Père[141]) à Jésus (qui, ici, n'est plus nommé le Fils). Dans les autres attestations de la "formule", en Gal. 2,20 puis en Eph. 5,2.25[142], Jésus restera le sujet de l'action de "se donner" ou de "se livrer". Notons simplement qu'en Gal. 1,3-5, ce déplacement du centre de gravité ne semble pas être allé de soi: Paul précise bien que Jésus, le Seigneur s'est donné lui-même "selon la volonté de Dieu notre Père" (v.4) - et c'est à lui, le Père, que Paul adresse la doxologie (v.5).

En tous les cas, ce n'est pas le glissement du sujet qui est cause à lui seul de la disparition de "Fils de Dieu" en Gal. 1,4, puisque nous retrouvons ce titre dans une formule analogue en Gal. 2,20: "(dans la foi) au Fils de Dieu, qui m'a aimé et s'est livré lui-même pour moi". S'il n'est pas possible d'affirmer de manière péremptoire que la présence de "Père" a été la cause de la disparition du titre de Fils (avec "Père", on trouve en effet "Seigneur"), on peut constater en tous les cas que l'absence du titre de "Fils" permet à Paul d'utiliser sans réticence le nom de "Père", lié aussi bien à la salutation épistolaire qu'à la doxologie.

141. Nous pouvons parler de l'antériorité de Rom. 8,32 par rapport à Gal. 1,4, du point de vue de la "formule de paradosis", que Paul cite de manière plus fidèle en Rom. qu'en Gal., c'est à dire dans un état plus "ancien".

142. Cf. aussi 1 Jn 3,16, dans une formulation très libre.

(f) Selon les relevés de notre concordance synoptique (PLANCHE 2), Col. 1,12-13 apparaît comme susceptible, formellement, de présenter un lien contextuel entre "Père" et "Fils". Il faut donc que nous voyions ce qu'il en est réellement, et dans quelle mesure cette présence successive des deux titres peut impliquer un jeu métaphorique.

Aux v.9-11, Paul[143] assure les Colossiens de son intercession fidèle. Dès le v.12[144], il les exhorte à rendre grâces à Dieu. L'épître prend elle-même une forme liturgique, bien connue par ailleurs, notamment depuis la découverte des chants de louange ("hodajoth") de Qumran[145]. Si la forme est inspirée de la synagogue (judéo-hellénistique[146]), la formule "rendre grâce au Père" est nettement chrétienne, mais elle n'a pas été inventée pour l'occasion: "le Père" (dans des formules telles que "Dieu, le Père de notre Seigneur Jésus-Christ" (2 Cor. 1,3), est par excellence l'objet de la louange, de l'action de grâce, mais aussi le destinataire de l'intercession de la communauté (1 Thess. 1,3).

Nous trouvons donc, au début de la prière d'action de grâces, la formule εὐχαριστοῦντες τῷ πατρί. La prière elle-même se développe dans deux subordonnées. La première, participiale, détermine directement "le Père", "qui vous a rendus capables d'avoir part à l'héritage des saints dans la lumière", au moyen d'un vocabulaire qui rappelle plus la théologie de Qumran (ou celle de 2 Cor. 6,14-7,1) que la théologie de

---

143. "Paul" - ou son disciple, en vertu d'une fiction littéraire.

144. La coupe des versets est mauvaise. Il faut y ajouter la fin du v.11: μετὰ χαρᾶς.

145. Cf. Ed. SCHWEIZER, ThWNT VIII, p. 370 et note 45; J.M. ROBINSON, Hodajot-Formel, passim; de plus, les commentaires de Ed. SCHWEIZER et LOHSE ad Col. 1,12.

146. LOHSE ad loc., et notamment p. 68s.

Paul. La deuxième, relative, semble former un tout en soi[147], et pourrait bien constituer une citation d'un fragment liturgique, "hymnique"[148], ou plutôt "eucharistique"[149].

Nous sommes donc en présence d'entités textuelles diverses: d'une part l'invitation à la prière, inspirée des formules stéréotypées d'introduction des eulogies ou des eucharisties chrétiennes, et d'autre part divers fragments liturgiques. "Le Père" se trouve dans l'invitation à la prière, et "le Fils" est partie intégrante du second fragment liturgique. Le lien contextuel est d'autant plus lâche que toute une proposition (le premier fragment liturgique) sépare "Père" et "Fils". Il n'en reste pas moins que "Paul" n'a pas refusé la présence des deux termes, dans un même contexte, du moins au sens large. Dans quelle mesure ce lien contextuel, aussi lointain soit-il peut-il prêter à un jeu métaphorique?

Dans ce cas concret, tous les indices nous semblent convergents: nous trouvons dans ce contexte le style le moins ouvert possible à la métaphore:
"Père" est le nom de celui à qui les Colossiens doivent adresser leur prière";
"l'héritage" traduit, non pas κληρονομία, qui aurait pu avoir une teinte "familiale" (l'héritage), mais κλῆρος, beaucoup plus neutre, dans une formule redondante (εἰς τὴν μερίδα τοῦ κλήρου τῶν ἁγίων, comp. Act. 26,18), typique

147. Avec LOHSE, qui discute les diverses hypothèses émises au sujet de l'origine des versets 12-20: un seul "hymne" (KAESEMANN), ou plusieurs morceaux traditionnels préludant à l'hymne de 15-20, et l'interprétant par avance (ainsi LOHSE): p. 77, note 1.

148. E. KAESEMANN: "Eine urchristliche Taufliturgie", in EVuB I, p. 34.

149. R. DEICHGRAEBER, Gotteshymnus, p. 78, note 2.

d'une prière judéo-chrétienne; "le Fils de son amour", enfin, est également une expression fortement typée, et dont la forme sémitique[150] trahit le caractère prépaulinien.

Il nous semble donc difficile d'affirmer que l'auteur de l'épître, en citant ces fragments liturgiques, fait jouer entre eux les deux titres de "Père" et de "Fils". La présence de l'un et l'autre des termes, dans son contexte respectif, est liée à la forme ou au fond du passage dont il fait partie; il n'y a pas de choix libre des termes. D'autre part, les deux termes ne sont pas en rapport assez étroit, dans le contexte large, pour que l'on puisse voir dans le choix du texte comportant "le Fils" une volonté de faire "jouer" ce dernier titre avec celui de "Père". Bien au contraire, les termes qui jouent entre eux, et dont la présence a dû être déterminante dans le choix des fragments cités, dans le contexte large, ce sont "les saints", "la lumière", "le pouvoir des ténèbres", "le royaume du Fils de son amour". "Fils" est donc donné par surcroît. La seule chose que l'on puisse constater, c'est que sa présence n'a pas été évitée, comme c'était encore le cas en Gal. 1,3-5.

(g) Eph. 3,14-15 nous paraît faire un pas de plus dans le sens d'un jeu métaphorique. Il nous faut voir exactement de quelle manière.

Une fois de plus, le contexte est liturgique: "Je fléchis les genoux devant le Père[151]". La prière d'intercession (v. 14-19) se termine par une doxologie extrêmement élaborée (v.

---

150. F. REHKOPF (in BLASS-DEBRUNNER, *Grammatik des nt.lichen Griechisch*, Göttingen, 14e éd. 1976) No 165.

151. "...de notre Seigneur Jésus-Christ" est certainement une glose postérieure. Cf. B.M. METZGER, Commentary ad loc. Les considérations de Calvin sur la dimension christologique de la "famille de Dieu" se fondent vrai-(suite de la note, p. suivante)

20-21). L'expression "je fléchis les genoux devant" (κάμπτω τὰ γόνατα πρὸς) est vétérotestamentaire[152]. On notera le glissement terminologique qui s'est produit: Dans l'A.T., cette expression est liée à l'invocation du NOM: κάμψαντες τὰ γόνατα προσεκύνησαν τῷ κυρίῳ ("fléchissant les genoux, ils invoquèrent le Seigneur"; le T.M. a JHWH; 1 Chr. 29,20; cf. 1 Esdr. 8,71; 3 Mach. 2,1s). Ici, κύριος est remplacé par πατήρ[153].

"Au caractère solennel de l'introduction répond la plérophorie de l'invocation de Dieu" (v. 15s)[154]. Certes. Mais ici, la terminologie n'est pas stéréotypée. Il est possible que dans cette invocation il faille voir une réminiscence d'un texte tel que Ps. 22,28 (LXX 21,28)[155], dans lequel le psalmiste annonce que "toutes les tribus des nations se prosterneront devant le Seigneur". Mais de ce texte (ou de celui du Ps. 96/95,7) à l'expression d'Eph. 3,15 ("dont toute tribu tire son nom"), il y a une distance appréciable. Nous ne pouvons guère trouver ici plus qu'une allusion

---

(fin de la note 151)
semblablement, formellement, sur cette glose. Elles gardent cependant leur valeur, quand on replace la péricope dans son contexte. Ad Eph. 3,15, il écrit: "Car tous sont assemblez et unis en une mesme famille, pour estre mutuellement frères sous un Dieu le Père. Entendons donc que sous la conduite de Christ la parenté est consacrée et confermée entre les Juifs et les Gentils, pour autant que nous réconciliant au Père, il nous a faits tous ensemble un." (*Commentaires sur le N.T.*, Paris 1855, vol. III, p. 789.

152. Cette expression n'apparaît, chez Paul, que dans des citations de l'A.T. - Cf. GNILKA ad loc.

153. Inversement, en Phil. 2,10s, le porteur du Nom, devant qui tout genou fléchit (allusion à Es. 45,23), c'est Jésus - à la gloire de Dieu le Père.

154. GNILKA, ad loc.

155. Cf. G. SCHRENK, ThWNT V, p. 1018,17-25.

extrêmement libre à ces textes de l'A.T.; la paronomasie πρὸς τὸν πατέρα, ἐξ οὗ πᾶσα πατριὰ (...) ὀνομάζεται a un caractère de jeu (de mots, comme son nom l'indique) d'autant plus évident[156].

Le sens de l'affirmation est clair: πατριά vient de πατήρ. Israël n'est pas le seul peuple à pouvoir se dire "enfant de Dieu"; toutes les tribus, non seulement sur terre, mais aussi dans le ciel, conformément à la vision cosmique du salut, typique des épîtres aux Colossiens et aux Ephésiens[157], et plus précisément, même les tribus des nations "tirent leur nom" de ce seul Père. C'est le "mystère" confié à Paul (3,1-13), et proclamé déjà au chap. 2: les Grecs comme les Juifs ont accès désormais à la "maison" de Dieu (2,19): ils ne sont plus des "étrangers", mais des "concitoyens des saints"; des "proches" (οἰκεῖοι) et non plus des "métèques" (πάροικοι).

L'allusion métaphorique est claire: Traditionnellement, chaque tribu tire son nom de son ancêtre éponyme. Israël en est un exemple frappant. Ces dénominations diverses sont causes, non seulement de distinctions, mais de divisions. Désormais, un seul "nom" doit unir toutes les "tribus": celui du vrai Père, auquel Jésus-Christ a ouvert l'accès. L'acception de πατήρ que l'auteur de l'épître met en évidence, en se servant du mot πατριά, équivaut à notre "patriarche". Mais l'utilisation métaphorique de ce terme implique une rupture radicale avec l'usage courant du mot: il n'y a qu'un "Père", celui devant qui on ne peut que fléchir les genoux. Face au Père, tous les "patriarches" sont dégradés. Bien plus, l'énoncé prend l'allure d'une thèse de caractère

---

156. Cf. MASSON, Commentaire d'Ephésiens (CNT, Neuchâtel 1953), ad loc.: "L'auteur a exploité la parenté étroite de ces deux mots" (p. 179).

157. Cf. G. SCHRENK, ThWNT V, art. πατριά, p. 1017-1021.

général, du fait même du jeu de mots étymologique (ὁ πατὴρ ἐξ οὗ πᾶσα πατριὰ ὀνομάζεται), et nous nous demandons s'il ne signifie pas aussi: la paternité de Dieu n'est pas dérivée ni ne se comprend à partir d'une quelconque paternité humaine, mais c'est l'inverse qui est vrai. L'expression métaphorique se trouve affectée d'un coefficient de vérité maximum; l'auteur, en définitive, revendique pour elle le "sens propre par excellence", par rapport auquel tous les "sens propres" du terme apparaissent déclassés, rabaissés au rang d'expressions d'un niveau de vérité inférieur[158].

(h) Deux fois déjà, nous avons rencontré incidemment le motif de l'imitation, lié à la notion de paternité; dans le cadre de la "famille d'Abraham", nous avons vu que Paul pouvait exiger de ceux qui se disent "fils d'Abraham" qu'ils marchent sur les pas de celui qu'ils appellent leur père (Rom. 4,12)[159]; de même, après avoir comparé son attitude à celle d'un père (n'a-t-il pas engendré les Corinthiens?), Paul peut demander aux Corinthiens d'en tirer la conséquence, et d'être "ses imitateurs" (1 Cor. 4,16)[160]. Si Abraham comme "père" (ancêtre) et Paul comme "père spirituel" doivent être imités, qu'en est-il de Dieu, comme Père? On est en droit de se le demander.

---

158. En ce sens, la paternité divine n'est pas à l'image des "autres" paternités; elle en est le prototype ("Urbild"). Il nous semble qu'il y a une part de vérité dans cette affirmation des anciens exégètes, depuis LUTHER, à condition de ne pas presser la notion de prototype dans le sens des spéculations sur "Urbild-Abbild", comme le fait G. SCHRENK, en s'en distançant du même coup (ThWNT V, 1020,10-15 et note 20).

159. Cf. supra II/11 (c) et note 61.

160. Cf. supra III/18 (c); voir aussi 2 Cor. 6,13, mentionné dans le même contexte.

Nous constatons que ce thème de "l'imitation de Dieu" est totalement absent de l'ensemble des épîtres incontestées, pour ne surgir qu'en Eph. 5,1. Ce verset se trouve dans un contexte parénétique. Les lecteurs de l'épître sont appelés, non pas tant à obéir à des règles ou des préceptes, qu'à se conformer à l'attitude que l'on peut attendre de ceux qui ont reçu l'Esprit de Dieu (4,30). Cela implique, non pas la méchanceté (v.31), mais la bonté (χρηστοί), le "coeur" (εὔσπλαγχνοι). Cette partie de la parénèse culmine dans l'exhortation: "vous pardonnant les uns aux autres, comme Dieu, en Christ, vous a pardonné" (v.32). Le chapitre 5 n'est pas sans lien avec ce qui précède. Bien au contraire l'auteur enchaîne: "Soyez donc (οὖν) les imitateurs de Dieu, comme des enfants bien-aimés" (5,1). La conjonction "donc" a un sens logique plus que matériel. Nous dirions: "en d'autres termes". Celui qui pardonne à son frère "comme aussi" (καθὼς καί, aussi bien en 4,32 qu'en 5,2[161]; comp. Mt. 6,12!) Dieu lui a pardonné, "imite" Dieu.

Le motif de l'imitation de Dieu se rattache à l'expression: "comme des enfants bien-aimés" (voir aussi 1 Cor. 4,14). Cette comparaison nous place dans le "cycle familial"; formellement, elle implique que "l'imitation du père" fait partie des traits du paradigme du concept "enfant", car "soyez des imitateurs de Dieu" constitue la "raison" de la comparaison; matériellement, elle est une allusion aux rapports qui existent (ou plutôt, ici, en contexte parénétique) qui doivent exister entre les croyants, "enfants de

161. Il nous paraît donc abusif de réduire pratiquement la notion de "mimésis" à un seul trait: celui de l'obéissance (GNILKA, ad loc., qui suit en cela W. MICHAELIS in ThWNT IV, art. μιμέομαι etc., p. 661-678, et plus spécialement 668-676). L'idée d'imitation est explicite. L'amour de Dieu en Christ n'est pas seulement le fondement objectif du salut; ce doit être aussi le point de départ conscient (le fondement subjectif) de l'attitude des croyants. Voir en ce sens CONZELMANN ad 1 Cor. 4,16.

Dieu", et ceux qu'ils appellent leur "Père". Cependant, l'auteur ne pousse pas la comparaison; il ne l'exploite pas autant que cela aurait été formellement possible, dans ce contexte. En effet, il aurait été tentant de jouer sur les mots, et de souligner que ce Dieu que les croyants doivent imiter, c'est celui à qui ils disent "Père". Nous ne trouvons pas trace d'une allusion de ce genre. Bien plus, du registre "théo-logique", l'auteur passe au registre christologique. Ici aussi, il aurait été possible de placer un terme appartenant au "cycle familial". En effet, l'amour que les croyants doivent imiter, c'est celui que le Christ nous a témoigné, et qui s'exprime dans la "formule de paradosis"[162]: "et marchez dans l'amour, comme le Christ nous a aimés et s'est livré lui-même pour nous..." (5,2). Nous l'avons vu, la "formule de paradosis" contient traditionnellement le titre de "Fils de Dieu" (Rom. 8,31; Gal. 2,20). Or ce titre a disparu au profit de "Christ". Cela nous paraît logique, précisément dans ce contexte. En effet, au moment même où il était question d'imitation (du Père), l'utilisation du titre de Fils de Dieu, pour désigner Jésus, aurait pu conduire à la conclusion implicite que le Christ était du côté des "imitateurs" de Dieu, alors qu'en fait, il est "en face" d'eux, du côté de Dieu: l'amour du Christ, c'est l'amour de Dieu, qui se donne "pour nous" (voir dans ce sens précis: 4,32 "comme Dieu en Christ vous a pardonné"). Ainsi nous avons expliqué l'absence du titre de "Fils de Dieu". Quant à l'absence du nom du Père, elle demeure frappante. Tout se passe comme si ce que nous pouvons imiter (en Dieu) ce n'était pas l'amour du Père[163] pour ses enfants, mais celui du... Christ, qui n'est pas nommé Fils.

---

162. Cf. supra III/17 (c) et III/20 (e).

163. Texte de la note, p. suivante.

(i) L'absence presque totale de ce "lien contextuel" entre "Père" (désignant Dieu) et les autres thèmes du "cycle familial", qui aurait favorisé une "métaphorisation", n'est que plus frappante, si on la compare à la fréquence d'un autre "lien contextuel", que nous avons signalé plus haut[164], et que nous devons maintenant expliquer, si possible: le lien entre "Père" (pour Dieu) et "Seigneur" (Jésus-Christ). Notre thèse est la suivante: ce lien n'est pas fortuit. Il est la conséquence d'une affinité profonde entre les deux termes.

Κύριος ("Seigneur"), dans le paulinisme, désigne toujours Jésus. Les exceptions sont extrêmement rares, et elles s'expliquent par des citations de l'A.T., ou des allusions claires à des expressions vétérotestamentaires[165]. Il s'agit d'un trait typiquement paulinien: la christologie de Paul est, en effet, essentiellement une "kyriologie"[166], mais cet usage paulinien plonge ses racines très profondément dans la

---

163. "L'amour du Père" n'est pas une expression paulinienne. Paul parle de l'amour de Dieu (2 Cor. 13,13, etc.), du Christ (2 Cor. 5,14, etc.), ou de Dieu en Jésus-Christ (Rom. 8,39). Ce "trait", qui nous paraît aujourd'hui fondamental, de la notion de "Père" est absent. Dans les salutations épistolaires, Paul souhaite régulièrement "grâce et paix", de la part de "Dieu le Père, et de notre Seigneur Jésus-Christ" (mais ces deux noms ne déterminent pas directement "Père" ou "Seigneur"). On peut se demander s'il y a, chez Paul, une seule notion qui apparaisse, formellement, comme un trait de la connotation du concept de Père (appliqué à Dieu). La "gloire", peut-être. Nous devrons voir en quel sens (III/20 k).

164. Cf. supra III/20 (b).

165. Recensement: W. FOERSTER in ThWNT III, art. κύριος, p. 1085s.

166. Ainsi W. KRAMER, Christos, p. 179-181.

tradition prépaulinienne[167]. Cela implique que Jésus se voit attribuer le titre qui, dans la Septante et dans le judaïsme contemporain du N.T.[168], servait à traduire le nom divin, même hors des zones d'influence de la LXX[169]. Quelle que soit l'histoire de ce terme dans la première communauté chrétienne, et le degré de conscience que l'on a pu avoir du caractère éminemment divin de ce titre, Paul rend compte de la mutation qu'a produite l'attribution de ce titre à Jésus, et il le fait en citant un hymne prépaulinien: "...c'est pourquoi Dieu l'a souverainement élevé et lui a donné le Nom qui est au-dessus de tout nom, afin qu'au nom de Jésus tout genou fléchisse (...) et que toute langue confesse que le Seigneur, c'est Jésus-Christ, à la gloire de Dieu le Père" (Phil. 2,9-11). Dans ce passage apparaissent ensemble deux phénomènes que l'on retrouve ailleurs dans les épîtres, et qui témoignent de la substitution qui a eu lieu de ce fait.

Ainsi, quand elle est mise en rapport avec Jésus-Christ, l'expression "au nom de" appelle tout naturellement la mention du "titre" de "Seigneur" (quand celui-ci n'est pas

---

167. KRAMER, Christos, p. 61-125. Il faut noter ici le caractère spécieux du raisonnement de H. CONZELMANN, Theologie NT, p. 101: il oppose le caractère exclusivement "futuriste" du titre de Seigneur dans l'invocation Maranatha, au caractère présent de l'acclamation "Jésus est le Seigneur". S'il est vrai que la *communauté* exprime son attente, dans le cri "Maranatha", ce n'en est pas moins dans le présent qu'elle implore son Seigneur: "Viens!". Il *est* le Seigneur qui vient. Il ne *sera* pas seulement le Seigneur quand il viendra. Voir à ce sujet P.E. LANGEVIN, Jésus Seigneur, passim.

168. FOERSTER, ThWNT V, p. 1081-1085.

169. BOUSSET-GRESSMANN, *Die Religion des Judentums im späthellenistischen Zeitalter*, 3e éd., 4e impr. 1966, p. 307s; E. JENNI, in ThHAT I, art. אדון, col. 31-38 et יהוה, col. 701-707. Contre G. QUELL, ThWNT III, p. 1056s, qui fait dépendre de l'usage grec l'introduction du qeré Adonai, pour le Tétragramme, dans le texte hébraïque.

seul)[170]. Parmi les textes qui entrent dans cette catégorie, il faut mentionner ceux dans lesquels se rencontre la tournure particulièrement explicite: "invoquer le (nom du)[171] Seigneur" (Jésus-Christ): 1 Cor. 1,2; cf. 2 Tim. 2,19.22[172]. Mais le plus frappant de ces textes est Rom. 10,12-14, dans lequel la citation de Joël 3,5 ("Quiconque invoquera le nom du Seigneur sera sauvé") est mise en rapport avec la confession (ὁμολογεῖν) lapidaire: "Jésus est le Seigneur" (v. 9). Phil. 2,9-11 présente rassemblées toutes les caractéristiques des divers textes auxquels nous venons de faire allusion: Le Nom, qui a été donné (v.9) au Christ que chante l'hymne, et qui désormais se trouve intimement lié au nom de Jésus (v.10), c'est "Seigneur" (v.11). Mais pour le dire, l'hymne se sert d'une longue périphrase ("afin qu'au nom de Jésus tout genou fléchisse (...) et que toute langue confesse...") qui est une citation libre[173] d'Es. 45,23; ce qui s'appliquait à Dieu (cf. ainsi Rom. 14,11) se trouve désormais transféré sur la personne du Christ: c'est lui qui est l'objet de la "confession"; c'est devant lui que tout genou fléchit:

---

170. Comparer W. KRAMER, Christos, p. 71-76: "Τὸ ὄνομα und die Homologie". Une seule fois, ὄνομα apparaît lié au nom "Jésus" (Phil. 2,10). De cette manière, l'hymne insiste sur le fait que c'est celui qui porte le nom de Jésus, qui reçoit le Nom de Seigneur.

171. Neuf fois, ὄνομα apparaît directement lié à κύριος (ἡμῶν) Ἰησοῦς (Χριστός), abstraction faite de Phil. 2,9, déjà cité. Cf. H. BIETENHARD, ThWNT V, art. ὄνομα, notamment p. 278. On est cependant en droit de se demander si cet auteur tire de ce "lien contextuel" tout ce qu'on en pourrait tirer. Κύριος n'est-il pas le Nom?

172. Quant à ce dernier texte, il est difficile de discerner si "Seigneur" y désigne Dieu ou le Christ. C'est pourquoi nous ne l'avons pas compté, dans la statistique mentionnée note précédente.

173. R. DEICHGRAEBER, Gotteshymnus, p. 128, note 2.

Esaïe 45,23b			Phil. 2,9-11
ὅτι ἐμοὶ			ἵνα ἐν τῷ ὀνόματι Ἰησοῦ
κάμψει πᾶν γόνυ			πᾶν γόνυ κάμψῃ (...)
καὶ ἐξομολογήσεται	A	B	καὶ πᾶσα γλῶσσα
πᾶσα γλῶσσα	B	A	ἐξομολογήσηται
τῷ θεῷ (λέγων			ὅτι κύριος Ἰησοῦς Χριστὸς
Δικαιοσύνη καὶ δόξα...)			εἰς δόξαν θεοῦ πατρός.

Ce transfert du titre de "Seigneur", de Dieu à Jésus, s'est produit en un temps où l'usage du Nom de Dieu avait pratiquement disparu[174], pour être remplacé par divers équivalents: ELOHIM (Dieu), ADONAI (Seigneur) notamment[175]. Quel sera dès lors le nom de Dieu dans le paulinisme? Dans la grosse majorité des cas, ce sera simplement "Dieu" (ὁ θεός) qui en tiendra lieu[176], mais à ses côtés, apparaît précisément "le Père". Quel est le statut de ce nom? Une expression imagée? Rien jusqu'ici ne permet de l'affirmer. Au contraire. Il nous faut donc préciser les éléments de réponse qui se présentent à nous au point où nous en sommes de notre recherche.

Nous rappelons ici ce que nous avons déjà signalé plus haut[177]: "le Père" se rencontre de manière particulièrement fréquente dans l'eulogie et l'action de grâces, en des formules typiquement pauliniennes[178] ou prépauliniennes[179]: "Béni soit Dieu, le Père de notre Seigneur Jésus-Christ"

---

174. Cf. BOUSSET-GRESSMANN, cités plus haut note 169.

175. Cf. JENNI, ThHAT I, col. 707.

176. Statistique chez SCHRENK, ThWNT V, p. 1010, note 382. Chez Jean, la proportion est inversée: "Père" est plus fréquent que "Dieu" (id., p. 996,31ss).

177. Cf. supra III/20 (a.f).

178. SCHRENK, ThWNT V, p. 1009,24-32.

179. W. KRAMER, Christos, p. 90.

(εὐλογητὸς ὁ θεὸς καὶ πατὴρ τοῦ κυρίου ἡμῶν Ἰησοῦ Χριστοῦ: 2 Cor. 1,3; Eph. 1,3; avec des variantes qui ne portent pas à conséquence: 2 Cor. 11,31; avec εὐχαριστοῦμεν: Col. 1,3). "Rendant grâces à Dieu le Père (τῷ θεῷ καὶ πατρί) au nom de notre Seigneur Jésus-Christ" (Eph. 5,20; cf. Col. 3,17).
A ces textes s'ajoute celui que nous avons déjà étudié plus à fond: Col. 1,12[180]: "rendant grâces au Père..." (εὐχαριστοῦντες τῷ πατρί...).
On comparera ces textes avec des eulogies juives:
"Je te rends grâces, Seigneur" (Es. 12,1. T.M.: JHWH; cf. Ps. 86,12)[181].
"Je te loue, Seigneur" (1QH 2,20.31; 7,6.34. Hébr.: ADONAI)[182].
Les expressions "Dieu, le Père de notre Seigneur Jésus-Christ", "Dieu, le Père", ou "(le) Père" ont pris la place du nom divin ou de son substitut.

Mais nous devons nous arrêter plus particulièrement à la confession de foi que Paul cite en 1 Cor. 8,6: "pour nous, il y a

εἷς θεὸς	καὶ εἷς κύριος
ὁ πατήρ,	Ἰησοῦς Χριστός,
ἐξ οὗ τὰ πάντα	δι'οὗ τὰ πάντα
καὶ ἡμεῖς εἰς αὐτόν,	καὶ ἡμεῖς δι'αὐτοῦ.

Il y a sans aucun doute un rapport, non seulement théologique, mais historique, entre cette tradition chrétienne judéo-hellénistique et la confession de la synagogue dans le

180. III/20 (f).
181. E. JENNI, ThHAT I, art. אדון, col. 38.
182. Ed. LOHSE: *Die Texte aus Qumran*, Darmstadt 1964, ad loc.

"SCHEMA" (Dt. 6,4)[183]. L'acclamation hébraïque: "JHWH notre Dieu est le seul IHWH" était devenue, dans la traduction grecque: "Le Seigneur notre Dieu est le seul Seigneur" (κύριος ὁ θεὸς ἡμῶν κύριος εἷς ἐστίν; cf. Mc 12,29). L'acclamation de la synagogue grecque s'est dédoublée: "c'est la révélation du Dieu unique dans le 'Seigneur' Jésus-Christ, qui est exclusive"[184]: il y a un seul Dieu, un seul Seigneur. A notre sens, on ne comprend le parallélisme des deux parties de cette confession qu'à partir de la forme grecque du SCHEMA, citée plus haut: κύριος y apparaît deux fois: une fois comme sujet (avec "notre Dieu" en apposition), et une fois comme prédicat (avec l'adjectif "un"). Le croyant qui ne connaît pas la forme hébraïque de cette acclamation en tire la conséquence logique et comprend la phrase de la manière suivante: "Le SEIGNEUR (nom propre) notre Dieu est le seul seigneur (nom commun)". Le Nom est ainsi déterminé doublement: par une apposition ("notre Dieu") et par un prédicat ("seul Seigneur"). La confession chrétienne reprend ces deux déterminations, mais avec un accent différent. Elle ne commence pas, en effet, par nommer ce Dieu, ou ce Seigneur, mais, face au monde païen, elle proclame son unicité, puis seulement elle le nomme. Le résultat est dès lors une confession double de ce Dieu unique en Jésus-Christ. Pour la deuxième partie, les choses sont claires: "Un seul Seigneur, Jésus-Christ" (Jésus-Christ est le nom de ce "Seigneur"). En revanche, l'interprétation de la première partie est plus controversée; mais à nos yeux, la même constatation s'impose:

---

183. Ni SCHRENK (ThWNT V, p. 1013s), qui renvoie simplement à III,101s, ni, par ex. CONZELMANN, ad loc. ne s'arrêtent à ce rapport entre 1 Cor. 8,6 et le Schema, pas plus que FOERSTER (ThWNT III, p. 1090). Voir en revanche KRAMER, Christos, p. 91s, V. NEUFELD, Confessions, p. 34-41, VIELHAUER, Urchristliche Literatur, p. 32s (note 60).

184. H. CONZELMANN, ad loc.

πατήρ y apparaît en fonction de nom propre. En effet, dans le SCHEMA, le premier "SEIGNEUR" était un nom propre, et "notre Dieu" déterminait (par apposition) ce nom propre. Le poids de l'acclamation reposait sur SEIGNEUR. De même ici, l'acclamation du Dieu unique amène à la proclamation de son identité: le poids de la proposition repose sur ὁ πατήρ, qui n'a ni prédicat ni complément du nom; la proposition adjective elle-même ne se rapporte pas plus à ὁ πατήρ seul (comme s'il s'agissait de dire en quoi il est Père) que, dans la deuxième partie de la confession, la proposition adjective analogue ne se rapporte au seul "Jésus-Christ". Nous ne voyons pas de moyen de ne pas accorder à θεὸς ὁ πατήρ le même statut qu'à κύριος Ἰησοῦς Χριστός: celui d'un nom propre[185].

Dans cette perspective, on ne peut que signaler, comme particulièrement intéressant, l'usage de l'expression εἰς δόξαν θεοῦ πατρός dans l'hymne même qui proclame que le Nom de Dieu a été attribué à Jésus (Phil. 2,11)[186].

(k) Nous avons déjà mentionné la parenté étroite qui unit, dans leur commun rapport à la résurrection, les deux titres de "Fils de Dieu" et de "Seigneur"[187]. Cette même affinité

---

185. Contre CONZELMANN ad loc., qui tient "Père" pour un prédicat de "Dieu" (p. 171, note 39, lui-même contre BACHMANN, qui tient la même thèse que nous). Avec Bachmann, SCHRENK, ThWNT V, p. 1008,23s: "die Artikellosigkeit, die 'Vater' fast wie einen Eigennamen erscheinen lässt".

186. Faut-il aller jusqu'à voir dans (ὁ) θεὸς πατήρ (ἡμῶν) un équivalent chrétien de l'hébreu JHWH Elohim, ou JHWH Elohénou (Yahvé-Dieu, Yahvé, notre Dieu)? Il y aurait à cela une certaine pertinence, en ceci du moins qu'ici comme là, nous sommes en présence de ce que JENNI appelle des "konkurrierende Gottesbezeichnungen" (ThHAT I, col. 706). Il s'agirait dans un cas comme dans l'autre d'un phénomène de plérophorie, mais il est difficile d'établir un rapport de filiation entre l'une et l'autre formule.

187. III/17 (c) et PLANCHE 16.

caractérise les deux notions de "Seigneur" et de "Père". Elle nous permettra d'expliquer un trait de la notion de "Dieu-Père" qui, nous semble-t-il, n'a pas toujours été bien compris: la gloire[188]. La comparaison de quelques textes typiques nous paraît éclairante (PLANCHE 21, complémentaire de la PLANCHE 16). Rom. 10,9 nous le montre: le centre de la foi que confesse l'Eglise, c'est "Jésus est le Seigneur" ou, dans l'ordre des événements salutaires: "Dieu l'a ressuscité (Jésus) d'entre les morts". Mais Dieu se définit par ce qu'il "fait" pour se révéler à nous (cf. Ex. 3,14: "Je suis qui je serai"). Dans l'ancienne alliance, il "était" le Dieu "qui a fait sortir son peuple d'Egypte" (cf. Ex. 20,2). De même, à la lumière de la révélation en Jésus-Christ, il sera "celui qui a ressuscité Jésus (le Christ), notre Seigneur (d'entre les morts)": Rom. 4,24; 8,11; 2 Cor. 4,14; Gal. 1,1. "Cette proposition est positivement devenue un prédicat de Dieu"[189], d'autant plus facilement que la grande prière des "dix-huit bénédictions" (schemoné 'ezré) comportait probablement déjà le prédicat: "ressuscitant les morts"[190] (cf. Rom. 4,17; 2 Cor. 1,9).

L'un des textes cités plus haut mérite cependant que nous nous y arrêtions: Gal. 1,1. Dieu n'y est pas seulement désigné comme "celui qui l'a ressuscité (Jésus-Christ) d'entre les morts". Cet attribut participial (suivi de ses compléments) est doublé d'un équivalent nominal qu'il vient expliquer: "Dieu - le Père" (Παῦλος ... ἀπόστολος ... διὰ Ἰησοῦ Χριστοῦ καὶ θεοῦ πατρὸς τοῦ ἐγείραντος αὐτὸν ἐκ νεκρῶν). De même que Dieu est Père dans l'acte de "soumettre toutes choses" au Christ (1 Cor. 15,24.28[191]), de même, il

188. SCHRENK, ThWNT V, p. 1009s.

189. VIELHAUER, Urchristliche Literatur, p. 15.

190. VIELHAUER, ibid., note 11. J. BONSIRVEN, Textes rabbiniques, p. 2.

191. Cf. supra III/20 (d).

l'est dans l'acte de ressusciter Jésus-Christ d'entre les morts. D'où l'insistance de Rom. 4,24: "celui qui a ressuscité Jésus, notre Seigneur...". Ici, l'énoncé se réfère à l'histoire du salut. Ailleurs, la référence sera plus étroitement liée aux personnes en présence. Dieu et Jésus-Christ seront liés dans une même adoration: "Béni soit Dieu, le Père de (notre) Seigneur Jésus-Christ" (2 Cor. 1,3; 11,31; Rom. 15,6; Eph. 1,3; Col. 1,3; également 1 Pi. 1,3).

Les deux titres, "Père" (attribué à Dieu, comme son nom), et "Seigneur" (désormais réservé presque exclusivement à Jésus) ne sont donc pas concurrents, mais complémentaires: la paternité de Dieu se révèle dans l'intronisation de Jésus comme Seigneur, dans sa résurrection, et désormais, pour nous, Dieu est Seigneur dans son Fils, Jésus-Christ[192]. Loin de ternir la gloire de Dieu, la seigneurie de Jésus est "à la gloire de Dieu le Père" (Phil. 2,11). Le lien qui unit "la gloire" à "Père" passe lui aussi par la résurrection, comme le montre Rom. 6,4: "De même que le Christ est ressuscité d'entre les morts par la gloire du Père..."; et l'on ne s'étonnera donc pas de voir l'auteur de l'épître aux Ephésiens développer de manière originale la formule traditionnelle pour écrire: "le Dieu de notre Seigneur Jésus-Christ, le Père à qui appartient la gloire" (1,17). Cette dernière expression (ὁ πατὴρ τῆς δόξης) ne caractérise pas Dieu comme "den überweltlich Herrlichen"[193], mais comme celui qui a

192. C'est dans ce sens seulement que nous verrions une pertinence à la phrase suivante de SCHRENK (ThWNT V, p. 1012,15s): "Die Einheit von Vater und Herrscher ist also endgültig darin offenbar, dass Gott der Vater des Kyrios ist".

193. SCHRENK, ThWNT V, p. 1009,40. Il ne nous semble pas non plus suffisant de dire qu'ici, Père s'est chargé des connotations de θεός (SCHRENK, ThWNT V, p. 1010,20s). Il faut partir de la formule habituelle, qui est ici modifiée: On n'a pas θεὸς καὶ πατὴρ τοῦ κυρίου..., (suite de la note, p. suivante)

révélé sa gloire en ressuscitant Jésus ou, ce qui revient au même, en l'élevant à la dignité de Seigneur. On ne s'étonne donc pas que la doxologie, comme l'eulogie et l'action de grâces (eucharistie) s'adresse en priorité à Dieu "le Père" (cf. encore Gal. 1,4s; Phil 4,20).

Ainsi, chez Paul, sur la base d'une tradition très homogène, l'épithète divin "Père" reçoit le statut du Nom, mais aussi un contenu théologique spécifique, en relation avec la résurrection, et une référence christologique constante, fondant également l'appellation "Dieu notre Père"[194].

III/21 Les noces du Christ et de l'Eglise

(a) Le thème des noces du Christ et de l'Eglise est un peu marginal, par rapport au "cycle familial", dans le paulinisme. Cela ressort de nos concordances synoptiques (PLANCHE 6), qui ne permettent de mettre en évidence aucun lien contextuel avec les autres thèmes en relation avec la famille.

(fin de la note 193)
parce que πατήρ va être repris, et déterminé par ce qui est constitutif de la paternité même de Dieu: la gloire de la résurrection. Cf. MARCHEL, Dieu Père, p. 116s. Grammaticalement analogue à cette tournure "le Père de la gloire": 2 Cor. 1,3: ὁ πατὴρ τῶν οἰκτιρμῶν καὶ θεὸς πάσης παρακλήσεως. Il s'agit de sémitismes liturgiques (parallèles: BILLERBECK, III, p. 494; BULTMANN, ad loc., etc.). Les génitifs, comme le montrent les parallèles, doivent être traduits par "de qui vient la consolation, etc.". Ὁ πατήρ a, dans une telle expression, le même statut que "Dieu" ou, dans une autre expression analogue, "le Seigneur" (Sap. 9,1, cité par HERING ad loc.: "Dieu de nos pères, Seigneur de miséricorde").

194. W. MARCHEL, Abba, p. 193, note 10, souligne que Paul ne parle jamais de "notre Père", sans que cette expression soit en relation contextuelle avec "Jésus", "le Christ", ou "le Seigneur".

De plus, il s'agit là d'un sujet que Paul aborde assez rarement. Trois textes au maximum entrent en ligne de compte:

- Deux dans les épîtres incontestées: Rom. 7,(1-)4 et 2 Cor. 11,2-3.
- Un seul dans une épître deutéropaulinienne: Eph. 5,25-32.
- Aucun dans les Pastorales.

(b) Nous avons montré plus haut que Rom. 7,1-6 présentait des analogies frappantes avec Gal. 4,1-5[200]. Pour parler des rapports entre l'ancien et le nouveau régime, Paul avait remplacé l'image de l'héritier mineur (Gal. 4,1-2) par celle de la femme mariée, puis veuve (Rom. 7,1-3).

Au départ, l'image n'a rien à voir avec le thème des noces de Dieu (ou du Christ) et de son peuple (ou de l'Eglise)[201]. La description du cas d'une femme mariée, "libérée" juridiquement du pouvoir de son premier mari par la mort de celui-ci, sert à illustrer ce qui s'est passé au baptême (cf. Rom. 6). C'est une chose connue ("Ou bien ignorez-vous, frères - je parle à des gens compétents en matière de loi...", v. 1) que la mort met fin à certains assujettissements légaux, tels que le lien conjugal (v.2-3). De fait, nous l'avons vu également, il est impossible d'appliquer de manière stricte (allégorique) tous les détails de l'image aux relations entre la loi et l'homme (que le Christ est venu libérer). La "raison" de l'image (le "tertium comparationis") réside exclusivement dans la constatation "que la mort abolit des liens qui, sans elle, auraient été valables toute la vie"[202]. Tels sont les éléments auxquels Paul s'en

---

200. Cf. supra II/13 (d).

201. Sur la symbolique des noces dans l'A.T., le judaïsme et les religions du monde ambiant, voir R.A. BATEY: *New Testament Nuptial Imagery*, Leiden 1971, p. 2-11.

202. E. KAESEMANN, comm. p. 177.

tient, dans l'application de la "similitude" (v. 4-6), en deux vagues (voir PLANCHE 22):

- "vous avez été mis à mort à l'égard de la loi, par le corps du Christ" (v. 4)
- "Mais maintenant, morts à ce qui nous tenait captifs, nous avons été affranchis de la loi" (v. 6; cf. v.2).

Mais cette mort (qui est celle du Christ, pour nous, à laquelle nous sommes unis dans le baptême) n'est pas une fin. L'Evangile, dont Paul a donné une paraphrase baptismale au chap. 6[203], proclame la mort et la résurrection du Christ (1 Cor. 15,3-5). Si la mort du Christ (et la mort des croyants "avec" le Christ, dans le baptême) a marqué la fin du règne (κυριεύει, v. 1) de la loi, la résurrection du Christ implique aussi un nouveau régime, qui pourrait également être décrit en termes matrimoniaux. Cependant, Paul se montre extrêmement discret sur ce point. Une seule expression constitue une allusion, claire, certes, mais épisodique[204], au mariage: "pour appartenir à un autre, celui qui est ressuscité d'entre les morts" (v. 4, cf. 1 Cor. 7,39, dans la colonne de gauche de la PLANCHE 22).

Il est intéressant de noter que cette expression apparaît dans la première vague de l'application, sous la même forme que dans la similitude elle-même; c'est un élément "non-décodé" qui ressurgit, une expression à double-sens (appartenir à Jésus-Christ, comme une épouse appartient à son mari), typiquement métaphorique. Ce ne sera que dans la deuxième vague de l'application, que Paul expliquera ce qu'il entend, en se servant d'une autre image: celle du

---

203. Présentation synoptique de Rom. 6 et 1 Cor. 15,3ss dans notre art. "Pour une synopse...", p. 98-100.

204. Voir BATEY, Nuptial Imagery, p. 17-19; en note, discussion avec les commentateurs qui exagèrent la portée de la symbolique conjugale dans ce texte.

service (v.6), reprenant de manière allusive un thème déjà amplement développé en 6,15-23. Paul change donc totalement de registre, et renonce à exploiter l'image du mariage, pour décrire le nouveau régime, caractérisé par l'appartenance à Jésus-Christ. Seule une étude des autres textes consacrés au thème des fiançailles et des noces nous permettra de déterminer avec précision pourquoi Paul abandonne si rapidement, dans ce contexte, un thème qui, pourtant, était traditionnel.

(c) En 2 Cor. 11,2-3, l'image paraît un peu floue, à première vue. Le contexte, tout à la fois littéraire et historique permet de rendre au tableau sa netteté, et d'assister à la "résurrection" d'une métaphore (qui, de traditionnelle qu'elle était redevient "vive").

On s'est demandé d'où venait l'idée de jalousie (ζηλῶ γάρ) qui apparaît brusquement, en lien avec la "folie" de Paul (11,1) que les Corinthiens devraient pouvoir "supporter". Il nous semble que tout s'explique, si l'on replace la lettre de Paul, et notamment ce passage, dans le cadre de la situation de dialogue, ouvert, mais tendu, qui caractérise la correspondance de l'apôtre avec les Corinthiens. Le ton même des lettres de Paul présuppose un échange de propos pas toujours très amènes, et il nous paraît plausible d'admettre que Paul répond ici aux Corinthiens qui l'accusent d'être affreusement jaloux de son influence sur eux, au point de ne pas supporter qu'ils écoutent qui que ce soit d'autre[205]. N'avait-il pas lui-même tancé les Corinthiens pour les jalousies et les querelles (ζῆλος καὶ ἔρις) qui agitaient la communauté (1 Cor. 3,3)?[206] Il est assez habile pour ne pas

---

205. Il ne nous semble pas nécessaire de commenter, comme BATEY (p. 12): "jealous (...) like an aging man whose potency was declining".

206. Ce rapport entre les deux péricopes est suggéré par R. REITZENSTEIN, Mysterienreligionen, p. 361. BULTMANN (-DINKLER), ad loc., doute de la pertinence d'une telle référence.

repousser simplement le reproche qu'on lui renvoie, comme une injure déplacée. Au contraire. Il saisit la balle au bond: "Jaloux, je le suis, en effet, mais par procuration: ma jalousie est celle de Dieu" (θεοῦ ζήλῳ). L'image de la jalousie évoque celle d'un mari; l'image du mari (légitimement) jaloux appelle à son tour celle de la femme infidèle. D'où les allusions des versets 2-3 au motif des noces, ou plus exactement, des fiançailles.

Le verbe ἡρμόσαμην est un terme technique; il signifie: "fiancer"[207]. L'aoriste implique une allusion à un acte du passé, accompli une fois pour toutes. Comme Paul écrit à toute une communauté, il est impossible de voir dans cet acte le baptême, comme en Rom. 7,1-6. Il s'agit d'une manière plus générale de la fondation de la communauté, par la prédication de l'Evangile et le baptême des premiers chrétiens, au fur et à mesure des conversions. On trouve des aoristes analogues en 1 Cor. 3,10 ("j'ai posé le bon fondement") et, plus près du sujet qui nous occupe ici, en 1 Cor. 4,15 ("je vous ai engendrés")[208].
Le "mari", auquel Paul a fiancé la communauté de Corinthe n'est pas nommé immédiatement. L'apôtre souligne seulement qu'il s'agit d'un "seul" mari (ἑνὶ ἀνδρί), et que sa jalousie est donc fondée, dans la mesure où les Corinthiens sont tentés, non seulement d'écouter d'autres prédicateurs, mais surtout de se laisser prêcher "un autre Jésus" (v.4).
Quant à la fiancée, cela va de soi ("vous"), c'est la communauté; mais Paul précise, au moyen d'une apposition: c'est

---

207. T. NAEGELI: *Der Wortschatz des Apostels Paulus*, Göttingen 1905, p. 25; BAUER, Wörterbuch, ad voc.

208. Sur ce verbe au moyen, alors que l'on attendrait un actif, voir N. TURNER (MOULTON & HOWARD, Grammar III), p. 55. Mais peut-être n'y a-t-il pas, ici, de confusion des voix, et Paul veut-il marquer l'intérêt personnel qu'il prend à ces "fiançailles". Ainsi MOULTON, Grammar I, p. 160.

une "vierge pure". On peut se demander si l'on est en droit de pousser l'image, et de voir dans cette pureté le résultat du "bain de purification" qu'est le baptême. Si cela n'est pas absolument exclu[209], il nous paraît encore plus important de remarquer que l'expression est tournée vers l'avenir: Les fiançailles sont passées, les noces sont à venir[210], et le père de la fiancée[211] ou celui qu'il a mandaté, l'ami de noces[212], est responsable de la pureté de la fiancée, c'est à dire de sa fidélité à son futur époux.
Enfin, dernière image de ce verset, la fiancée doit être "présentée"[213] à son fiancé, au moment des noces. - Et Paul finit alors par nommer le fiancé: c'est le Christ, comme dans les paraboles évangéliques[214], auxquelles on ne trouve d'ailleurs ici aucune allusion explicite.

---

209. En tous les cas, cela nous paraît être trop faible, que de voir dans la pureté "ein Bild für die 'reine Lehre'" (H. LIETZMANN, *An die Korinther II*, Tübingen 1910, ad loc.). Une fiancée demeure "pure" dans la mesure où elle ne se "donne" pas à un autre que celui à qui elle est promise. Or les Corinthiens "supportent" qu'on leur prêche "un autre Jésus" (v.4).

210. Les implications eschatologiques des expressions utilisées sont très généralement mises en évidence par les commentaires, de même que par BATEY, Nuptial Imagery, p. 14-16.

211. Envisagé par HERING ("semble se présenter..."), et, de manière alternative, par BULTMANN, ad loc. Voir aussi STRACHAN, cité par BATEY, Nuptial Imagery, p. 12, note 2. Il y aurait là un lien implicite avec le thème de la paternité spirituelle.

212. Interprétation préférée par BATEY, Nuptial Imagery, en raison des parallèles rabbiniques (Moïse, l'ami de noces): p. 12, note 2, et p. 16. De même LIETZMANN, ad loc.

213. Infinitif de but: F. REHKOPF (BLASS-DEBRUNNER), Grammatik, No 390; TURNER (MOULTON-HOWARD, Grammar III), p. 134s.

214. H. RIESENFELD, Langage parabolique, p. 57s.

On a pu se demander si Paul avait conçu cette image, ou plutôt cet ensemble d'images "dans l'instant", de manière originale[215]. Des raisons de deux ordres nous poussent à répondre par la négative, comme le fait d'ailleurs lui-même l'auteur de la question:
En premier lieu, les analogies avec la littérature vétéro-testamentaire et judaïque sont trop frappantes pour qu'il soit possible de croire que, tout par hasard, Paul a réinventé exactement les mêmes images. Cet élément de preuve externe pourrait presque suffire à emporter la conviction.
En second lieu, et surtout, la manière dont Paul se sert des images dans ce texte nous semble être la preuve qu'il recourt à une terminologie que non seulement il connaissait, mais qui était également familière à ses interlocuteurs. En effet, le traitement de l'image n'a rien de commun avec les exemples que nous avons rencontrés jusqu'ici, en Gal. 3,15-16; 4,1-2 ou Rom. 7,2-3. Nous ne sommes pas en présence de comparaisons (il manque les conjonctions et les adverbes ὡς... οὕτως). L'ensemble du verset ne constitue pas non plus une parabole, ni même une similitude: la parabole serait un récit, la similitude décrirait un cas, se situant en entier au niveau de l'image, et destiné à être appliqué de manière globale à l'objet du discours (les relations entre le Christ et l'Eglise). Ici, rien de tout cela. L'ensemble imagé que constitue le v.2 présuppose une correspondance entre les deux ordres de réalité (celui qui sert d'image, les fiançailles et le mariage, et les relations entre le Christ et l'Eglise), et se sert des expressions d'un ordre pour désigner les réalités de l'autre ordre, par fiction transparente. Il ne s'agit cependant pas de métaphores isolées, qu'il serait possible de "décoder" individuellement, mais d'un ensemble de métaphores qu'il faut "décoder" parallèlement, selon une clé qui leur est commune, et qui est supposée

---

215. Hypothèse émise, puis abandonnée par BULTMANN ad loc.

connue (Paul, en effet, n'interprète pas l'image: il suppose que ses lecteurs connaissent le code)[216]. Nous ne sommes pourtant pas non plus en face d'une allégorie, qui serait un récit se situant au niveau de l'image, et qui pourrait être transféré de terme à terme de ce niveau à celui de la "réalité" visée. La forme utilisée se situe de fait à la frontière entre la métaphore et l'allégorie: les deux niveaux ne sont pas respectés; Paul "projette" l'allégorie dans son discours "en termes propres"; la "tension" typique de la métaphore est maintenue, par l'emploi alterné, dans une même phrase, de termes "figurés" (en acception métaphorique), et de termes "propres", c'est à dire étrangers au genre métaphorique utilisé dans cet ensemble d'images:

Métaphores conjugales	"Réalité" théologique
ζηλῶ γὰρ	ὑμᾶς θεοῦ
ζήλῳ,	
ἡρμοσάμην γὰρ	(ἐγὼ) ὑμᾶς
ἑνὶ ἀνδρὶ	
παρθένον ἁγνὴν	
παραστῆσαι	τῷ Χριστῷ·

Mais à cet ensemble métaphorique traditionnel, Paul fait subir, dans ce contexte, deux modifications: Les parties en présence ne sont pas Dieu et l'ensemble de son peuple, ou le Christ et l'Eglise dans sa totalité, mais le Christ et une communauté locale[217]. Et d'autre part, la perspective temporelle est dédoublée: les fiançailles ont déjà eu lieu, les noces sont à venir. La tension eschatologique demeure, conformément à la théologie de l'apôtre.

---

216. "This is a very compact, laconic statement which presupposes on the part of the readers a background of knowledge arising out of Paul's earlier relationship with them". J.P. SAMPLEY: *"And the two shall become one flesh". A Study of Traditions in Ephesians 5:21-33*, Cambridge 1971, p. 31s.

217. Particularité soulignée par BULTMANN ad loc.

Etant donné la manière dont Paul a "métaphorisé" dans ce passage, on comprend que l'on se soit demandé où s'arrêtait l'image. Au v.4, les choses sont claires: bien que les formes traditionnelles ne soient pas sauvegardées (p. ex. οὕτως καὶ ἡμεῖς; cf. Gal. 4,3), on voit que Paul y applique "en clair" ce qu'il a dit de manière codée au(x) verset(s) précédent(s): Paul est jaloux, mais à bon droit, de "celui qui vient" (ὁ ἐρχόμενος), car il prêche un "autre Jésus", et cela, les Corinthiens le "supportent" (cf. verset 1). C'est à cause de l'Evangile, et non pour des raisons personnelles, que les Corinthiens doivent choisir entre Paul et ces "super-Apôtres" (v. 5), qui sont, de fait, de "faux apôtres", des serviteurs de Satan, camouflés en serviteurs de la justice (v. 13-15).

Les choses sont moins claires au v. 3. Ce verset est-il dans la ligne des images du verset 2, ou est-il au contraire étranger à la symbolique des noces, qui s'y faisait jour[218]? Pour les auteurs que nous avons consultés, le problème se pose de la manière suivante: On ne pourrait admettre que le v.3 (une comparaison avec Eve, trompée par le serpent) reste dans la ligne esquissée au v.2, que si l'on pouvait également tenir pour assuré que Paul connaissait les traditions qui faisaient du péché d'Eve une infidélité à Adam, et de la séduction d'Eve par le "serpent" (Satan), un péché sexuel[219]. La décision dépend alors de l'âge que l'on attribue aux traditions véhiculées par le protévangile de Jacques (13,1)[220], et de l'interprétation que l'on donne de 4 Macc. 18,7-8. Le

218. STRAUB, Bildersprache, p. 79, avec LIETZMANN ad loc.

219. Ainsi LIETZMANN, ad loc. - C'est ce que semble postuler aussi P.S. MINEAR, Bilder, p. 54.

220. Le Protévangile de Jacques lui-même semble pouvoir être daté de 150 environ. Cf. O. CULLMANN in HENNECKE-SCHNEEMELCHER, N.T. Apokryphen I, p. 278.

malheur veut que ce texte ne soit guère plus explicite que 2 Cor. 11,3 lui-même[221]. 1 Tim. 2,14s n'apporte pas non plus d'élément de preuve[222].

Mais est-il vrai que le seul point de contact possible entre l'image conjugale du v.2 et l'allusion à la tentation d'Eve, ce soit une spéculation sur l'infidélité sexuelle d'Eve? Une comparaison de 2 Cor. 11,2-3 avec Eph. 5,27-32 (voir PLANCHE 24) rend plausible la thèse de J.P. SAMPLEY, selon laquelle Paul, tout comme de son côté l'auteur de l'épître aux Ephésiens, a recours ici à un schéma traditionnel de la parénèse conjugale, dont les deux éléments seraient (a) une exhortation et (b) une référence à la Thora, et plus précisément (dans les deux cas!) à l'un ou l'autre des aspects du récit de la Genèse, concernant Adam et Eve[223]. Ce serait donc le schéma entier que Paul reprendrait ici, pour l'appliquer, non pas de manière directe aux relations entre maris et femmes, mais à la relation "conjugale" entre le Christ et son Eglise. Dès lors, il n'est plus nécessaire de recourir aux traditions apocryphes sur la chute d'Eve, pour expliquer le v.3. Le serpent, en effet, ne joue de rôle que dans la comparaison ("comme le serpent séduisit Eve par sa ruse"). Le "droit fil" de la phrase se comprend des rapports entre Eve et Adam, image de la relation Christ/Eglise, une fois de plus, d'ailleurs, dans un chassé-croisé étonnant entre les termes "métaphoriques" et les termes étrangers à la symbolique du mariage:

---

221. Voir les réserves de DEISSMANN in KAUTZSCH, Pseudepigraphen ad loc. (note L, p. 175).

222. Contre M. DIBELIUS: *Die Geisterwelt im Glauben des Paulus*, Göttingen 1909, p. 51.

223. A cet égard, le parallèle que constitue 1 Tim. 2,14s nous paraît probant. Voir aussi 1 Cor. 11,8-9, dans le contexte d'une parénèse sur les rapports entre hommes et femmes (2-16): partout on trouve un même recours aux récits de la Genèse sur Adam et Eve, soit par contraste, soit dans un sens positif.

Métaphores conjugales	"Réalité" théologique
	φοβοῦμαι δὲ μή πως,
ὡς ὁ ὄφις	
ἐξεπάτησεν Εὔαν	
ἐν τῇ πανουργίᾳ αὐτοῦ,	φθάρῃ τὰ νοήματα ὑμῶν
ἀπὸ τῆς ἁπλότητος	
(καὶ τῆς ἁγνότητος)	τῆς εἰς Χριστόν.

Paul joue sur un seul élément de la relation entre Eve et Adam: Le fait que la femme se soit laissé abuser par le serpent a mis fin à la "simplicité" de ses rapports avec l'homme. La "pureté" morale ou sexuelle ne jouait vraisemblablement aucun rôle dans cette comparaison[224].

2 Cor. 11,2-3 nous semble donc former un tout indivisible, et dans lequel une seule et même idée se poursuit. A l'arrière-plan de ce texte, il faut voir une allégorie traditionnelle: le mariage de Dieu et de son peuple. Mais ce thème, réputé connu, étant posé, Paul en joue de manière très libre. A la lumière de notre analyse, l'image, chez Paul, reçoit les traits originaux suivants:

- Application du schéma de parénèse conjugale à l'allégorie des rapports "conjugaux" entre Dieu et son peuple.
- Dédoublement de la vision temporelle: les fiançailles sont passées, le mariage est à venir.
- Application de l'allégorie à une communauté particulière, et non à l'ensemble du peuple de Dieu.

---

224. Voir à ce sujet: C. EDLUND: *Das Auge der Einfalt*, Lund 1952, p. 95-97. 102. Le texte présentait-il, à l'origine deux substantifs ("simplicité" et "pureté"), ou un seul, et alors lequel? Il nous semble que l'écheveau des variantes doit être débrouillé ainsi: Le texte n'avait que "simplicité"; un scribe, percevant le lien avec le v.2, a voulu l'accentuer en ajoutant "pureté". Cf. METZGER, Commentary, ad loc.

- Interpénétration du langage "propre" et du langage "figuré": nous ne sommes pas en présence d'une "similitude à peine esquissée"[225], témoignant, une fois de plus, de l'incapacité dans laquelle Paul serait de construire une vraie image, parce que le talent dramatique lui manquerait[226], mais en présence des éléments d'une allégorie, intégrés au "langage propre", sous la forme de métaphores. Le discours de Paul possède ainsi un caractère d'interpellation indéniablement plus fort que si l'apôtre s'en était tenu aux conventions de la rhétorique et avait savamment reconstruit une allégorie, pour l'appliquer point par point à la "réalité" qu'il voulait exprimer.

(d) Le texte d'Eph. 5,22-33 a une particularité: L'union du Christ et de l'Eglise n'est pas le sujet de la péricope. Et pourtant, il n'y a pas d'exemple, dans tout le N.T., d'un développement plus ample de ce thème du mariage, appliqué au Christ et à l'Eglise. Le prétexte à ces développements est la parénèse conjugale, dans le cadre du "catalogue des devoirs domestiques" ("Haustafeln"), hérité de la philosophie populaire, par le biais de la synagogue, puis des premières communautés chrétiennes en terre hellénistique[227]. Les liens littéraires avec Col. 3,18s nous paraissent évidents, en particulier à la lumière d'une présentation synoptique des deux passages[228] (PLANCHE 24). L'auteur d'Eph.

225. STRAUB, Bildersprache, p. 79.

226. R. BULTMANN, Stil, p. 92, cité comme pertinent ("zutreffend") par STRAUB, Bildersprache, p. 79, note 2.

227. Cf. H.D. WENDLAND: *Ethik des N.T.*, Göttingen 1970, p. 46s, 67s, 93-95, 99s, 102s, et la bibliographie, ainsi que Ed. SCHWEIZER, EKK ad Col.3,18.

228. Voir déjà "Pour une synopse...", p. 96s, et "L'homme et la femme dans les textes pauliniens" in *Cahiers bibliques de Foi et Vie* No spécial (Mélanges S. de DIETRICH) mai 1971, p. 157-181, et plus particulièrement 162-165, 178-181. Notre mise en page, PLANCHE 24, s'inspire de celle de SAMPLEY, "And the Two", p. 104.

reprend les thèmes de la parénèse hérités de Col., mais il développe ce qui peut être considéré, dans l'épître aux Colossiens, comme le critère de l'obéissance du chrétien aux préceptes de la bienséance: "dans le Seigneur"[229]. La logique interne de ce passage peut être saisie de la manière suivante:
(1) L'auteur postule comme allant de soi que les rapports du Christ et de l'Eglise peuvent être "vus comme" une union conjugale (cf. 2 Cor. 11,2-3). Techniquement parlant, cela implique, à la base de tout le raisonnement, une métaphore, qui ne sera jamais exprimée comme telle: L'union du Christ et de l'Eglise "est" un mariage (qui ne sera consommé qu'à la Parousie).
(2) Mais si cela est vrai, le sens même dans lequel il faut voir l'image s'en trouve renversé, et ce sont les chrétiens qui sont appelés à refléter dans leurs relations conjugales les rapports qui se sont tissés entre le Christ et l'Eglise. C'est pourquoi les adverbes et les conjonctions, en Eph. 5,22-33, ne vont jamais dans le sens d'une comparaison des rapports entre le Christ et l'Eglise avec un mariage, mais toujours dans le sens inverse: formellement, tout se passe comme si le mariage du Christ et de l'Eglise était l'image (καθὼς καί) à laquelle peut se comparer le mariage des chrétiens (οὕτως).
(3) L'objet "propre" du discours dans ce passage, ce sont donc les relations qui s'établissent entre les époux, et les relations entre le Christ et l'Eglise en sont une image - à laquelle les époux doivent se conformer - une "comparaison". Mais au sein de cette comparaison, la description de l'union du Christ et de l'Eglise est constituée d'une série de métaphores. Souvent, le langage paraît, à première vue, être spécifiquement théologique, mais l'usage des termes en contexte "conjugal" leur donne un second sens, qui fait image.

---

229. LOHSE ad Col. 1,18.

Nous trouvons donc dans ce texte, du point de vue de la métaphore, un chassé-croisé assez unique en son genre, chacune des deux "réalités" étant, tour à tour, image de l'autre. Et c'est ainsi que, sur le plan théologique, "l'enseignement sur le mariage et l'enseignement sur le mystère de l'Eglise sont indissolublement liés. Ils s'éclairent mutuellement"[230].

Il est évident que dans notre brève étude de cette péricope, nous concentrerons notre attention sur les versets qui font allusion aux rapports entre le Christ et l'Eglise.
Avant tout, le Christ "est" l'époux, et l'Eglise "est" l'épouse. Cette métaphore n'est pas exprimée, mais elle est indiquée clairement par le parallélisme des membres, entre 23a et 23b (cf. 1 Cor. 11,3[231]). Le double-sens n'est pas seulement implicite, mais bien explicite: en première analyse (parallélisme avec 23a), "la tête" en 23b se comprend de la tête de l'union conjugale; mais en deuxième analyse (suite de l'énoncé), il faut comprendre cette image également dans le cadre de la symbolique du corps, appliquée à l'Eglise (l'Eglise, corps dont le Christ est la tête; cf. également v. 30). Partant, la soumission attendue de la femme doit être calquée sur la soumission que le Christ attend de l'Eglise[232].
Si la symbolique conjugale est à peine esquissée, à propos de la soumission de la femme, elle va être amplement développée au sujet de l'amour de l'homme pour son épouse (v. 25b-27[233]). La description des rapports entre le Christ et

230. J. GNILKA dans son introduction à la péricope (p. 274).

231. Cf. notre article "L'homme et la femme...", p. 168s.

232. Il faut noter cependant que, dans toute la péricope, jamais "femme" n'est explicitement le sujet du verbe "être soumise". Voir notre article "Pour une synopse...", p. 97.

233. Analyse détaillée (accent: les éléments traditionnels) chez SAMPLEY, "And the Two", p. 34-51.

l'Eglise comprend les éléments métaphoriques suivants:

- L'amour. Ce point ne pose pas de problèmes: C'est à ce propos que la comparaison s'esquisse, et c'est sur ce point également que porte l'application avant tout: cf. v. 25a. 25b. 28a.

  Cet amour se manifeste en ceci que le Christ s'est "livré lui-même pour" l'Eglise, "afin de la sanctifier" (25b-26a). Le langage est théologique. On reconnaît un écho de la "formule de paradosis" (cf. 5,2[234]), d'une part, et un verbe dont les résonances théologiques sont évidentes. En contexte "conjugal", ces deux éléments reçoivent un second sens:
- "Sanctifier" (grec: ἁγιάζω, hébreu QADASCH) peut être un terme technique pour "se réserver une jeune femme", en "faire sa fiancée"[235].
- Le cérémonial de fiançailles comprenait la remise de cadeaux à la fiancée[236]. En acceptant les cadeaux, la jeune femme manifestait son acquiscement à l'intention exprimée par les présents. Le Christ lui-même s'est offert à l'Eglise en "cadeau de fiançailles".
- Les rites de purification. Ici aussi, nous nous heurtons à un double-sens des expressions utilisées. Sur le plan théologique, l'auteur fait allusion au baptême ("bain de purification"), qui ne se comprendrait pas sans la prédication de l'Evangile ("accompagné d'une parole": cf. Eph. 6,17). Mais des bains de purification, suivis d'onctions d'huile font également partie des rites du

---

234. Cf. supra III/20 (e) et PLANCHE 20.

235. BATEY, Nuptial Imagery, p. 16; SAMPLEY, "And the Two", p. 42s; K.G. KUHN in ThWNT I, art. ἁγιάζω, p. 98,15-19, un trait que O. PROCKSCH n'exploitera pas (ibid., p. 113s). Voir, dans le Talmud, le traité Qidduschin, mot "inusité dans l'hébreu classique" pour désigner "le mariage, considéré comme une consécration" (J. BONSIRVEN, Textes rabbiniques, p. 408).

236. BATEY, Nuptial Imagery, p. 27s; SAMPLEY, "And the Two", p. 38-40.

mariage: la fiancée était baignée et parfumée, puis parée, juste avant d'être présentée au fiancé, le jour du mariage[237].

- Vient alors le moment de la présentation de la fiancée au fiancé (cf 2 Cor. 11,2). Cet acte de la cérémonie de mariage est encore à venir[238]. Jusqu'à l'arrivée de l'Epoux, l'Eglise doit conserver la pureté que lui a conférée le "bain de purification". Le Christ <u>était</u> déjà lui-même le cadeau de fiançailles. Il sera également, selon le v. 27, l'ami de noces[239], et il se présentera à lui-même la fiancée, "splendide, sans tache ni ride".

Dès le v. 23, nous avions assisté à un certain glissement de l'image, de la symbolique conjugale à la symbolique du corps - ceci pour exprimer les rapports entre le Christ et l'Eglise. Nous observons un glissement analogue au sein même de la parénèse conjugale, dans les versets qui s'adressent aux maris. Il serait cependant abusif d'établir un parallélisme trop strict entre les deux éléments de la comparaison, et de dire: "de même que l'Eglise est le corps, dont le Christ est la tête (v.23), de même l'homme est la tête, et la femme le corps (v. 28)". Il est frappant, en effet, qu'au moment où il s'adresse aux maris, l'auteur n'utilise plus l'image de la tête, mais uniquement celle du corps. Les

---

237. BILLERBECK I, p. 506. SAMPLEY, p. 38-40, renvoie à Ez. 16: v. 8, le "pacte" de Yahvé correspondrait à "mettre à part"; voir aussi le "bain", au v. 9, puis l'onction, et la parure offerte à la fiancée (v. 11ss). Plus bref à ce sujet, BATEY, p. 28s, qui interprète surtout le texte du point de vue de son eschatologie ("zwischen den Zeiten", p. 29).

238. Les deux subordonnées finales (v. 26 et 27) n'ont pas le même statut: Celle du v. 26 évoque un passé (une fin réalisée), alors que celle du v. 27 est tournée vers l'avenir. BATEY insiste particulièrement sur cet aspect, p. 29.

239. B. REICKE, ThWNT V, art. παρίστημι etc., p. 839,15-19.

hommes doivent aimer leurs épouses "comme leurs propres corps" (le grec s'exprime au pluriel); l'homme qui aime son épouse s'aime "lui-même". L'idée qui préside à ce v.28, c'est que l'homme et la femme forment un seul corps, comme l'Eglise. De l'idée déjà exprimée au v. 23, l'auteur ne reprend pour l'instant qu'un aspect: "l'Eglise-corps": les membres de l'Eglise, à plusieurs, forment un seul corps. Ainsi en va-t-il aussi de l'union conjugale. Mais, de fait, l'auteur a en vue une preuve scripturaire de cette unité dans le couple. C'est sous la pression de la citation qu'il prépare, qu'au v. 29 il introduit une variation au thème du corps: la chair[240], puisqu'aussi bien Gen. 2,24 utilise l'expression "une seule chair". Tout ce passage culmine donc dans la citation de Gen. 2,24, au v. 31. En première analyse, l'allusion à l'unité que formaient déjà l'homme et la femme dans l'intention première de Dieu (en "Adam" et "Eve") se comprend comme une preuve à l'appui de la parénèse conjugale (cf. 2 Cor. 11,3; 1 Cor. 11,8-9; 1 Tim. 2,14-15). Mais il est impossible de s'arrêter là, car l'auteur de l'épître repasse une dernière fois au niveau des relations entre le Christ et l'Eglise: la citation ne s'applique pas seulement aux rapports entre les époux, mais aussi à ceux qui unissent le Christ et l'Eglise. C'est la raison pour laquelle, dans notre tableau, nous avons écrit ce texte au travers des deux colonnes, comme SAMPLEY[241]. La "pointe" de ce texte, aux yeux de l'auteur de l'épître, étant dans la fin du verset "et les deux de seront qu'une seule chair", il importait en particulier que cette affirmation chevauche les deux colonnes, élément auquel Sampley n'a pas été assez attentif. En effet, il est peu probable que l'intention de l'auteur

---

240. Les analogies et les différences entre σάρξ et σῶμα: J.A.T. ROBINSON, The Body, p. 26-33 (cité par BATEY, Nuptial Imagery, p. 31, note 1); voir aussi p. 52s et 66.

241. "And the Two", p. 104; cf. p. 86-102.

d'Eph. ait été d'appliquer de manière allégorique l'ensemble du verset cité aux relations entre le Christ et l'Eglise[242]. Le "grand mystère", c'est l'unité du Christ et de l'Eglise, application nouvelle, "métaphorique" (ἐγὼ δὲ λέγω) de cet élément de preuve scripturaire[243].

Un regard rétrospectif sur l'ensemble de cette péricope nous permet de nous rendre compte à quel point l'union du Christ et de l'Eglise, "vue comme" une union conjugale, commande l'ensemble de la parénèse conjugale:
Le couple a un "chef" (κεφαλή): l'homme, et la femme doit donc lui être soumise, comme l'Eglise l'est au Christ.
Cette première analogie en appelle une seconde: l'image du "corps" qui, appliquée aux rapports entre l'homme et la femme, donne naissance à tout un développement et suscite l'appel à la preuve scripturaire par Gen. 2,24.
Dans le cadre de la parénèse, le morceau métaphorique des v. 25b-27 sert à illustrer ce que le Christ a fait pour l'Eglise, dans son amour. Sans aucun doute, l'homme est appelé à "imiter" cet amour sans limites, et prêt à tous les sacrifices, s'il veut aimer sa femme "comme le Christ a aimé l'Eglise". Mais il serait également faux de vouloir allégoriser (au deuxième degré), et chercher à quels éléments de la vie conjugale les diverses métaphores des v. 25b-27 peuvent s'appliquer (le don de soi, la purification, la "présentation" de la fiancée, "sans tache ni rides", etc.). Au sein de la parénèse familiale, le morceau consacré à la relation "conjugale" entre le Christ et l'Eglise a donc une certaine autonomie; il s'agit d'un thème traditionnel, développé comme pour lui-même (techniquement: une comparaison, faite

---

242. Bien souligné par BATEY, Nuptial Imagery, p. 30-31 et surtout note 4 p. 31.

243. Cf. J. CAMBIER: "Le grand mystère concernant le Christ et son Eglise" in Bib 47 (1966), p. 43-90 et 223-242. Discussion à la lumière de la littérature récente chez GNILKA, ad loc.

elle-même d'une série de métaphores), et qui ne doit être appliqué à l'autre "réalité" qu'est le mariage que pour sa "pointe": l'amour du Christ (le "fiancé") pour l'Eglise (sa "fiancée").

Notons enfin que l'emploi successif de deux motifs métaphoriques pour désigner la relation Christ/Eglise (l'union conjugale et le corps) introduit une certaine tension dans la péricope. Décrite en termes conjugaux, la relation entre le Christ et l'Eglise était en devenir: il s'agissait de fiançailles (v. 25b-26a), puis du début de la cérémonie du mariage (v.26b), la "présentation" de la jeune épouse au fiancé n'ayant pas encore eu lieu (v.27). Mais la seconde métaphore, celle de la tête et du corps, appliquée au Christ et à l'Eglise en contexte conjugal, donne l'impression que cette "union" entre le Christ et l'Eglise est déjà "consommée". Il est possible que, dans le flou de l'image, se reflète le relâchement de l'eschatologie, que l'on peut constater dans les épîtres aux Colossiens et aux Ephésiens: peu à peu, des catégories spatiales remplacent les catégories temporelles, et la tension eschatologique s'affaiblit. Certes, les aspects futurs de l'accomplissement du plan de Dieu n'ont pas entièrement disparu, mais on insiste sur les éléments déjà présents du "mystère" du salut.

CHAPITRE QUATRIEME

P A U L   I M A G I E R

Les images de la famille dans le langage de Paul

IV/22 Métaphores d'usage et métaphores vives

(a) Les deux derniers chapitres de notre étude doivent servir à tirer quelques conclusions de l'examen des thèmes métaphoriques dans le paulinisme.

Comme toute image (toute métaphore au sens large), mais en définitive, comme tout phénomène de langage, les images du "cycle familial" dans le paulinisme peuvent être abordées dans une double perspective, qui déterminera deux chapitres distincts:

Dans le présent CHAPITRE IV, nous examinerons les images comme un aspect du "comment dire". Nos considérations y seront proches de celles auxquelles on aurait pu se livrer sur la base de la rhétorique classique, considérant la métaphore comme un accident de la dénomination, un transfert de sens, au niveau de la connotation. Nous essaierons donc de décrire, au sein de la clôture du langage théologique de Paul, le fonctionnement de cet ensemble d'images (métaphores, comparaisons, similitudes) que nous avons découvert peu à peu au cours de nos chapitres II et III.

Dans cette perspective, la distinction classique entre "l'image" (dans la rhétorique allemande: "das Bild" ou "die Bildhälfte") et la "chose exprimée" (en allemand: "die Sache" ou "die Sachhälfte") garde à peu près la même pertinence, toute relative, que la distinction classique entre le "propre" et le "figuré". Nous serons bien obligés de nous en servir en première analyse, tant il est vrai que, dans tous les cas, l'image est un phénomène de polysémie. Elle tient son sens d'une part de ce qu'elle signifierait, si elle était utilisée, non pas au "figuré", mais au "propre", et d'autre part de ce que'elle signifie en vertu de la "métaphore" (transfert), c'est à dire du fait qu'elle est utilisée en un sens "figuré". En effet, la manière de dire les choses, même en termes "figurés", doit tenir compte de ces "choses", c'est à dire de la manière dont on les dirait "en termes propres" ou, ce qui revient au même, de la manière dont on les dit habituellement, en un langage qui, du fait de l'habitude qu'on en a, apparaît comme "propre".

Dans notre dernier chapitre, enfin (CHAPITRE V), nous considérerons l'image dans sa fonction référentielle. Nous nous demanderons donc ce qu'implique, pour le "cycle" des images familiales, le fait que, comme tout phénomène de langage, la métaphore doit aussi être considérée comme un événement de prédication, déviante, certes, mais assez claire, dans la tension entre un "EST" et un "N'EST PAS", pour être compréhensible ou même éclairante. Il s'agira de percevoir le rôle que peut jouer la métaphore dans l'ouverture du langage sur la "réalité", c'est à dire au niveau de la dénotation.
A cet égard, l'image tient également une position médiane, due à la polysémie: faite pour dénoter originellement un certain ordre de "réalités" (dans notre cas, des relations sociales), l'expression imagée, en vertu même du transfert propre à l'image, dénote désormais un autre ordre de "réalités" (dans notre cas, les rapports entre Dieu et les hommes, et les relations nouvelles que l'Evangile crée entre les hommes). Nous ne nous arrêterons pas à la fonction référentielle que l'image aurait, si elle n'était pas employée comme image[1]. En revanche, nous devrons nous deman-

---

1. Ainsi K.C. RUSSELL: *Slavery as Reality and Metaphor in the Pauline Letters*, Rome 1968.

der ce qu'implique pour ces images le fait que Paul et son école les appliquent à cette autre "réalité", et inversement, ce que cela implique pour notre connaissance de cette "réalité", que Paul l'exprime par ces images.

(b) Les thèmes imagés du "cycle familial" utilisés dans le paulinisme sont presque tous traditionnels: ce sont donc, dans le sens défini dans notre introduction, des "métaphores d'usage", entrées déjà dans le vocabulaire des communautés chrétiennes, avant que les auteurs des épîtres n'y recourent.

Ainsi "Fils" (de Dieu), appliqué à Jésus, n'est pas une image, dans le langage courant de la communauté chrétienne, mais un titre christologique, c'est à dire un "terme technique" de la langue ecclésiastique, et d'une manière générale, on l'a bien étudié dans cette perspective, faisant l'histoire de la christologie qu'implique l'usage de ce terme pour désigner Jésus[2]. De même, on a pu montrer qu'en appelant les membres de la communauté chrétienne "fils" ou "enfants" de Dieu, Paul s'inscrivait dans la ligne d'un usage vétérotestamentaire, puisqu'Israël, dans l'Ancienne Alliance, était déjà appelé "enfant de Dieu", dans des textes classiques que les épîtres pauliniennes citent expressément, pour les appliquer au peuple de la Nouvelle Alliance.

Quand Paul parle d'un chrétien ou qu'il s'adresse à ses interlocuteurs, il se sert également d'une tournure traditionnelle, qui est loin de "faire image" dans tous les cas.

---

2. Voir les christologies et les études spécialisées. Ainsi O. CULLMANN, Christologie (all.), p. 276-323; Ferd. HAHN, Hoheitstitel, p. 280-333; W. KRAMER, Christos, p. 105-125, 183-193; et l'article υἱός, υἱοθεσία du ThWNT VIII (P. WUELFING v. MARTITZ, G. FOHRER, Ed. SCHWEIZER, Ed. LOHSE, E. SCHNEEMELCHER, p. 334-402).

"Frère", en effet, est l'apellation courante des chrétiens, au sein de la communauté chrétienne primitive, comme dans d'autres communautés du monde ambiant.

Les mots ou les expressions servant à désigner Dieu comme Père ("Abba", notre Père, etc.) ont toute une histoire[3], avant que Paul et ses disciples ne s'en servent dans les épîtres, et on ne saurait donc parler d'une création paulinienne originale, aux seules fins de "métaphoriser". De même, la "paternité spirituelle" est un motif traditionnel, notamment dans les écoles rabbiniques, mais aussi dans les religions à mystères[4], si bien que Paul n'a en tous cas pas à créer de toutes pièces les images dont il se sert quand il recourt à des comparaisons ou à des métaphores relevant de ce thème.

Depuis le temps d'Osée, les prophètes se sont servi du mariage et de ses problèmes (fidélité, infidélité, prostitution, réconciliation) pour faire comprendre à Israël l'attachement de Yahvé pour son peuple, et Paul suppose connue cette tradition prophétique, dans un texte tel que 2 Cor. 11,2s, sans parler de la grande "fresque" d'Eph. 5,22-33.

Quant aux thèmes qui ne font partie du "cycle familial" que de manière épisodique, on a pu montrer, pour prendre un premier exemple, que tout ce que Paul dit du δοῦλος doit se comprendre dans la ligne de ce que l'A.T. dit de l'EBED (dans la double signification de ce mot: serviteur, et

---

3. Cf. en part. W. MARCHEL, Abba, p. 23-190. Dans le ThWNT, en part. G. KITTEL, vol. I, art. Ἀββᾶ, p. 4-6; G. QUELL et G. SCHRENK, vol. V, art. πατήρ etc, p. 946-1024.

4. Très soucieux de démontrer que la notion de paternité spirituelle chez St Paul ne doit rien aux Mystères: P. GUTIERREZ: *La paternité spirituelle selon S. Paul*, Paris 1968.

esclave)[5]. Même si cette thèse est contestée[6], il est clair qu'ici aussi Paul s'inscrit dans une tradition. Cela vaut a fortiori pour le thème de "l'héritage" qui, dans le langage théologique de l'A.T. et du judaïsme n'évoque en général même pas le droit successoral; la terminologie de l'héritage désigne techniquement le lot eschatologique des croyants, et un "double-sens", faisant image, n'a pu naître qu'au sein du judaïsme hellénistique (Philon) ou dans la communauté chrétienne de langue grecque (Paul, sans contact démontrable avec Philon). Cela implique pour nous que nous devons chercher à faire la part de la tradition et de l'invention, quand Paul se sert d'images tirées du droit successoral, notamment dans l'épître aux Galates. De même, il est peu probable que Paul fasse oeuvre de novateur, dans l'usage qu'il fait de thèmes tels que ceux de l'enfant mineur (νήπιος)[7] ou du "pédagogue"[8].

Nous l'avons déjà précisé, notre étude n'a pas adopté une perspective diachronique, et la brève énumération qui précède ne prétend pas tenir pour résolus tous les problèmes touchant à l'histoire des motifs que nous avons recensés, ni trancher le noeud gordien de la provenance de tel ou tel thème, dans le paulinisme. Qu'il nous suffise de constater l'existence, dans presque tous les cas, d'une tradition, orale ou littéraire, à laquelle Paul emprunte ses moyens d'expression.

---

5. K.C. RUSSELL, Slavery: Tout ce que Paul dit de l'esclave se comprend sur l'arrière-plan (nécessaire et suffisant) de la notion vétérotestamentaire d'EBED. Plus nuancé, K.H. RENGSTORF in ThWNT II, art. δοῦλος etc., p. 264-283.
6. Des éléments typiquement hellénistiques de la notion de δοῦλος dans l'hymne de Phil. 2,6-11? Ainsi E. KAESEMANN, Kritische Analyse, EVuB I, p. 51-95.
7. Cf. G. BERTRAM in ThWNT IV, art. νήπιος, p. 913-925.
8. Cf. G. BERTRAM in ThWNT V, art. παιδεύω etc., p. 596-624, et les commentaires ad Gal. 3,24s et 1 Cor. 4,14.

Dans la mesure où il s'agit de métaphores, nous devons donc nécessairement conclure: chez Paul, dans la plupart des cas tout au moins, ce ne sont pas des métaphores neuves, des "métaphores d'auteur" que nous saisirions comme à l'instant de leur naissance. Il serait cependant faux d'en conclure que nous ne sommes jamais en présence de "métaphores vives"; en effet, la métaphore d'usage peut fort bien être "réanimée" par l'usage qui en est fait dans tel ou tel contexte. Notre but dans ce chapitre sera donc d'abord de rassembler les résultats de notre étude de détail, et de montrer dans quelles conditions c'est le cas, chez Paul et dans les épîtres qui se réclament de lui.

(c) Nous pensons pourtant avoir décelé, dans les textes que nous avons étudiés, au moins une métaphore "neuve", qui n'est pas sans rapports avec le "cycle familial": la métaphore de l'héritier[9]. Cette image est suscitée par une sorte de "réaction en chaîne", au sein d'un passage dont plusieurs termes sont chargés eux-mêmes d'un double-sens, théologique d'une part, juridique (droit successoral) d'autre part: Gal. 3,15-29.

Nous avons vu comment Paul, profitant du fait que ce qu'il appelle la "promesse" (Gal. 3,16, etc.), avait le caractère d'une "alliance" (hébr. BERITH), joue sur les termes, et fait de cette promesse un "testament" pleinement valide, et que rien ni personne ne peut venir modifier ou annuler (Gal. 3,15.17). Ce faisant, il table sur le double-sens du terme que les traducteurs de la Septante avaient choisi pour traduire BERITH, διαθήκη, dont le sens de base est "une disposition": un "testament" en droit successoral, mais aussi une "alliance" (née d'une initiative d'une des parties), en droit public.

---

9. Cf. supra II/10, notamment (d) et (f).

Nous avons vu également comment, dans ce contexte juridique, le terme κληρονομία se chargeait d'un sens métaphorique renouvelé; le "lot eschatologique des croyants" "était vu" comme le contenu même de ce testament, "l'héritage" promis à Abraham et à sa descendance. Mais à ce dernier terme s'était attaché un raisonnement bien particulier: "la descendance" d'Abraham, ce n'est pas en premier lieu un "pluriel", mais un "singulier": c'est le Messie, Jésus-Christ (Gal. 3,16; cf. 3,14), et en lui les croyants "unifiés" (Gal. 3,28). Or Jésus est le Fils de Dieu, et en lui, les croyants sont "fils de Dieu" (Gal. 3,26). Nous pensons avoir montré comment, dans ce contexte marqué par le droit successoral, de la conjonction de ces deux thèmes, celui du Fils (et des "fils") et celui de l'héritage, était née une nouvelle métaphore, encore inusitée jusque là: la métaphore de l'HERITIER (Gal. 3,29), à partir de laquelle Paul développera une "similitude" en bonne et due forme (Gal. 4,2)[10].

En Gal. 3,15-29, l'image de l'héritier était amenée par un long raisonnement, dont elle constituait la "pointe", avant d'être reprise sous la forme d'une similitude, puis de figurer également dans la conclusion générale du passage (Gal. 4,7). Or en Rom. 4,13-14, Paul introduit d'emblée cette même notion, sans aucune préparation, dans un passage où, en Gal.3, l'homologue de κληρονόμος était κληρονομία (Gal. 3,18). Cela signifie pour nous que, dans l'épître aux Romains, l'image de l'héritier a déjà pâli; c'est déjà devenu une "métaphore d'usage", un terme du vocabulaire théologique de Paul, à peu près au même titre que le verbe κληρονομεῖν ou le substantif κληρονομία.

10. Cf. supra II/10 (f) et II/14 (e), et note II/157*.

IV/23 Similitude, comparaison et métaphore

(a) A en croire R. BULTMANN, le trope qui domine, dans le langage imagé de Paul, c'est, de loin, la métaphore. "C'est à peine si l'on trouve une seule similitude. Paul n'a pas la patience de rester dans le domaine de l'image. Il en est encore à esquisser l'image, que déjà, sans attendre, il passe à l'exposé de l'objet propre de son discours"[11]. Notre intention n'est pas de défendre l'apôtre Paul contre ceux qui le jugent "mauvais imagier". Le développement de la science du langage a permis d'affiner nos instruments et de percevoir les métaphores de Paul sous un jour différent, et il ne nous viendrait pas à l'idée de faire à Bultmann et à ceux qui l'ont suivi un procès pour n'avoir pas connu Ricoeur ou Jüngel. Mais dans son élan un peu iconoclaste, Bultmann n'a pas seulement émis des jugements, sujets à caution mais excusables, il a aussi avancé, sous forme de constatations, des thèses contestables. Ainsi, il n'est pas exact que Paul soit "incapable" de mener à bien la construction d'une "similitude" qui se tienne, sans y mêler d'emblée des éléments étrangers à l'image et qui ne s'expliquent que par la "chose" que l'image doit illustrer. Nous l'avons vu à plusieurs reprises.

Ainsi la similitude de l'héritier mineur (Gal. 4,1-2), que Bultmann appelle d'ailleurs "comparaison"[12], constitue bel et bien "la description d'un cas"[13], en termes juridiques,

---

11. R. BULTMANN, Stil, p. 92. Nous admettons que "Gleichnis" se traduit, ici aussi, par "similitude", au sens technique, distinct de "parabole", car Bultmann utilise par ailleurs le terme "Parabel" (cf. p. 88).

12. Idem, p. 92.

13. Bultmann a raison en ce sens, que Paul s'exprime en termes généraux: il ne s'agit pas, dans la similitude, d'un récit, de la description d'un cas particulier, ce qui ferait de la "similitude" une "parabole" (Stil, p. 88).

et il est tout à fait possible de comprendre l'image dans son entier, sans aucune référence à la "chose exprimée"[14]. De même, en Rom. 7,1-6, l'élément qui constitue la similitude de la femme mariée (v. 2-3) forme un tout cohérent, en soi, et correct du point de vue juridique, comme le montre d'ailleurs une comparaison synoptique avec 1 Cor. 7,39 (PLANCHE 22). La logique de ce que Paul avait à dire sur le plan théologique a joué, dans la description du "cas", un rôle si minime que l'on constate un hiatus très net entre la similitude et son application: il faut comprendre la similitude dans sa pointe, et laisser tomber tous les autres éléments qui, si ils étaient "transférés", à la manière d'une allégorie, du niveau de l'image au niveau de la "chose dite", créeraient une série de contre-sens[15].

(b) Cela signifie à tout le moins que Paul est plus sensible qu'on n'a voulu le dire à l'image en elle-même. Cependant il est évident que l'image est au service du discours, et l'on conçoit donc qu'il y ait une limite à la métaphore. Paul serait un mauvais théologien et même, de manière plus générale, un mauvais écrivain, s'il s'intéressait à l'image pour elle-même, indépendamment de la force expressive qu'elle possède quand elle est mise en oeuvre concrètement. A la longue, il n'y a rien de plus irritant qu'un orateur ou un écrivain qui use de l'image à tort et à travers, émaillant son discours de jeux de mots gratuits, et sans fonction positive dans l'argument. Le "bien métaphoriser" ne se mesure pas tant à la fréquence ou à la plasticité de l'image prise pour elle-même, qu'à la manière dont elle est mise en relation avec l'objet du discours, recevant de cet usage tout à la fois sa raison d'être et ses limites.

---

14. Cf. supra II/13 (a-b).

15. Cf. supra II/13 (d), III/21 (b).

A plusieurs reprises, nous avons signalé un phénomène intéressant, du point de vue de l'image: Paul ne se contente pas de décrire un "cas", sous la forme d'une similitude (Gal. 4,1-2; Rom. 7,2-3; plus brièvement Gal. 3,15), ou de faire une comparaison (1 Thess. 2,7; 2 Cor. 11,3), pour ensuite passer à l'application de la similitude ou de la comparaison à son propos, en "termes propres". Régulièrement, l'image a chez Paul assez de retentissement pour qu'un ou plusieurs éléments de la similitude ou de la comparaison se retrouvent dans l'application, sous la forme de métaphores[16]. Ainsi, pour mémoire:

- En Gal. 3,17: διαθήκη repris métaphoriquement de la brève similitude du v.15, en lieu et place du "mot propre" que l'on attendrait: ἐπαγγελία.
- En Gal. 4,3s: νήπιοι... δεδουλωμένοι... πλήρωμα.
- En Rom. 7,4: "pour appartenir à un autre".
- En 1 Thess. 2,8, les verbes ὁμειρόμενοι et μεταδοῦναι.
- En 2 Cor. 11,3, la métaphore: ἀπὸ τῆς ἁπλότητος... τῆς εἰς Χριστόν.

Ce procédé permet à Paul de mettre en évidence un trait pertinent de la comparaison ou de la similitude:

- la promesse/alliance est "vue comme" un testament, bien que le testateur soit immortel;
- Paul se "fait voir" comme une nourrice, bien qu'il soit un homme.
- De même, quand il écrit "nous aussi, quand nous étions des enfants...", Paul veut dire: quand nous étions dans la situation visée par la similitude sous l'image de "l'enfant mineur". Mais il se sert de cette métaphore tout en demeurant conscient qu'elle ne s'applique que très mal à l'état de choses qu'elle décrit, puisqu'il remplace, ou plutôt interprète l'image de la maturité

16. Déjà BULTMANN signale ce procédé, commun à Paul et à la diatribe (Stil, p. 92 et note 1).

par celle de la "plénitude" des temps: C'est le temps qui est "mûr", par décision divine, et non pas les hommes que nous sommes; et dans un second temps, cette image sera remplacée par celle de "l'adoption" (v.5).

Ainsi donc, le sens que Paul a de ce qu'il veut faire dire à l'image, joue également un rôle important, qu'on ne lui a d'ailleurs jamais contesté[17]. Il demeure conscient des limites assignées à l'image, ce qui n'est pas encore un signe des limites... de ses qualités d'imagier. C'est ainsi que nous interpréterions les "vides" dans l'application des similitudes, notamment en Gal. 4,3-5 ou en Rom. 7,4-6. Quant à ce dernier texte, l'usage traditionnel du thème des noces, c'est à dire le lien habituel entre cette image et un "lieu théologique" précis, nous semble être la raison pour laquelle Paul n'exploite pas l'image esquissée au v.4: "pour appartenir à un autre". En effet, le motif des noces s'applique traditionnellement aux liens qui existent entre Dieu et son peuple (de manière globale). Paul hésite donc à le mettre en oeuvre, du moins de manière développée, pour décrire la relation qui s'établit, par la foi et dans l'union signifiée au baptême, entre le Christ et chacun des croyants individuellement.

Cela n'implique pas que Paul se refuse à introduire des modifications dans certains motifs traditionnels. Nous avons vu un exemple des libertés qu'il peut prendre, à propos du thème des noces, précisément. Non seulement l'apôtre applique à la relation Christ/Eglise une image qui décrivait le lien entre Dieu et son peuple, mais en l'adoptant, il lui fait subir deux modifications qui ne sont pas sans conséquen-

---

17. BULTMANN, Stil, p. 94: "überall ist er zu heiss interessiert, als dass er sich einmal an den Worten, abgesehen von der Sache, freuen könnte".

ces. La première est d'importance minime, du point de vue de la métaphore: le "peuple" de Dieu, en 2 Cor. 11,2, c'est une communauté locale. La seconde influe plus profondément sur l'image, et elle aura un retentissement plus grand (cf. Eph. 5,25-27); elle est due à l'influence directe de ce que Paul veut faire dire à l'image ("die Sache"): les fiançailles sont passées (aoriste), et on attend les noces pour le jour de la venue du Seigneur.

(c) Pour Paul, l'image a donc une certaine plasticité (elle se laisse partiellement "remodeler", au gré des nécessités), mais aussi une certaine consistance, qui peut lui venir d'une tradition métaphorique. On le voit dans la manière dont Paul traite l'allégorie du mariage en 2 Cor. 11,2-3: le thème étant connu, et connue également la clé d'interprétation de l'allégorie, Paul peut se permettre de ne pas "décoder" son langage imagé, et d'aligner une série de métaphores dans un texte qui n'a rien, ni de la comparaison, ni de la similitude[18].

Nous le constatons dans un autre cas encore: la métaphore du "pédagogue"[19]. Nous avons vu que dans deux contextes différents, Gal. 3,24s et 1 Cor. 4,15, le concept de "pédagogue" (au "figuré") présentait des traits analogues, tant dans ses déterminations positives que dans les éléments créant un contraste (ce que nous avons appelé "déterminations négatives"). Ici, cette "consistance" de l'image n'est pas en lien direct avec le message de Paul ("die Sache"). On pourrait donc se demander si elle vient de l'expérience que Paul

---

18. Cf. supra III/21 (c).
19. Cf. supra III/19 (d).

aurait d'un "pédagogue". Cela n'est pas exclu a priori, mais du fait que l'on trouve dans la littérature un usage analogue de cette image, nous serions plutôt enclin à penser qu'il s'agit là une fois encore d'une tradition, qui liait certains traits de brutalité à l'image du "pédagogue".

IV/24 Le jeu métaphorique

(a) Quand Paul reprend sous la forme de métaphores des thèmes empruntés à une similitude ou à une comparaison qu'il vient d'achever (voir plus haut IV/23b), on peut dire qu'il se livre à un "jeu"[20] métaphorique. Ce jeu n'est pas gratuit: il est au service de l'expression, permettant de mettre en évidence un trait de la comparaison, sans qu'il soit nécessaire d'appuyer. Nous avons vu qu'il peut même arriver, quand la comparaison est connue, que Paul en fasse l'économie et qu'il métaphorise immédiatement, en se servant des thèmes issus de cette comparaison implicite (en l'occurrence, plus exactement, une allégorie - 2 Cor. 11,2s).

Il n'est cependant pas nécessaire qu'un texte comporte une similitude ou une comparaison en bonne et due forme, pour que se produise l'événement du "jeu métaphorique". Mais quand on est en présence de thèmes traditionnels, comme nous le sommes très généralement ici, il est parfois difficile de dire dans quels cas précis une métaphore reprend de la vigueur. Il s'agit alors de peser les divers éléments du contexte, et le premier critère qui nous est apparu est l'accumulation des termes relevant, de près ou de loin, d'un même "cycle" métaphorique.

---

20. Ainsi d'ailleurs BULTMANN, Stil, p. 92.

(b) A ce titre, il nous semble hors de doute que dans le registre de la "paternité spirituelle", Paul joue de la métaphore sans aucune réticence. Ainsi, pour mémoire:
En 1 Cor. 4,14-15 apparaissent successivement:
- "(comme) mes enfants bien-aimés"
- (les "dix mille "pédagogues")
- "mais (s.-e.) un seul père"
- "en effet, c'est moi qui vous ai engendrés".
- Noter de plus le thème de l'imitation en 4,16.

1 Thess. 2,7-12 est encore plus riche, puisqu'il réunit:
- la comparaison de la nourrice "qui prend bien soin de ses enfants" (v.7),
- les métaphores qui font écho à cette comparaison: ὁμειρόμενοι, μεταδοῦναι, et peut-être ἀγαπητοί (v.8);
- "le père" et "ses enfants" (v.11),
- les verbes qui définissent l'activité de Paul à Thessalonique, comme "père" (nous vous avons "exhortés, encouragés, adjurés"... v.12). Ces verbes ne constituent pas en eux-mêmes des métaphores du "cycle familial", mais dans ce contexte, ils sont attirés dans le réseau métaphorique, dans lequel ils jouent le rôle de "traits" de la connotation du concept de "père". En appliquant à son activité ces verbes-là, Paul se "fait voir comme" le "père" des Thessaloniciens. Comparaison au v. 11, "père" devient implicitement une métaphore, par le jeu de ces verbes, au v. 12.

En deux textes enfin, le jeu métaphorique de deux termes apparentés est évident:
- Gal. 4,19: "mes petits enfants, que j'enfante à nouveau dans la douleur";
- Phm. 10: "Onésime, mon enfant, que j'ai engendré dans les liens".

(c) De même, en Gal. 3,24-4,7, et parallèle Rom. 8,3s.14-17, nous voyons Paul "jouer" avec les mots, se servir de métaphores, non seulement dans le registre strictement familial, mais également dans d'autres registres apparentés:

- En Gal. 3,26, "fils de Dieu" (par référence implicite à "Fils de Dieu": cf. "en Christ"), se détache de manière contrastée sur l'arrière-plan de la métaphore du "pédagogue" (3,24-25);
- en Gal. 3,29 est introduite la métaphore de l'héritier, qui relie (avec "la descendance") le thème de la "famille de Dieu" au motif qui dominait en 3,6ss: la "famille d'Abraham";
- après la similitude de l'héritier mineur (Gal. 4,1s), Paul joue sur les termes, alternativement
  - "négatifs": νήπιοι, δεδουλωμένοι, ὑπό, δοῦλος, comparer en Rom. 8,15: (οὐ πνεῦμα) δουλείας,
  - et "positifs": πλήρωμα, ἐξαπέστειλεν (...) τὸν υἱὸν αὐτοῦ, ἐξαγοράζω, υἱοθεσία, υἱοί, τὸ πνεῦμα τοῦ υἱοῦ αὐτοῦ, υἱός/κληρονόμος; cf. en Rom. 8,3s: τὸν ἑαυτοῦ υἱὸν πέμψας, et en 14-17: υἱοὶ θεοῦ, πνεῦμα υἱοθεσίας, τέκνα/κληρονόμοι, συγκληρονόμοι Χριστοῦ.
- A cela s'ajoute, en Gal. 4,6 et en Rom. 8,15: Abba, Père.

Dans d'autres contextes encore, nous avons constaté un jeu métaphorique dans lequel Paul tablait sur le double-sens, à la fois théologique et familial des termes en présence:

- En Rom. 8,29, la rencontre de "Fils de Dieu" et de "frères", avec "le premier-né" (ainsi que "l'Image" et le motif de la "conformité" - σύμμοπρφος);
- En Phm. 16, la confrontation du terme chrétien "frère (bien-aimé)" (métaphore) et du concept d'esclave (au sens "propre").

- Comme nous y avons déjà fait allusion dans les deux paragraphes précédents (IV/22b, IV/23bc), nous ne mentionnerons ici que pour mémoire l'accumulation des métaphores relevant de l'image des fiançailles ou des noces, en 2 Cor. 11,2s et Eph. 5,25-27.

(d) Les "liens contextuels" que nous avons observés entre les divers thèmes imagés impliquent donc, dans de nombreux cas, un "jeu" des images entre elles. Il nous paraît important de noter quels sont les traits de ces diverses images qui participent à ce "jeu", c'est à dire quels éléments du champ sémantique des concepts (utilisés ici par métaphore) sont retenus pour faire image, dans les contextes qui nous intéressent. Afin d'éviter des répétitions, nous élargirons ce relevé à un inventaire de tous les éléments dont nous avons cru pouvoir constater, au cours de notre enquête, que, dans le langage de Paul, ils appartenaient au paradigme des divers thèmes du "cycle familial".

Par "traits positifs", nous désignerons les concepts ou éléments qui définissent positivement la notion envisagée; par "traits négatifs", nous désignerons les concepts ou éléments qui font contraste avec la notion envisagée (antonymes, etc.).

"Fils de Dieu" (appliqué aux croyants) se trouve précisé par les associations suivantes:

Traits positifs:

- Fils d'Abraham (Gal. 3,7ss; cf. Rom. 4), et, dans le même sens: descendance (σπέρμα) d'Abraham (Gal. 3,29; cf. Rom. 3,13ss).
- Héritier (Gal. 3,29; 4,7; Rom. 8,17).
- Celui qui, par la foi, est "en Christ" - lui qui est le Fils de Dieu (Gal. 3,26).

- De manière analogue (parallélisme des membres): celui qui a revêtu le Christ (Gal. 3,27).
- L'adoption (Gal. 4,5). Ce qui équivaut à:
- Celui qui a reçu l'Esprit du Fils (Gal. 4,6) ou d'adoption (Rom. 8,15).
- Le rachat (Gal. 4,5; cf. déjà 3,13) et la liberté (Rom. 8,21).
- L'imitation ("comme des enfants bien-aimés") de l'amour manifesté par le "don de Dieu en Christ" (Eph. 4,32; 5,1-2).

Traits négatifs:

- Esclave, esclavage, être asservi (Gal. 4,3.7.8ss; Rom. 8,15; cf. déjà Gal. 3,23-25).
- L'enfant mineur (νήπιος), image retenue seulement pour ceux de ses traits qui l'apparentent au thème de l'esclavage, à la lumière de la similitude de Gal. 4,1-2: la condition de l'enfant mineur "ne diffère en rien de celle d'un esclave" (Gal. 4,1.3).

"Fils de Dieu" (appliqué à Jésus) est défini par les traits suivants, appartenant ou non au "cycle familial":

- L'image de Dieu: "Celui à qui nous sommes prédestinés à être semblables" (Rom. 8,29).
- Le Premier-né, et "notre frère aîné" (ibid).
- Celui que Dieu a envoyé (Gal. 4,4; Rom. 8,3).
- Celui qui est devenu semblable à nous: qui a pris notre condition. Dans les contextes qui nous intéressent: Gal. 4,5; Rom. 8,4.
- Celui que Dieu a livré (Rom. 8,32) ou qui s'est livré (Gal. 1,4; 2,20) pour nous (la "formule de paradosis", PLANCHE 20).
- L'amour: Dans la "formule de paradosis" (Eph. 5,2.25; par analogie; en effet, le Christ n'est pas nommé Fils dans ces deux textes).

"Frère" est l'objet d'un très petit nombre de déterminations, soit positives, soit négatives:

Traits positifs:

- Bien-aimé (Phm. 16; Col. 4,7).
- Le Christ (Fils de Dieu) est le "premier-né" de la multitude des "frères" (Rom. 8,29).
- Compagnon de service de "Paul" (σύνδουλος, Col. 4,7).
- Celui pour qui le Christ est mort (1 Cor. 8,11; Rom. 14,15).

Trait négatif:

- Esclave, au sens propre (Phm. 16).

La "paternité/maternité" spirituelle est caractérisée par un nombre assez important de traits concordants:

Traits positifs:

- Enfanter dans la douleur (Gal. 4,19).
- Les soins attentifs de la mère (1 Thess. 2,8).
- L'amour (maternel): ibid.
- Engendrer (1 Cor. 4,15; Phm. 10).
- Le respect et les égards jusque dans l'exhortation et les remontrances (1 Cor. 4,14; 2 Cor. 6,11-13).
- Le motif de l'imitation (1 Cor 4,16; cf. 2 Cor. 6,13).

Traits négatifs:

- S'imposer, être à la charge de... (1 Thess. 2,7.9).
- Le "pédagogue" et la dureté de ses méthodes (1 Cor. 4,14).

Les fiançailles et les noces:

L'Eglise est la fiancée:

- pure, sans partage (2 Cor. 11,2s).
- purifiée par le "bain" du baptême (Eph. 5,22) et donc:
- sans tache ni ride - et elle doit le rester jusqu'à ce qu'elle soit présentée à son fiancé (Eph. 5,27).
- soumise (Eph. 5,24).

Paul est le père ou l'ami de noces (2 Cor. 11,2).

Le Christ est:

- le (second!) mari (Rom. 7,4),
- le fiancé (2 Cor. 11,2s; Eph. 5),
- le cadeau de fiançailles (Eph. 5,25),
- l'ami de noces qui présente la fiancée au moment des noces (Eph. 5,27).

La relation dominante (raison de la comparaison en Eph. 5,25ss) est l'amour (répétition du verbe ἀγαπᾶν).

"Père" (désignant Dieu), enfin, est caractérisé comme suit:
Il est le Père...

- ... des miséricordes et de toute consolation" (2 Cor. 1,3).
- ... de la gloire (Eph. 1,17), c'est à dire:
- ... qui a ressuscité Jésus d'entre les morts" (Gal. 1,1).
- ... de notre Seigneur Jésus-Christ (salutation épistolaire, eulogie, eucharistie).
- ... de qui toute tribu (πατριά) tient son nom (Eph. 3,14).

Par recoupement, on peut également considérer comme des substituts du mot "Père" les expressions:

- "celui qui lui a soumis (au Fils) toutes choses" (1 Cor. 15,28; cf. v.24),
- "celui qui a ressuscité d'entre les morts Jésus, notre Seigneur" (Rom. 4,24, par analogie avec Gal. 1,1).

Quant au thème de l'imitation (Eph. 5,1), il ne s'attache pas au terme de Père. Voir plus haut sous "fils de Dieu" (appliqué aux croyants).

(e) Tout au long de ce travail, nous avons utilisé, avec la réserve qu'expriment les guillemets, les termes "propre" et "figuré". Ces expressions ont à notre sens une pertinence restreinte, tributaire de l'usage courant des mots à une époque et dans un milieu donnés. L'emprunt d'un mot d'une catégorie pour désigner une chose d'une autre catégorie crée une tension (est/n'est pas) plus ou moins sensible, selon que l'emprunt est nouveau, inusité, ou au contraire courant.

Nous pensons avoir montré que Paul fait un usage conscient du langage métaphorique, soit sous la forme de similitudes, soit sous la forme de métaphores plus ou moins isolées. On se souvient de la manière dont il introduit notamment un passage tel que Gal. 3,15ss ("partons des usages humains").

Notre analyse du discours de Paul à la lumière de ces catégories nous oblige à une distinction des plans, et à la constatation d'un phénomène généralisé, dont voici les éléments, dans les divers contextes examinés au cours de notre étude.

Dans l'ancienne alliance, Israël est "fils de Dieu". Il s'agit bien évidemment d'un sens "figuré" de "fils": on ne songe pas à une filiation charnelle, proprement généalogique (cf. plus haut III/15a). Bien que l'Eglise se soit considérée elle-même, sous bien des aspects, comme le peuple de Dieu de la nouvelle alliance, Paul n'attribue pas sans autre le titre de "fils de Dieu" aux chrétiens. Dans la confession chrétienne, c'est Jésus qui est le Fils de Dieu par excellence. Et Paul d'insister pour que soit respectée une catégorisation nouvelle: Jésus est le Fils de Dieu au sens propre, et les chrétiens ne le sont que par adoption (Gal. 4,3-4), dans la mesure où ils sont "un" en Christ (Gal. 3,26.28). Ils sont "fils de Dieu" en un sens "dérivé", à l'image du Christ, qui est LE Fils de Dieu (Rom. 8,29).

De même, dans la théologie judaïque (ou judaïsante), les Juifs sont la descendance d'Abraham (sens "figuré" de σπέρμα, dans une acception technique). Paul opère une extension singulière de ce concept de "descendance d'Abraham", puisque, nous l'avons vu, il peut affirmer que tous les croyants, Juifs ou non-Juifs, circoncis ou non, sont "descendants d'Abraham". Mais ici non plus, Paul n'opère pas ce tranfert sans autre forme de procès. Nous avons vu avec quelle insistance il démontre (Gal. 3,16-29) que cette descendance, c'est une seule personne, le Christ, Jésus. Dans la théologie de Paul, la seule descendance d'Abraham c'est, "à proprement parler" Jésus, le Christ. Et c'est en lui, cet UN, que les croyants sont à leur tour, "par extension", "descendance d'Abraham" (Gal. 3,29; cf. Rom. 8,17).

C'est un phénomène analogue que nous observons dans l'épître à Philémon. Onésime est esclave de Philémon, au sens "propre" du terme. Sa foi en fait un "frère" de Philémon, au sens "figuré" du terme. Mais le but même de la lettre de Paul est d'obtenir que Philémon donne, dans le concret de ses relations avec Onésime, un coefficient de vérité plus grand à "frère" qu'à "esclave".

Dans l'ordre du langage courant, le mariage (dont Paul peut parler au sens "propre") peut servir à désigner, par métaphore, l'union "conjugale" (sens "figuré") du Christ et de l'Eglise (ainsi déjà 2 Cor. 11,1-3). Mais dans l'ordre de la foi, la vérité de cette métaphore est si grande que le sens de l'image est inversé (Eph. 5,21ss). L'union du Christ et de l'Eglise est le "prototype" auquel doit se conformer l'union conjugale des chrétiens. Un mariage chrétien devient dès lors l'image, le reflet de l'union conjugale parfaite, celle du Christ avec son Eglise.

Mais jamais peut-être ce retournement n'est plus clairement présent qu'en Eph. 3,14s, le seul texte des épîtres pauliniennes dans lequel nous rencontrions un jeu explicite sur la métaphore du père, attribuée à Dieu. A la lumière de nos catégories, nous dirions que "père" appliqué à un homme, est "terme propre", et que "Père", appliqué à Dieu, est "dérivé", "terme figuré", etc. L'auteur de l'épître renverse la perspective. Dieu n'est pas "Père" à l'image de n'importe quelle paternité. Il est le Père par excellence, et sa paternité déclasse toutes les autres "paternités", arbres généalogiques et autres "descendances" invoquées pour distinguer les clans, peuples et tribus (πατριαί).

IV/25 La famille de Dieu ?

(a) Nous sommes dès lors en mesure de décrire les rapports qu'entretiennent entre eux les divers thèmes imagés que nous avons recensés, et d'examiner dans quelle mesure ils forment ensemble ce qu'on pourrait appeler un "modèle familial" (cf. supra 0/4 d). Notons d'emblée que nous ne sommes pas en présence d'une symbolique familiale unique, mais de quatre ensembles d'images qui, pour n'être pas sans relations entre eux, ont néanmoins une autonomie certaine les uns par rapport aux autres:

(1) La "famille d'Abraham",
 en Gal. 3,6-29 et Rom. 4.

(2) La "famille de Dieu",
 en Gal. 3,26-4,7 et Rom. 8, ainsi que, de manière éparse, dans l'ensemble du paulinisme.

Dans l'épître aux Galates, ces deux premiers ensembles d'images apparaissent intimement liés l'un à l'autre, le premier servant à introduire le second. Différents dans les moyens d'expression, ils coïncident en définitive dans leur extension: c'est bien un des buts de Paul que de démontrer que tous ceux qui croient en Jésus-Christ sont tout à la fois "fils de Dieu" et descendants d'Abraham, sans avoir besoin d'être "greffés" sur l'arbre généalogique d'Abraham par le rite de la circoncision, qui les astreindrait également à une stricte observation de la loi mosaïque.

(3) La "famille de Paul",
c'est à dire les thèmes relevant de la "paternité spirituelle".

Ici encore, il y a certaines analogies avec les deux ensembles précédents (voir p. ex. le motif de l'imitation, aussi bien dans la "famille d'Abraham" en Rom. 4,12 que dans la "famille de Paul" en 1 Cor. 4,16). Sur le plan de l'extension, cependant, il y a une différence considérable, dans laquelle il faut voir la raison même de la rareté de ce thème dans les épîtres: le motif de la paternité spirituelle ne réunit que Paul et les chrétiens ou les communautés qui lui doivent la "vie", alors que la "famille de Dieu" s'étend à tous les croyants, à tous les baptisés.

(4) Les noces, enfin:
Un motif traditionnel, que Paul réinterprète à la lumière de son eschatologie (les "fiançailles"): 2 Cor. 11,2s, puis, dans l'"école" paulinienne, Eph. 5,22-33.

Ce thème ne remplit pas tout à fait les mêmes fonctions. Il n'est pas apte à décrire les relations entre les chrétiens pris individuellement et Dieu ou le Christ, comme le montre l'esquisse de Rom. 7,(1-)4. Par tradition, il s'étend exclusivement aux rapports entre Dieu et son peuple (dans la tradition prophétique de l'A.T., p. ex., puis dans le rabbinisme), ou entre le Christ et l'Eglise (chez Paul) - d'où la parenté avec le thème du corps en Eph. 5,28-32. Les images elles-mêmes ont évidemment aussi une couleur propre, qui les distingue des thèmes relevant directement de la "famille de Dieu".

Ce qui lie ces quatre ensembles, c'est bien sûr une certaine parenté dans les thèmes imagés, mais avant tout le fait qu'ils s'appliquent aux mêmes "réalités", dans l'un ou l'autre de leurs aspects. Et nous ne serons donc pas étonnés de rencontrer entre eux des points de contact étroits, non pas seulement dans le recours qu'ils font à des thèmes de la symbolique familiale, mais aussi dans d'autres aspects du discours que, par contraste, on appellerait "non-métaphoriques".

(b) Notre premier objectif sera donc d'étudier les rapports qui peuvent exister entre les thèmes familiaux au sein de ce que nous venons d'appeler (2) "la famille de Dieu", dans un sens restreint. Si les thèmes "fils" (et "Fils"), "Père", "frères", "soeurs", "esclave", sont épars dans tout le corpus paulinien, nous avons vu qu'ils jouent un rôle central dans deux textes-clefs: Gal. 3,26-4,7 et Rom. 8. Dans ces deux textes, la structure de la "famille de Dieu" apparaît assez clairement pour que nous puissions la décrire de manière schématique.

Du point de vue des rapports qu'entretiennent les images entre elles, et même du point de vue de l'ordre dans lequel elles "entrent en scène", ces deux textes présentent des analogies remarquables, qui apparaissent dans un tableau synoptique (PLANCHE 25), et que nous pouvons résumer dans une seule liste en deux colonnes. Il suffira donc que nous traitions en détail du plus explicite d'entre eux (Gal.3-4).

POUR DES RAISONS TECHNIQUES, CE TABLEAU EST REPORTE EN PAGE SUIVANTE

GALATES	ROMAINS
fils (croyants): 3,26	
Fils (Jésus, implicite): 3,27	
héritier: 3,29	cf. 8,17: héritier, cohéritier
esclavage: 4,3	
Fils (Jésus): 4,4	Fils (Jésus): 8,3
rachat: 4,5	
adoption: 4,5	
fils (croyants): 4,6	fils (croyants): 8,14
Esprit	Esprit
	non pas de servitude
du Fils: 4,6	mais d'adoption: 8,14
Abba, Père: 4,6	Abba, Père: 8,15
Plus esclave: 4,7	Témoignage de l'Esprit:
mais fils	Enfants de Dieu: 8,16
fils	enfants
et donc héritier	et donc héritiers: 8,17
	héritiers de Dieu
	cohéritiers du Christ.

On observe que tous les éléments de Gal.4,3-7 (c'est à dire 1-7, abstraction faite de la similitude des v. 1-2) réapparaissent en Rom. 8, moyennant deux déplacements importants que nous avons soulignés et expliqués dans l'exégèse que nous avons donnée de ces textes. Bien plus, les éléments indispensables de Gal. 3,26-29 sont réintroduits sous la forme d'une incise en Rom. 8,17.

(c) Nous avons donc tenté de restituer visuellement la structure du "cycle" de la "famille de Dieu" en deux diagrammes. Le premier (PLANCHE 26 A) est linéaire et présente en trois colonnes les thèmes de Gal. 3,22-4,7. La colonne centrale est consacrée aux thèmes de la famille: père, fils, adoption; la colonne de gauche à des thèmes métaphoriques apparentés, dans le jeu des images: enfant mineur, esclave, héritier; la colonne de droite, enfin, à des concepts qui sont "hors métaphore" (langage appelé "propre", par comparaison avec le langage "figuré" des images de la famille): Dieu, envoyer, s'écrier.

Il faudrait pouvoir bâtir un schéma tri-dimensionnel, correspondant aux trois colonnes de ce premier diagramme, pour montrer comment s'organise le "cycle familial". On aurait un "plan de la métaphore", et un plan "hors métaphore". Dans le plan de la métaphore, on trouverait un cercle (voir notre spirale PLANCHE 26 B), dans lequel prendraient place tour à tour les divers thèmes de la "famille". Les thèmes appartenant à d'autres "cycles" métaphoriques seraient dans d'autres cercles, tangeants, appartenant au même plan. Dans le plan "hors métaphore", on trouverait les thèmes qui n'appartiennent pas à ces "cycles" d'images. Des fils unissant ces deux plans marqueraient les liens qui existent, dans le langage, entre les thèmes métaphoriques et les éléments "non imagés" du discours. Dans notre second diagramme (PLANCHE 26 B), nous avons représenté ces éléments "non-métaphoriques" au centre du cercle, et des flèches marquent les liens qui unissent la métaphore à ces éléments étrangers à la métaphore.

Le "cercle de famille" est formé des "fils de Dieu" (Gal. 3,26): de ceux qui sont en union (par la foi - par le baptême) avec le Christ, qui est "Fils de Dieu" (élément sous-entendu en 3,26-27). Pour "entrer" dans ce cercle, ou plutôt pour le constituer (car nous ne sommes "fils" qu'après le Christ, et comme lui), Dieu a envoyé son Fils (Gal. 4,4; cf. Rom. 8,3), qui a pris notre condition de sujétion aux "éléments du monde" (Gal. 4,5; cf. Rom. 8,4). Si nous sommes "fils", c'est que Dieu a envoyé l'Esprit de son Fils dans nos coeurs (Gal. 4,6; cf. Rom. 8,14.15.16). Du fait de ce double "envoi", le "Fils de Dieu" et l'Esprit du Fils de Dieu (Rom.: d'adoption) font tous deux partie du "cercle de famille" (le cycle des métaphores). Et c'est l'Esprit qui suscite notre "cri": "Abba, Père" (Gal. 4,6; cf. Rom. 8,15).

En Gal.4, c'est l'Esprit qui "crie" "Abba, Père". Mais du fait que l'Esprit a été envoyé "dans nos coeurs", ce cri est bien le nôtre (cf. Rom. 8,15: "nous nous écrions"). En Rom.8, même tension: notre cri est d'abord "témoignage de l'Esprit" (v.16), et à ce titre seulement, témoignage, non seulement "à" notre esprit, mais "de" notre esprit (en effet, "nous ne savons pas prier comme il faut", c'est l'Esprit qui formule notre prière: Rom. 8,26s; cf. 1 Cor. 12,3), et cela situe "notre cri" comme dans une autre dimension. A ce titre, la formulation même est intéressante: "Abba" est une exclamation en langue étrangère. Elle ne fait pas image. Seul "Père" nous est familier, se situe, en ce sens, tout de même au niveau de notre langage, et se trouve être, de ce fait, au moins susceptible d'entrer dans le jeu métaphorique. C'est la raison pour laquelle nous avons placé "Père" le long de la circonférence figurant le cercle de famille (avec les éléments métaphoriques), mais "Abba" au centre du cercle, au niveau "non-métaphorique".

Restent les éléments qui établissent un "lien" entre les deux plans; c'est tout d'abord, à deux reprises, le verbe ἐξαπέστειλεν: l'envoi du Fils, puis de l'Esprit du Fils, dont "le Père" n'est ni le sujet (c'est "Dieu") ni, bien sûr, l'objet; puis, dans le mouvement inverse ("feed back"), du plan humain au plan divin, c'est le verbe κράζω: l'invocation "Abba, Père", qui est "cri de l'Esprit" dans nos coeurs. Dans notre contexte, en Gal. 4,6 comme en Rom. 8,15-16, la fonction de ce "cri" est cognitive: le fait (acquis) que nous nous écriions "Abba, Père" est pour nous la preuve que nous sommes "fils de Dieu".

Nous avons transformé la circonférence destinée à représenter le "cercle de famille" en une spirale, pour montrer le mouvement de la pensée en Gal. 3,26-4,7: la conclusion (v.7) est une sorte de retour à la thèse de 3,26.29[21].

Le principe de base qui préside aux relations dans cette "famille", c'est donc un double mouvement de métaphore:
(1) Métaphore au sens "propre" (rhétorique) du terme: Jésus est "Fils" de Dieu (par excellence). Mais nous ne sommes "fils de Dieu" que grâce à un autre "transfert":
(2) Métaphore en un sens "dérivé", et plus radical: Celui qui est le Fils de Dieu a été envoyé (a passé du niveau divin à notre niveau humain), a pris notre condition, et ce n'est que grâce à ce premier mouvement que nous pouvons être "fils de Dieu", à son image. Une telle formulation est empruntée, de fait, à un autre texte important à cet égard, et que nous avons également étudié en détail: Rom. 8,29. Le Fils de Dieu est l'Image de Dieu, et nous sommes "prédestinés à être conformes" à cette image, qu'il est. Entre nous, nous sommes frères, mais du fait qu'il est venu parmi nous et nous a faits "fils de Dieu" avec lui, il est devenu "le premier-né d'une multitude de frères".

(d) Tout se passe donc comme si Paul s'ingéniait à maintenir "Père" hors du "cycle" métaphorique. Une série de faits, glanés tout au long de notre étude, viennent le confirmer, du moins pour les épîtres dont la paulinicité est incontestée:

- Ainsi le chassé-croisé entre "le Père" et "Le Fils", en 1 Cor. 15,24.28.

---

21. Cf. W. STRAUB, Bildersprache, p. 97: "Am Schluss wird wie nach einer Kreisbewegung zum Ausgangspunkt zurückgekehrt".

- Ainsi également l'absence du mot "Père" en des occasions où il aurait été indiqué (du point de vue de la métaphore) de l'y placer: Rom. 8,31-32; de même dans le contexte de Gal. 4,1-4 le fait que le "père" de la parabole n'est pas "le Père" en langage théologique.
- Inversement, la disparition du titre de Fils quand apparaît celui de Père en Gal. 1,3-4 (formule de paradosis, dans ce cas comme dans le précédent).
- Moins stricte dans l'application de ce qui apparaît comme une "règle de l'absence de lien contextuel" entre "Père" et "Fils" est la "chaîne" de citations de l'A.T. en 2 Cor. 6,16-18 (pour nous, v.18: "je serai pour vous un père, et vous serez pour moi des fils et des filles").

La proximité entre les deux termes est déjà plus grande en Col. 1,12-13, quoique des raisons littéraires rendent peu probable la volonté de "métaphoriser", nous l'avons vu. Ce n'est donc guère qu'en Ephésiens que "Père" entre dans le "cycle" des images familiales. Encore faut-il être prudent, et ne pas voir n'importe où une image familiale[22]:

- En 2,14ss, l'image est celle d'un édifice, avec un mur de séparation; et "l'accès auprès du Père" (v.18) nous semble être tiré du vocabulaire cultuel: il s'agit du Temple. Si bien que:
- en 2,19, le "jeu" des mots ne se fait pas entre "Père" (v.18) et "familiers" (οἰκεῖοι) mais entre ce dernier mot et "étrangers" (ξένοι).

Il est exact en revanche que l'on voit apparaître, en Eph. 5,1, le thème de l'imitation de Dieu. Mais le terme de "Père" n'apparaît pas dans ce contexte!

---

22. Ainsi, J.P. SAMPLEY, And the Two..., p. 149 (cf. aussi p. 151) exagère l'importance du motif de la "famille de Dieu" en Eph., sans compter que sur 5 citations qu'il avance, deux nous paraissent dénuées de toute pertinence: 4,12 ("l'édification"/οἰκοδομή du corps du Christ) et 5,8 ("enfants de lumière" - un sémitisme qui n'a plus rien à voir avec la filiation).

Enfin il faut signaler - seul vrai "jeu de mots" - Eph. 3,15: "le Père, dont toute tribu (πατριά) tire son nom". Ici, la métaphore est évidente, mais le sens dans lequel il faut "lire" la métaphore est inversé, nous l'avons souligné plus haut (IV/24e): Dieu n'est pas Père à l'image de tous les autres pères, ni un patriarche comparable à un homme fondateur de clan; c'est l'inverse qui est vrai: le concept de "tribu" (d'autres traduisent par "famille") ne se comprend qu'à partir de la paternité de Dieu. Du fait que tous, ils appellent Dieu "Père", les hommes ne forment plus qu'une seule "tribu": la paternité de Dieu relativise toute autre paternité, en devient la référence.

Ce n'est donc que dans les Pastorales que l'on verra apparaître la métaphore "la maison de Dieu" dans le sens familial: 1 Tim. 3,15 (implicitement déjà en 3,5). Les communautés chrétiennes étaient des "Eglises familiales" (κατ'οἶκους ἐκκλησίαι). Ce fait n'aura peut-être pas été étranger à cette évolution[23]. Mais une fois de plus, on notera l'absence de "Père".

La substitution qui s'est faite au sein de l'allégorie traditionnelle des "noces" prend, dans cette lumière, tout son relief: ici aussi, Dieu entre bien dans la métaphore, mais c'est "en Jésus-Christ". C'est lui qui prend la place de Dieu dans l'image, comme "époux" ou comme "fiancé" de l'Eglise, le nouveau peuple de Dieu.

(e) Ce n'est donc que dans un sens très précis, et dont il nous faut maintenant cerner les limites, que nous pourrons parler de la "famille de Dieu".

23. O. MICHEL le suggère: ThWNT V, art. οἶκος, p. 133. Voir aussi l'excursus de P. STUHLMACHER, dans son comm. sur Phm: "Urchristliche Hausgemeinden", p. 70-75.

Comme le montre l'absence de "Père" dans le "cycle" des métaphores familiales sur lesquelles on "joue", dans l'école paulinienne, Paul n'a pas choisi de manière globale la famille antique, ou tel type de relations familiales, dans le judaïsme ou dans l'hellénisme, pour s'en servir de manière systématique, comme d'un "modèle théorique" (voir plus haut 0/4d), et décrire ainsi tout à la fois les rapports entre Dieu (le "Père"), le Christ (le "Fils") et les croyants (les "fils" ou les "enfants"), et les relations qui s'établissent parmi les hommes ("frères"), dans une grande "familia dei"[24]. Au vu de notre analyse, nous dirions au contraire que Paul, partant de quelques termes "métaphoriques" usuels (héritage, alliance-testament, enfant, fils, frères, esclave) et de quelques relations "théologiques" fondamentales à ses yeux, a reconstruit un "modèle" familial original, qui n'est pas sans analogie avec la famille humaine d'hier ou d'aujourd'hui, mais qui s'en distingue par de nombreux traits.

La relation importante, du point de vue théologique, et structurante, du point de vue métaphorique, c'est la relation du Fils aux "fils", par l'Esprit (ce dernier jouant un rôle dans l'adoption des hommes, pour en faire des "fils de Dieu": il ne s'agit pas, à ce niveau, nous l'avons vu, d'une "naissance", encore moins d'un "engendrement" par l'Esprit). C'est du fait de cette relation commune au Christ, le Fils, que les chrétiens sont également "des frères" ... du Christ, leur "aîné" (Rom. 8,29), mais surtout des frères entre eux. Du point de vue métaphorique, la famille de Dieu n'est pas une πατριά (Eph. 3,14s fait vraiment figure d'exception), mais une "fratrie"[25]. Pour nous servir du vocabulaire des

---

24. Conclusion analogue chez P. SCHMIDT: *Vater - Kind - Bruder. Biblische Begriffe in anthropologischer Sicht*, Düsseldorf 1978, p. 115.

25. Cf. également P. SCHMIDT, loc. cit.

philosophes des sciences, cités plus haut (0/4d), cela nous paraît impliquer que, chez Paul, le "réseau métaphorique" formé par les images du "cycle familial" au sens restreint (2) du terme n'a pas pour "archétype" ou pour "racine" la métaphore du Père, mais celle du Fils[26]. En adaptant ce "langage familial" à la terminologie théologique paulinienne, on dirait "la famille de Dieu en Jésus-Christ", de la même manière que Paul dit, non pas "l'amour de Dieu le Père", mais "l'amour de Dieu en Jésus-Christ, notre Seigneur" (Rom. 8,39).

D'autre part, si Paul avait voulu faire de la famille humaine un "modèle familial" appliqué de manière systématique, il aurait dû faire place à la mère, et aux événements de l'engendrement, de l'enfantement, de la naissance, comme à ceux de la croissance. Ces thèmes ne sont pas totalement absents, mais ils se situent sur un autre plan. C'est Paul, dans la communauté naissante, et non pas Dieu, qui est tout à la fois le "père" qui engendre puis éduque, et la "mère" qui enfante et chérit les chrétiens nouveaux-nés. Mais, nous l'avons vu (III/18b), le thème de la "famille de Paul" (3) joue un rôle subsidiaire par rapport à la "famille de Dieu" (2). Il n'y est pas intégré de manière organique. Quant au thème de la croissance du nouveau-né, il n'est pas absent non plus (voir 0/4a.c et II/13d), mais Paul s'en sert avec une telle prudence (1 Cor. 3,1s; Gal. 4,3-5) qu'il est difficile d'en tenir compte ici de manière décisive.

Le thème des noces (4) enfin est sans aucun lien contextuel avec ce que nous avons appelé "la famille de Dieu" (2). Tout au plus Paul y joue-t-il une fois, peut-être, le rôle du père de la fiancée (2 Cor. 11,2), ce qui constituerait un

---

26. Cf. supra 0/4 (d) et 0/84*.

"lien contextuel" (implicite cependant!) entre le motif des noces (4) et le thème de la paternité spirituelle (3). On imagine à quelles spéculations aurait pu donner lieu une irruption du thème des noces dans le "cycle" de la "famille de Dieu" (2), et son application systématique, à la manière d'une allégorie (le caractère masculin de Dieu - l'épouse serait-elle devenue la mère? - l'engendrement spirituel - et par quelle fécondation?... - etc.).

C'est ici que l'on peut juger des qualités "d'imagination" de Paul, et l'on se surprend à ne pas regretter[27] que l'apôtre n'ait pas été un "poète" qui se laisse emporter par la dynamique de l'image naissante, mais un théologien capable de ne pas se laisser "abuser" par la métaphore[28] et de choisir, parmi les images à sa disposition, celles qui se prêtaient le mieux à exprimer le message qu'il devait transmettre. Quitte à donner à son "modèle familial" une structure nouvelle, qui ne rappelle plus en tous points la "familia" patriarcale[29].

---

27. Comparer BULTMANN, Stil, p. 91s (cf. supra 0/1a) et, à peine plus nuancé, STRAUB, p. 154s (cf supra 0/2c).

28. Expression inspirée de TURBAYNE, p. 11-27 (cf. supra 0/4c.d, et note 0/74*).

29. On est en droit de se demander alors dans quelle mesure ces "relations familiales" (dans la "famille de Dieu"), centrées sur les notions de "fils" et de "frères", ne peuvent et ne doivent pas devenir à leur tour le modèle de relations nouvelles, dans la famille chrétienne (au sens propre), selon le même retournement qui fait des relations "conjugales" entre le Christ et l'Eglise (le "grand mystère" d'Eph. 5,32) un modèle parénétique des relations au sein du foyer chrétien. Voir à ce sujet les conclusions mêmes de P. SCHMIDT, p. 113-135.

CHAPITRE CINQUIEME
THEOLOGIE ET LANGAGE METAPHORIQUE

Les images de la famille en fonction référentielle

V/26 La métaphore et ses limites

(a) Avec P. Ricoeur et E. Jüngel, notamment, nous avons reconnu[1] que la métaphore n'était pas seulement un "accident de la dénomination", ou un "jeu" sur le sens des mots, mais qu'elle avait quelque chose de la "méprise catégoriale". "Métaphoriser", c'est faire "comme si" une chose d'une catégorie donnée appartenait à une autre catégorie, "voir" et "faire voir" une "chose" (personne, action, etc.) "comme" une autre "chose".

Qu'une métaphore "réussisse", qu'elle soit reçue ou au contraire rejetée, ne tient pas seulement aux mots qui entrent en jeu, mais bien aussi aux "choses" que les mots désignent, en vertu de la fonction référentielle du langage. La question que l'on se posera ne sera pas seulement: Tel mot est-il susceptible de se substituer à tel autre? mais bien aussi: Telle "chose" peut-elle être valablement rapprochée de telle autre, assez pour que les mots désignant l'une désignent désormais l'autre, par métaphore?

Il nous paraît que cette manière d'envisager la métaphore est susceptible de nous faire avancer dans la compréhension des images du "cycle familial" dans le paulinisme. Elle permet de montrer l'étendue exacte, et donc les limites du phénomène métaphorique (dans le "cycle familial"), et peut-être aussi de saisir le "pourquoi" de ces limites.

---

1. Cf. supra O/4 (d-e).

(b) Si "métaphoriser" c'est "voir... comme" et "faire voir... comme", nous pouvons brièvement reprendre les principales images que nous avons rencontrées, pour vérifier dans quelle mesure cette définition s'y applique, et si non, pourquoi.

Le texte de Gal. 3,15-4,7 (et plus précisément 3,26-4,7) nous paraît se prêter de manière particulièrement exemplaire à un traitement de la métaphore selon la définition que nous venons de préciser:
Le but de l'ensemble du passage, c'est d'apprendre aux Galates, ou de leur ré-apprendre à "se voir comme" des "fils de Dieu". Certes, ce prédicat n'est pas nouveau, pour désigner les croyants. Mais les Galates semblent n'avoir pas tiré, pour eux, les conséquences qu'ils auraient dû. En d'autres termes, ils n'ont pas établi, dans toutes ses implications, le lien entre la métaphore "enfants" ou "fils de Dieu" et la "réalité" de leur vie. A l'aide d'une similitude (qui se situe d'ailleurs dans la même ligne que les images déjà utilisées dans les phrases qui précédaient), Paul met en évidence les traits de la métaphore qui doivent être remis en valeur:
le "fils" se distingue de l'esclave (les traits opposés qui entrent en jeu sont "liberté" et "servitude", 4,7);
mais le "fils majeur" se distingue également de l'enfant mineur par ce même trait: tant qu'il est un enfant, le fils de la famille a beau être l'héritier, et le propriétaire virtuel de tous les biens de son père, il est en <u>condition d'esclave</u> jusqu'à sa majorité (4,1-2.3-4).
Les diverses métaphores gravitant autour de la notion de "fils" (désignant les croyants) sont destinées à aider les Galates à se redécouvrir libres (voir Gal. 4,8ss).
La même définition de la métaphore s'applique au titre de "Fils de Dieu" (désignant Jésus), notamment en Gal. 4,4-5.
L'usage du schéma téléologique (que d'autres appellent, de

manière peut-être trop précise la "formule de mission") a pour but de mettre en évidence les traits de la métaphore "Fils" qui sont importants dans ce contexte. Paul incite les Galates à "voir Jésus comme" Fils de Dieu. Mais ici intervient le paradoxe de l'incarnation (Gal. 4,4): ce "Fils" s'est soumis à un "devenir", en naissant d'une femme (γενόμενος ἐκ γυναικός), et, ce qui est plus important pour notre propos, en se "soumettant à la loi" (γενόμενος ὑπὸ νόμον). En d'autres termes, de "libre" qu'il était (s.-e.: comme "Fils de Dieu"[2]), il a assumé notre condition de soumission à la loi, c'est à dire notre esclavage, pour nous libérer (le "rachat" des esclaves, v.5) et nous donner part à sa condition de "fils", par adoption (v.5). Il faut ajouter que, si le v.4 est un énoncé d'ordre christologique, il s'agit tout de même d'un "détour", dont le but est sotériologique; en termes métaphoriques: nous devons découvrir Jésus, dans sa condition de Fils, et dans la condition de soumission qu'il a assumée, pour mieux découvrir en lui la condition qui était nôtre (servitude) et celle que nous pouvons "recevoir" (ἵνα υἱοθεσίαν ἀπολάβωμεν, v.5). Nous devons, "en Christ" (cf. 3,26.28) nous "voir comme" "esclaves rachetés" et "fils", par "adoption".

On pourrait faire la même démonstration à propos du texte parallèle de Rom. 8,3s.14-17. Les termes en jeu étant les mêmes, nous pouvons nous en dispenser. En revanche, il est nécessaire que nous nous arrêtions à cet autre texte de Rom. 8: le v.29. Paul se sert, dans ce verset, de deux titres christologiques d'origine sapientiale, dont il ranime le caractère métaphorique. Ainsi, nous sommes appelés à "voir Jésus" (le "Fils de Dieu") non seulement comme le Premier-Né (un titre dont la signification serait plus ou moins indif-

---

2. Ce qui est sous-entendu en Gal. 4,4-5 est explicite en 2 Cor. 5,2; 8,9, ou 1 Cor. 1,21. Cf. notre art. "Pour une synopse...", p. 92s.

férente), mais comme le premier des membres de cette grande famille de "frères" qu'est l'Eglise: "l'aîné d'une multitude de frères". Mais ici aussi, la christologie est au service de la sotériologie, et Jésus n'est présenté comme "l'aîné" que pour nous faire comprendre qu'il a ouvert la voie, et que grâce à lui, il est désormais possible de faire partie de cette "famille" de frères. Si cela n'était pas clair en soi, le début du verset serait là pour nous le préciser: de la même manière, en effet, Jésus est "l'Image", pour que nous lui devenions "conformes".

En Rom. 8,29, comme en Gal. 3,26ss, la métaphore christologique a pour but de fonder théologiquement la métaphore sotériologique. Il en résulte que l'on assiste à un curieux chassé-croisé, au moment où l'on se pose la question de la vérité de l'énoncé.

Dans l'ordre du discours métaphorique, c'est le niveau sotériologique qui est premier: Paul joue sur des termes qui s'appliquent aux croyants, d'un bout à l'autre de la péricope de Gal. 3,6-4,7: "fils de Dieu", "héritier", "enfant mineur", "esclave", "rachat", "adoption" (voir aussi le "cadre" de Rom. 8,29: la "catena aurea", 8,28-30). Mais pour démontrer la vérité de l'énoncé sotériologique, Paul se livre à un détour par la christologie. Or en "remontant" du niveau sotériologique au niveau christologique, Paul fait "descendre" le titre de Fils de Dieu du niveau de la dénomination propre à celui de la métaphore. "Fils de Dieu" se révèle ainsi susceptible de se charger de connotations métaphoriques, comme celle de l'héritier (implicitement dès Gal. 3,26-29); de même, le recours au "schéma téléologique" de Gal. 4,4-5 nous "fait voir" le Fils de Dieu "comme" cet être libre (cf. v. 7) qui est entré dans notre condition d'êtres soumis à la loi ou aux rudiments du monde, pour nous en libérer. Et plus loin, nous l'avons vu, Paul continue à jouer sur les termes: "A preuve que vous êtes fils: Dieu a envoyé l'Esprit de son Fils dans nos coeurs, et c'est lui qui s'écrie: Abba - Père" (4,6). C'est vraiment la métaphore par excellence: le terme propre qui se fait image, le Fils céleste de Dieu qui vient parmi nous, afin que nous puissions être rendus semblables à lui. En d'autres termes, Paul applique au Christ des métaphores qui, dans le contexte, s'appliquent d'abord aux hommes. Ces métaphores s'appliquent au Christ comme aux hommes, parce que le Christ est entré dans notre condition (LA métaphore par excellence). Pour Paul, c'est la métaphore au niveau christologique qui possède le plus haut coefficient de vérité. C'est elle qui fonde théologiquement la vérité de la métaphore au niveau sotériologique et nous permet de nous voir en vérité "comme" des fils (de Dieu), à l'image du Christ, et de découvrir du même coup ce qui fut notre condition d'esclaves.

C'est toute la doctrine de la substitution qui se cache derrière ce chassé-croisé fait de métaphore (dans le langage) et de participation (du Christ à notre condition, et des croyants à la condition du Christ) au niveau existentiel.

(c) Ce que nous avons montré pour les grands textes sur lesquels portait notre étude, nous pouvons aussi le montrer pour d'autres péricopes dans lesquelles apparaissent des termes métaphoriques:

Ainsi, il est clair que Paul utilise, en Phm. 16 le terme de "frère", si courant dans les épîtres, dans un but bien précis: Philémon doit être amené à "voir Onésime", non pas comme un esclave (ce qu'il est, dans l'ordre du "propre"), mais comme un "frère". Le caractère d'interpellation de la métaphore[3] devient ici particulièrement évident. Philémon

---

3. Cf. p. ex. E. JUENGEL, Wahrheit, p. 110-119.

est appelé à découvrir et à mettre en oeuvre la vérité de la métaphore, ce qui est vrai "en Christ" devant aussi être vrai "dans la chair".

De même, c'est le but de Paul que d'inciter les Thessaloniciens (1 Thess. 2,7ss) à "le voir comme" un père, ou comme une mère nourricière attentionnée, non seulement dans une double comparaison, mais dans une série de métaphores. Ici encore, la "raison" de ces métaphores du père et de la mère est explicite: il s'agit d'une manière d'être, qui se retrouve en 1 Cor. 4,14. Dans ce dernier texte, il est possible que Paul, tout en "se faisant voir comme" un père, poursuive indirectement un second but: "faire voir" d'autres prédicateurs comme des "pédagogues", c'est à dire les faire apparaître sous un jour défavorable (comp. 2 Cor. 11,4-15, mais aussi le v. 20: "vous supportez qu'on vous asservisse...").

Nous avons signalé, chaque fois que nous le rencontrions, le thème de l'imitation. En Rom. 4,12 (sans que le mot lui-même apparaisse), il était lié au motif "Abraham, père des croyants". De même, il apparaît explicitement dans le cadre de la "paternité spirituelle" en 1 Cor. 4,14-16 (dans ce texte, on trouve tout à la fois "père" et "enfants bien-aimés"). Il n'est pas exclu que la supplication de Paul en 2 Cor. 6,13 ("payez-moi de retour: je vous parle comme à des enfants") soit inspirée par le même motif. En Eph. 5,1, enfin, l'imitation (de Dieu) est une nouvelle fois liée à l'expression "comme des enfants bien-aimés", comparaison qui évoque implicitement l'existence d'un père.
En d'autres termes, il nous paraît clair que le thème de l'imitation évoque une relation père/fils. Il n'en est que plus frappant que le motif de l'imitation de Dieu soit si rare dans le paulinisme. En revanche, cela nous explique, partiellement du moins, pourquoi le thème de la "suivance de Jésus" ("Nachfolge"), si fondamental dans les Evangiles,

dans la ligne du rabbinisme (Jésus comme "maître", et en ce sens comme "père spirituel" de ses disciples), s'est estompé dans les épîtres: exhorter les croyants à "suivre" ou à "imiter" Jésus, ce serait "le faire voir" comme un père, alors qu'il est le Fils[4].

Dans les métaphores empruntées au motif des "noces" ou des "fiançailles", on peut déceler une double orientation. En 2 Cor. 11,2-3, Paul, qui semble bien avoir été pris à partie, ne cherche pas tant à "se faire voir comme" l'un des acteurs du drame (il est significatif qu'on ne puisse pas savoir avec certitude s'il se représentait lui-même comme le père ou comme l'ami de noces), qu'à ramener les Corinthiens à "se voir" (en tant que communauté) comme la fiancée du Christ, avec ce que cela implique (voir la "raison" de la métaphore de la fiancée, exprimée elle aussi de manière métaphorique: la "pureté", la "simplicité", antonyme de "duplicité"). Mais du même coup, il "fait voir" le Christ comme le "fiancé". Cet aspect de la métaphore n'est pas seulement implicite. Il est explicite, non seulement au v.2 ("pour vous présenter au Christ"), mais aussi au v.3: "J'ai peur que (...) vos pensées ne se corrompent loin de la simplicité due au Christ". Nous ne reviendrons pas longuement sur le retournement qui s'opère en Eph. 5,22-33. Une fois que l'on a "vu Jésus comme" le fiancé ou l'époux, et l'Eglise comme la fiancée, ce lien devient l'union conjugale par excellence, dont les foyers chrétiens doivent s'inspirer. Dans l'ordre de la théologie, une fois de plus, c'est la métaphore (l'amour "conjugal" du Christ pour l'Eglise) qui se trouve chargée du coefficient de vérité maximum, vérité à laquelle nous, qui vivons au niveau de la "réalité" conjugale, sommes appelés à nous conformer.

---

4. Le thème de l'imitation de l'apôtre, ou des communautés primitives (communautés-"mères") est plus fréquent chez Paul que l'imitation de Jésus-Christ lui-même. Serait-ce que Jésus n'a été le "maître" que de la première génération de chrétiens ("les disciples")?

(d) La question qui se pose dès lors est la suivante: dans son usage des termes relevant du "cycle familial", Paul "voit-il" et "fait-il voir" Dieu "comme" un père? A cette question, il nous semble qu'il y a deux éléments de réponse:

(1) En aucun cas, Paul n'accompagne "Père" d'éléments dont on pourrait dire qu'ils sont placés là pour mettre en évidence un "trait" de la métaphore "père", qui s'appliquerait à Dieu, c'est à dire un élément du paradigme du concept de "père" (dans la famille humaine). 2 Cor. 1,3 ("le Père des miséricordes et de toute consolation") ne fait guère exception. Le moins que l'on puisse dire, c'est que le langage de ce texte est hiératique et non pas familier.
Tout au plus pourrait-on voir un signe timide de relâchement de cette règle en Eph. 3,14. Le rapprochement de πατήρ et de πατριά implique que Dieu est "vu comme" celui dont une tribu "tient son nom", c'est à dire comme l'ancêtre éponyme, le patriarche (comp. "Israël"). Mais du même coup, Paul met en question la validité de toutes les autres "paternités": le seul "père", qui désormais unit toutes les "tribus" de la terre (et du ciel), c'est le Père. On comparera, en langage cultuel, Eph. 2,18: "tous ont accès auprès du Père", et déjà le v.14: "il (le Christ) a détruit le mur de séparation", et le v. 15: "il a voulu ... créer en lui un seul homme nouveau...". Dieu, le Père est le seul détenteur du Nom (dont dérive πατριά) qui s'applique à toutes les "familles" humaines.
De même, Eph. 5,1 (l'imitation) ferait exception, si le texte parlait du "Père". Mais dans tout le contexte, il n'est question que de "Dieu, en Jésus-Christ" ou de l'Esprit!

(2) C'est ici que doit jouer un rôle décisif la constatation que nous avons faite à propos du style liturgique de la plupart des textes dans lesquels l'expression "Dieu, le Père" apparaît:

"Le Père", ce n'est pas celui que l'on "voit comme" (que l'on contemple par les yeux de l'esprit, au sujet duquel on "spécule"), ni celui dont on "parle comme" d'un "père". Il est celui à qui on dit "Père": celui que l'on invoque, bénit, adore, celui à qui l'on rend grâces[5].
Ce Père, ce n'est pas n'importe quelle métaphore qui est suceptible de nous le rendre proche. Il est le Dieu qui s'est approché en "envoyant" son Fils (et c'est la métaphore du "fils" qui nous "rend proche" ce que Dieu est pour nous), et qui "a envoyé" son Esprit pour qu'il suscite en nous ce "cri" en retour: "Abba, Père" (Gal. 4,4-7).
Pour vérification, il n'est pas sans importance de noter la fonction de cette invocation "Abba, Père" dans les deux contextes, aussi bien de Rom.8 que de Gal.4: ce n'est pas de nous apprendre à "voir Dieu comme un père", mais (étant entendu que nous nous écrions "Père", dans l'Esprit), de nous prouver que nous sommes - et donc nous apprendre à nous "voir comme" - "des fils" (de Dieu).

V/27 Les relations entre les membres de la "famille"

L'étude des images du "cycle familial" fait apparaître une série de relations entre les membres de la "famille de Dieu". Nous les énumérons ici:

(a) Les images du "cycle familial" permettent d'exprimer l'existence ou l'établissement, au sein du "cercle de famille", d'un réseau de "conformités":

---

5. A partir de là, il y aurait passablement à dire sur la "structure" du discours théologique. "Die elementare Grundstruktur der Aussagen über Gott ist nicht die *Lehre* von Gott, sondern die *Anbetung* Gottes": Ed. SCHLINK: "Die Methode des dogmatischen ökumenischen Dialogs" in KuD 1966, p. 209. Voir aussi, idem: "Die Struktur der dogmatischen Aussage als ökumenisches Problem", KuD 1957, p. 251-306, et notamment 253-256.

- Conformité entre le Christ-Fils et les hommes.
    - Gal. 4,4 et parall. Rom. 8,3.
    - Rom. 8,29 ("l'aîné d'une multitude de frères").
    - Cf. Gal. 3,13 ("en devenant malédiction pour nous").
    - Cf. Phil. 2,6-7 ("prenant la condition d'esclave").

    Cette "conformité" première appelle la réciproque: la "substitution" n'a aucun sens, en pure christologie; sa "pointe" est sotériologique.

- Conformité des croyants à la condition du Christ-Fils.
    - "En Christ", ils sont "fils de Dieu" (Gal. 3,26).
    - Dans le baptême, ils "revêtent le Christ" (v.27).
    - C'est "l'adoption", but de l'incarnation ("envoi" du Fils, Gal. 4,4-5), oeuvre de l'Esprit "du Fils" (Gal. 4,6) ou, explicitement: "d'adoption" (et non de servitude): Rom. 8,15.
    - Les croyants, prédestinés à être "conformes à l'Image du Fils (de Dieu)" (Rom. 8,29), ce qui fait d'eux des "frères", dont le Christ est "l'aîné".

- "Conformité" enfin dans le motif de l'imitation:
    - Imitation de la foi d'Abraham: les vrais fils d'Abraham, ce ne sont pas ceux qui se contentent d'être circoncis, mais ceux qui "marchent sur les traces de la foi de notre père Abraham" (Rom. 4,12).
    - Imitation du "père spirituel": Paul y exhorte ses "enfants bien-aimés" en 1 Cor. 4,16. Cf. aussi 2 Cor. 6,13.
    - Imitation de Dieu (mais pas "de Dieu notre Père") en Eph. 5,1.

(b) D'une manière ou d'une autre, on observe un "devenir", dans les images de la famille:

- Jésus est-il "devenu" le Fils de Dieu?

    Il est difficile de l'affirmer, au vu des textes que

nous avons étudiés.

Gal. 4,4 et Rom. 8,3 affirment que Dieu a "envoyé" son Fils. Le "devenir" se situe à un autre niveau: Le Fils est devenu notre "frère" (cf. Rom. 8,29). Dans le vocabulaire de Gal. 4,4: "né d'une femme" et "assujetti à la loi" (ces deux expressions se servent du verbe "devenir": γενόμενος).

Il n'en reste pas moins que, dans certaines traditions que Paul cite, le titre de Fils de Dieu est lié à la résurrection (Rom. 1,3-4; voir PLANCHE 16).

- On n'est pas "fils de Dieu", on le devient.
    - "Par la foi", on devient "fils de Dieu", "en Christ" (Gal. 3,26). Equivalents: par le baptême (Gal. 3,27), par le don de l'Esprit (Gal. 4,6; Rom. 8,15).
    - Ce "devenir" se marque, dans le langage de Rom. 7,1-6, tiré du droit matrimonial, par le passage d'un régime (celui de la loi, "le premier mari") à un autre: v.4: "pour appartenir à un autre, le Ressuscité..." - un aspect sur lequel Paul n'insiste pas, nous l'avons
    - Pour être en mesure d'exprimer ce "devenir", Paul n'exploite pas tous les éléments de la similitude de Gal. 4,1-2, dans laquelle l'héritier est fils et devient libre en atteignant l'âge de la maturité juridique fixé par son père (maturation et non adoption).
- De même, le motif de la "paternité spirituelle" peut dénoter une "naissance":
    - Un "engendrement" en 1 Cor. 4,15 et Phm. 16.
    - Un "enfantement dans la douleur" en Gal. 4,19.

Il faut remarquer ici le rôle de l'Evangile (la prédication missionnaire) dans cet "enfantement/engendrement" (cf. 1 Cor. 4,15). Or le centre même de l'Evangile (de la foi prêchée), c'est le Christ mort et ressuscité (1 Thess. 1,10; 1 Cor. 15,3-5, etc.); raison pour laquelle Paul pourra décrire ce qui se passe au baptême en paraphrasant la confession de foi au Christ mort et ressuscité (Rom. 6,4s; cf. Col. 2,12s).

(c) Enfin, il est possible de décrire également les relations au sein de la "famille de Dieu" dans une troisième perspective: celle d'une série de "médiations":

- La filialité, communiquée par l'Esprit:
    - Esprit "du Fils" (hapax, en Gal. 4,6),
    - Esprit d'adoption (Rom. 8,15).
- L'Esprit, instigateur, en nous, du "cri": "Abba, Père" (Gal. 4,6; Rom. 8,15-16).
- L'Evangile, moyen par lequel (διά en 1 Cor. 4,15) les croyants sont "engendrés" par Paul.

  C'est "en Christ, par l'Evangile", que Paul engendre les croyants. La puissance dont Paul se sert pour cela ne lui appartient donc pas, c'est celle du Christ. Métaphoriquement, Paul est le "géniteur". Théologiquement, celui qui agit, c'est le Christ, par l'Evangile, et Paul a une fonction de médiateur, ou, dans une autre symbolique, d'ambassadeur. Mais on notera que précisément, ni le Christ ni Dieu ne sont "vus comme engendrant" les croyants.
- En tant que tel, le motif de la paternité spirituelle joue un rôle médiateur: dans la plupart des cas, Paul s'efface, dès qu'il a "enfanté" un chrétien ou une communauté. Ceux qui sont nés à la foi ne demeurent pas "ses enfants"; ils sont ses "frères" et les "enfants de Dieu".
- Médiation de Paul enfin dans les fiançailles du Christ et de l'Eglise (2 Cor. 11,2). Noter la "concentration christologique" d'Eph. 5,27: il n'y a plus ni père de la mariée ni fiancé; le Christ se présente la fiancée à lui-même; il est le seul médiateur.

V/28 La "famille de Dieu" et l'eschatologie

La structure propre à l'eschatologie paulinienne s'exprime dans les images du "cycle familial" et conditionne l'usage qui en est fait dans les épîtres. Le "devenir" dont nous bénéficions, et que nous avons décrit plus haut (V/27b), nous place dans une situation de tension entre un "déjà" et un "pas encore" qui se reflète dans les images de la famille.

(a) C'est vrai pour ce que nous avons appelé "la famille de Dieu" au sens strict[6].

- Nous sommes déjà "fils de Dieu":
  - Gal. 3,26: "Tous, vous êtes fils de Dieu, par la foi...
  - Gal. 4,6: "Fils, vous l'êtes bien..."
  - Gal. 4,7: "Tu n'es donc plus esclave, mais fils".
  - Rom. 8,14: "Ceux qui sont conduits par l'Esprit de Dieu, voilà les fils de Dieu".
  - Rom. 8,16s: "nous sommes enfants de Dieu".
- Voir les aoristes (temps de l'accompli),
  - en Gal. 4,6: à l'aoriste de l'envoi du Fils (v.4; cf. Rom. 8,3) répond l'aoriste de l'envoi de l'Esprit "dans nos coeurs".
  - en Rom. 8,15: "vous avez reçu un Esprit d'adoption".
- Mais nous n'avons pas encore la plénitude de la filialité.
  - En Rom.8:
    - v.19: "la création attend la révélation des fils de Dieu".
    - v.21: "la création sera libérée, elle aussi (...) et jouira de la liberté glorieuse des enfants de Dieu".
    - v.23: l'Esprit que nous avons reçu ne constitue qu'un avant-goût de la gloire à venir (des "arrhes");

6. Cf. supra IV/25 (a).

"nous aussi, nous soupirons, attendant (litt.) l'adoption".
La tension qui résulte de cette attente de quelque chose que nous possédons déjà est explicite au v.24: "c'est en espérance que nous sommes sauvés".

- En Gal.4:
  Le thème de l'héritier joue un grand rôle, dans la similitude (v. 1-2), mais déjà comme "pointe" de 3,15-29 (au v. 29), puis dans la conclusion de toute la péricope en 4,7. Dans l'image (tant que le fils est mineur, ou, même au moment où il est majeur: tant que son père est vivant), mais aussi dans le vocabulaire théologique, κληρονόμος a une connotation nettement eschatologique. Paul ne l'exploite cependant pas, en Gal., comme il le fait en Rom, dès 8,17.

(b) On trouve une expression exemplaire de cette tension eschatologique propre au temps que nous vivons, dans le thème des noces, qui apparaît chez Paul comme un motif des "fiançailles":
- En 2 Cor. 11,2s:
  - L'aoriste: "je vous ai fiancés",
  - mais l'infinitif de but: "à présenter au Christ".
- En Eph. 5:
  - Les aoristes: le Christ...
    - a aimé l'Eglise,
    - s'est livré pour elle (v. 25),
    - l'a purifiée (v. 26);
  - mais l'inaccompli (proposition finale, ici aussi): "afin de se la présenter...".

(c) Cette tension eschatologique a pour corollaire une "réserve eschatologique" planant sur tout "acquis", jusqu'au jour du Jugement. Cette "réserve eschatologique", à son tour, a des conséquences dans le discours de Paul: ce qui est déjà accompli, en Christ, et donné par l'Esprit, les croyants doivent le tenir ferme, et veiller à ce que personne ne le leur ravisse. Quand la menace se fait plus précise, Paul se fait, lui aussi, plus pressant dans l'exhortation, mais dans tous les cas, la tension eschatologique implique la parénèse.

On le voit dans la forme même que prennent les images du "cycle familial":

- En Rom. 8,17, la note eschatologique rendue par le thème de l'héritier a un corollaire: nous recevrons l'héritage, mais pour l'instant, nous souffrons avec le Christ; ce n'est pas seulement une constatation, car l'acceptation de ces souffrances, et notre persévérance, constituent la condition (εἴπερ) de notre glorification avec le Christ.

- Le passage, très "dogmatique", de Gal. 3,15-4,7 est suivi d'une longue parénèse, reprenant le thème de l'esclavage: les Galates ont été libérés, mais ils sont tentés de se soumettre à une nouvelle servitude (4,9). Paul se serait-il fatigué en vain? (v.11).

- Dans la même ligne, l'idée de "l'enfantement dans la douleur". Paul a "mis au monde" les Galates (comp. 1 Cor. 4,15; Phm. 16). Il semble que tout est à recommencer. Il ne suffit pas qu'on les remette au régime du "lait", comme des nourrissons (comp. 1 Cor. 3,1-3; cf. 14,20). Paul souffre une nouvelle fois, pour eux, les douleurs de l'enfantement (Gal. 4,19).

- De la même manière, quand la relation est menacée, Paul évoque le temps où ses correspondants sont nés à la foi. Dans l'épître aux Galates, il le fait en racontant comment il a été reçu en Galatie: "vous m'avez accueilli comme un ange de Dieu...", "vous vous seriez arraché les yeux" ..."où

donc est votre joie d'alors?" (4,14s).
Ailleurs, il se servira d'images tirées du motif de la "paternité spirituelle", qui acquiert, de ce fait, une dimension parénétique:

- 1 Thess. 2,11: "vous le savez, traitant chacun de vous comme un père ses enfants...".
- 1 Cor. 4,14s: "Je ne vous écris pas cela pour vous faire honte, mais pour vous avertir, comme mes enfants bien-aimés".
- 2 Cor. 6,13: "Payez-nous de retour: je vous dis cela comme à mes enfants...".

- Dans le thème des "fiançailles", enfin, la dimension parénétique de l'image est évidente, non seulement dans la grande fresque d'Ephésiens 5, dans laquelle la description de la relation Christ/Eglise est au service de la parénèse conjugale, mais aussi en 2 Cor. 11,2-3: La communauté de Corinthe est menacée de perdre la "pureté" qu'elle doit à son "fiancé", c'est à dire, en termes "clairs" mais toujours métaphoriques, d'être "infidèle" au Christ. La jalousie" de Paul est fondée: que les Corinthiens se ressaisissent!

- Il est à peine nécessaire de souligner qu'ici non plus, (Dieu) "le Père" n'entre pas en jeu.

V/29 La métaphore et le mystère du Dieu Père et Fils

(a) Dans la présente étude, nous avons tenté d'étudier le langage imagé de Paul pour lui-même, dans une perspective relativement synchronique, laissant dans l'ombre les problèmes posés par l'histoire des images recensées, dans la mesure où cela nous paraissait possible. Nous avons choisi pour instrument de travail les résultats de la recherche récente sur le phénomène métaphorique et avions pour but, non pas tant de vérifier (ou d'infirmer) le jugement de nos prédécesseurs sur la manière dont Paul "métaphorise", que de voir "de l'intérieur" comment, en toute hypothèse, les images "vivent" dans le discours de Paul.

S'il est vrai que Paul ne raconte pas de paraboles et a une prédilection évidente pour la métaphore[7], nous l'avons vu pourtant élaborer une "similitude" qui se tient (Gal. 4,1-2) et faire ressortir de l'exposé du "cas" (faisant image) les "traits" pertinents (voir Gal. 4,3-4; Rom. 7,4-6), et laisser dans l'ombre les éléments qui ne servent pas son propos, quitte à faire intervenir de nouvelles images (cf. Gal. 4,5: l'adoption prend le relai de la "maturité"). Pas plus qu'il n'invente son Evangile, Paul n'invente guère d'images nouvelles pour l'exprimer. Il s'insère dans une tradition, adaptant le trésor reçu aux nécessités de sa proclamation ou de ses exhortations. Et l'on voit alors des thèmes, dont le caractère métaphorique avait pâli, reprendre "vie" dans ce nouveau contexte. C'est ainsi qu'il faut comprendre même ce qui aurait pu nous apparaître comme une "métaphore neuve" (l'héritier): c'est au sein même d'un motif connu que Paul crée cette image. Il n'en reste pas moins que la métaphore est nouvelle et que l'apôtre paraît en être conscient. Nous en voulons pour preuve le soin avec lequel il en démontre la vérité, avant de l'introduire (Gal. 3,29). Mais en général, l'image est connue, et il s'en sert de manière immédiate; c'est particulièrement frappant en 2 Cor. 11,2s, où l'accumulation des métaphores évoque l'allégorie des fiançailles ou des noces. En tout cela, Paul se montre sensible au phénomène métaphorique, capable de s'en servir, et conscient de ses limites.

---

7. R. BULTMANN, Stil, p. 92.

(b) En guise de conclusion, nous nous tournerons donc vers ce qui nous paraît être le seul vrai problème auquel nous nous soyons heurté au cours de notre étude: Comment se fait-il que, dans le paulinisme, "Fils" (de Dieu) entre dans le jeu métaphorique, et pas (Dieu le) "Père"?

A cette question, les résultats de notre enquête donnent une première réponse: "Père" n'est pas un prédicat divin. Il tient lieu du Nom. "Le nom, c'est le nom propre. Le père, c'est une épithète. Le nom c'est une connotation"[8]. Cela pouvait être dit de l'épithète "Père" appliquée à Dieu dans les religions antiques et rejetée par la théologie yahviste. A voir la manière dont Paul se sert de cette dénomination, il nous semble que l'on peut dire de l'expression "Père" dans le paulinisme ce qui vaut pour "Yahvé" dans la révélation vétérotestamentaire: "...la révélation s'élève à ce niveau terrible où le nom est une connotation sans dénotation"[9]. En ce sens, nous dirions que, pour Paul, "Père" n'est pas une métaphore. Quand l'apôtre s'en sert pour désigner Dieu, il n'y a pas de "double-sens". "Père" ne dénote rien ni personne d'autre que Dieu lui-même, et aucun "trait", que le contexte mettrait en évidence, ne peut être compris comme une allusion à une autre "réalité", que "père" dénote quand ce mot est pris "au sens propre". En d'autres termes, Père n'est pas un substantif "pris au sens figuré", mais une dénomination "propre" s'il en est.

Cette réponse n'est que partiellement satisfaisante, car rien ne peut empêcher que ce mot "père" dénote par ailleurs cette "réalité" humaine qu'est un père. En ce sens, "Père" est tout de même une métaphore. Et ce que nous serions tenté

---

8. P. RICOEUR: "La paternité: Du fantasme au symbole", in *Le conflit des interprétations*, Paris 1969, p. 458-485 (ici: p. 475).

9. RICOEUR, ibid.

d'appeler l'obstination de Paul à éviter que (Dieu le) "Père" entre en lien contextuel avec un autre terme du cycle familial s'explique à nos yeux par une volonté d'éviter tout ce qui pourrait évoquer la métaphore, dans l'usage que l'apôtre fait de ce nom. En d'autres termes, cela signifierait que l'apôtre est trop conscient de ce qu'implique l'usage métaphorique des termes, pour se permettre de "jouer" sur le mot "Père". En cela il a lui-même créé une tradition, qui s'est maintenue de manière assez ferme après lui, dans son école, à quelques détails près (voir Eph. 3,14: πατήρ/πατριά).

(c) Peut-on en conclure que, pour Paul, Dieu est à tel point transcendant qu'il est exclu de "métaphoriser" à son sujet? Sous cette forme, cette conclusion nous paraît erronée. Notre étude aboutit, à cet égard, à un résultat qui se formule tout d'abord de manière positive: Dieu se prête à la métaphore dans son Fils, "notre Seigneur Jésus-Christ". En effet, nous avons vu que "Fils de Dieu" n'est pas seulement un titre christologique traditionnel. Ce peut être aussi un élément d'un discours typiquement métaphorique, dans lequel "Fils" - avec certains traits de sa connotation - se met à "jouer" avec d'autres termes, métaphoriques ou non. Or "Fils de Dieu", nous l'avons vu, est le titre par excellence de la révélation de Dieu dans l'histoire. Dans le langage de Paul, ce n'est pas le titre de "l'être" (Jésus est le Fils de Dieu), mais celui de la condition (de Jésus) dans l'oeuvre de Dieu (allemand: das Offenbarungsgeschehen). Le titre de "l'être", ce serait plutôt "Seigneur" (Jésus est Seigneur: Rom. 10,9, etc.). Dieu a "envoyé" son Fils (Gal. 4,4; Rom. 8,3); il l'a "livré" pour nos péchés (Rom. 8,32). "Fils" est le titre de la "métaphore" divine (Dieu parmi nous), et le terme qui se prête à la métaphore.

La manière dont Paul traite du "lieu théologique" de l'Image nous semble confirmer ce que nous venons de dire de la métaphore, au sens technique et au sens "dérivé" (théologique) du terme. L'Image de Dieu, par excellence, c'est Jésus, le Christ, en vertu d'un phénomène de "concentration christologique" dont nous avons rencontré d'autres exemples ("la postérité d'Abraham", Gal. 3,16). Au moment où Paul se sert de cette dénomination comme d'un titre christologique, il n'oublie pas qu'elle était originellement le propre d'Adam, c'est à dire de l'Homme et de tout homme (cf. 1 Cor. 15,49). Dire que le Christ est l'Image de Dieu, c'est affirmer qu'il est l'Homme par excellence. Mais ce n'est sûrement pas par hasard que, dans le contexte de Rom. 8,29, Paul lie "l'Image" à "Fils de Dieu". Jésus, le Christ, le "Fils", c'est Dieu-homme. Et, une fois de plus, ce n'est que logique de le "voir" dès lors comme le "Premier-Né d'une multitude de frères". C'est donc dans son Fils, que Dieu devient semblable aux hommes (cf. Phil. 2,7, etc.). Et c'est en devenant "conformes" au Fils de Dieu, que les hommes peuvent recevoir en plénitude l'empreinte de Dieu, qui fera d'eux des hommes selon le coeur de Dieu. Ici aussi, il serait donc faux de dire que Paul refuse de se représenter Dieu à l'image de l'homme - et que ce serait la raison pour laquelle il refuserait de "métaphoriser" sur "Père". Dieu à l'image de l'homme (solidaire des hommes et assumant leur condition), c'est le Fils, qui est l'Homme par excellence, l'Image de Dieu.

D'où vient alors que Jésus "métaphorisait" sur "Père", aussi bien dans ses paraboles que dans ses exhortations (combien de traits de la notion de "père", appliqués au "Père céleste" apparaissent dans ses logia!), et que Paul s'y refuse? Nous ne pouvons guère faire plus que de poser la question et d'indiquer dans quelle direction la réponse pourrait se trouver.

Dans ses paraboles, dans l'usage métaphorique du mot "père" pour désigner Dieu, Jésus "raconte" ce qui est en train de se passer, du fait qu'il est là, et parle et agit. Il est, non seulement l'image parfaite de Dieu (l'homme par excellence), mais la présence même de ce Dieu que ses disciples vont pouvoir invoquer comme leur Père. Ce que Jésus a fait, Paul ne peut le faire. Ce que Jésus a été, a dit et fait, Paul peut le dire, le "raconter" au "deuxième degré" (en métaphores plus qu'en paraboles). Ne serait-ce pas le signe que, dans la sensibilité propre à Paul, la métaphore du "Père" est réservée au Fils, et participe donc de ce qui, dans l'incarnation, s'est passé une fois pour toutes et ne se renouvelle pas?

INDEX BIBLIOGRAPHIQUE

Le présent index tient lieu de bibliographie. Les chiffres renvoient aux notes (numération continue au sein de chacun des chapitres: 0/2d 41. 0/5a 102.). La référence bibliographique complète des ouvrages et articles cités se trouve dans la première note mentionnée ici.

EDITIONS DES TEXTES BIBLIQUES

The Greek New Testament

United Bible Societies
2e éd. 1968
3e éd. 1975

Septuaginta

ed. A. RAHLFS, Stuttgart
7e éd. 1962

Quand nous n'avons pas adopté une traduction propre, nous avons cité les textes bibliques dans la version de la Traduction Oecuménique de la Bible, Alliance biblique Universelle, Paris 1977, tenant compte, si nécessaire, des modifications apportées au moment de l'édition définitive (en un volume).

ABREVIATIONS

Les abréviations sont empruntées à la Religion in Geschichte und Gegenwart, 3e éd. (RGG_3), Stuttgart 1957ss; à défaut au Theologisches Wörterbuch zum Neuen Testament.

INDEX DES CITATIONS BIBLIQUES

On ne trouvera ici que les références aux citations les plus importantes, du point de vue de notre recherche.
Les chiffres et lettres (0/3c. II/14e) renvoient aux chapitres et sections.
Un chiffre muni d'un astérisque (125*), suivant l'indication usuelle renvoie à une note correspondant à cette section. Un renvoi du type (+86*) signifie que le texte est étudié aussi bien dans le corps du travail qu'en note.

La numération des notes est continue, au sein de chacun des chapitres.

Les exigences d'une étude avant tout synchronique expliquent la rareté des références à des textes non-pauliniens.

ROMAINS (suite)

ROMAINS (suite)

1 CORINTHIENS

GALATES (suite)

EPHESIENS

PHILIPPIENS

COLOSSIENS

1 THESSALONICIENS

1 TIMOTHEE

TITE

PHILEMON

HEBREUX

ORBIS BIBLICUS ET ORIENTALIS

Bd. 1 OTTO RICKENBACHER: *Weisheitsperikopen bei Ben Sira.* X-214-15* Seiten. 1973.

Bd. 2 FRANZ SCHNIDER: *Jesus der Prophet.* 298 Seiten. 1973. Vergriffen.

Bd. 3 PAUL ZINGG: *Das Wachsen der Kirche.* Beiträge zur Frage der lukanischen Redaktion und Theologie. 345 Seiten. 1974. Vergriffen.

Bd. 4 KARL JAROŠ: *Die Stellung des Elohisten zur kanaanäischen Religion.* 496 Seiten. 1974. Vergriffen. Ncuauflage in Vorbereitung.

Bd. 5 OTHMAR KEEL: *Wirkmächtige Siegeszeichen im Alten Testament.* Ikonographische Studien zu Jos 8, 18-26; Ex 17, 8-13; 2 Kön 13, 14-19 und 1 Kön 22, 11. 232 Seiten, 78 Abbildungen. 1974.

Bd. 6 VITUS HUONDER: *Israel Sohn Gottes.* Zur Deutung eines alttestamentlichen Themas in der jüdischen Exegese des Mittelalters. 231 Seiten. 1975.

Bd. 7 RAINER SCHMITT: *Exodus und Passah. Ihr Zusammenhang im Alten Testament.* 112 Seiten. 1975. Vergriffen. Neuauflage in Vorbereitung.

Bd. 8 ADRIAN SCHENKER: *Hexaplarische Psalmenbruchstücke.* Die hexaplarischen Psalmenfragmente der Handschriften Vaticanus graecus 752 und Canonicianus graecus 62. Einleitung, Ausgabe, Erläuterung. XXVIII - 446 Seiten. 1975.

Bd. 9 BEAT ZUBER: *Vier Studien zu den Ursprüngen Israels.* Die Sinaifrage und Probleme der Volks- und Traditionsbildung. 152 Seiten. 1976. Vergriffen.

Bd. 10 EDUARDO ARENS: *The ΗΛΘΟΝ-Sayings in the Synoptic Tradition.* A Historico-critical Investigation. 370 Seiten. 1976.

Bd. 11 KARL JAROŠ: *Sichem.* Eine archäologische und religionsgeschichtliche Studie, mit besonderer Berücksichtigung von Jos 24. 280 Seiten, 193 Abbildungen. 1976.

Bd. 11a KARL JAROŠ / BRIGITTE DECKERT: *Studien zur Sichem-Area.* 81 Seiten, 23 Abbildungen. 1977.

Bd. 12 WALTER BÜHLMANN: *Vom rechten Reden und Schweigen.* Studien zu Proverbien 10-31. 371 Seiten. 1976.

Bd. 13 IVO MEYER: *Jeremia und die falschen Propheten.* 155 Seiten. 1977.

Bd. 14 OTHMAR KEEL: *Vögel als Boten.* Studien zu Ps 68, 12-14, Gen 8, 6-12, Koh 10, 20 und dem Aussenden von Botenvögeln in Ägypten. – Mit einem Beitrag von Urs Winter zu Ps 56, 1 und zur Ikonographie der Göttin mit der Taube. 164 Seiten, 44 Abbildungen. 1977.

Bd. 15 MARIE-LOUISE GUBLER: *Die frühesten Deutungen des Todes Jesu.* Eine motivgeschichtliche Darstellung aufgrund der neueren exegetischen Forschung. XVI - 424 Seiten. 1977.

Bd. 16 JEAN ZUMSTEIN. *La condition du croyant dans l'Evangile selon Matthieu.* 467 pages. 1977.

Bd. 17 FRANZ SCHNIDER: *Die verlorenen Söhne.* Strukturanalytische und historisch-kritische Untersuchungen zu Lk 15. 105 Seiten. 1977.

Bd. 18 HEINRICH VALENTIN: *Aaron.* Eine Studie zur vor-priesterschriftlichen Aaron-Überlieferung. VIII - 441 Seiten. 1978.

Bd. 19 MASSÉO CALOZ: *Etude sur la LXX origénienne du Psautier.* Les relations entre les leçons des Psaumes du Manuscrit Coislin 44, les Fragments des Hexaples et le texte du Psautier Gallican. 480 pages. 1978.

Bd. 20 RAPHAEL GIVEON: *The Impact of Egypt on Canaan.* Iconographical and Related Studies. 156 Seiten, 73 Abbildungen. 1978.

Bd. 21 DOMINIQUE BARTHÉLEMY: *Etudes d'histoire du texte de l'Ancien Testament.* XXV - 419 pages. 1978.

Bd. 22/1 CESLAS SPICQ: *Notes de Lexicographie néo-testamentaire.* Tome I: p. 1-524. 1978.

Bd. 22/2 CESLAS SPICQ: *Notes de Lexicographie néo-testamentaire.* Tome II: p. 525-980. 1978.

Bd. 23 BRIAN M. NOLAN: *The royal Son of God.* The Christology of Matthew 1-2 in the Setting of the Gospel. 282 Seiten. 1979.

Bd. 24 KLAUS KIESOW: *Exodustexte im Jesajabuch.* Literarkritische und motivgeschichtliche Analysen. 221 Seiten. 1979.

Bd. 25/1 MICHAEL LATTKE: *Die Oden Salomos in ihrer Bedeutung für Neues Testament und Gnosis.* Band I. Ausführliche Handschriftenbeschreibung. Edition mit deutscher Parallel-Übersetzung. Hermeneutischer Anhang zur gnostischen Interpretation der Oden Salomos in der Pistis Sophia. XI - 237 Seiten. 1979.

Bd. 25/1a MICHAEL LATTKE: *Die Oden Salomos in ihrer Bedeutung für Neues Testament und Gnosis.* Band Ia. Der syrische Text der Edition in Estrangela Faksimile des griechischen Papyrus Bodmer XI. 68 Seiten. 1980.

Bd. 25/2 MICHAEL LATTKE: *Die Oden Salomos in ihrer Bedeutung für Neues Testament und Gnosis.* Band II. Vollständige Wortkonkordanz zur handschriftlichen, griechischen, koptischen, lateinischen und syrischen Überlieferung der Oden Salomos. Mit einem Faksimile des Kodex N. XVI - 201 Seiten. 1979.

Bd. 26 MAX KÜCHLER: *Frühjüdische Weisheitstraditionen.* Zum Fortgang weisheitlichen Denkens im Bereich des frühjüdischen Jahweglaubens. 703 Seiten. 1979.

Bd. 27 JOSEF M. OESCH: *Petucha und Setuma.* Untersuchungen zu einer überlieferten Gliederung im hebräischen Text des Alten Testaments. XX - 394 - 37* Seiten. 1979.

Bd. 28 ERIK HORNUNG / OTHMAR KEEL (Herausgeber): *Studien zu altägyptischen Lebenslehren.* 394 Seiten. 1979.

Bd. 29 HERMANN ALEXANDER SCHLÖGL: *Der Gott Tatenen.* Nach Texten und Bildern des Neuen Reiches. 216 Seiten, 14 Abbildungen. 1980.

Bd. 30 JOHANN JAKOB STAMM: *Beiträge zur Hebräischen und Altorientalischen Namenkunde.* XVI - 264 Seiten. 1980.

Bd. 31 HELMUT UTZSCHNEIDER: *Hosea – Prophet vor dem Ende.* Zum Verhältnis von Geschichte und Institution in der alttestamentlichen Prophetie. 260 Seiten. 1980.

Bd. 32 PETER WEIMAR: *Die Berufung des Mose.* Literaturwissenschaftliche Analyse von Exodus 2,23-5,5. 402 Seiten. 1980.